楼蘭

井上　靖著

新潮社版

1782

目次

楼蘭

楼《ろう》蘭《らん》

一

往古、西域《せいいき》に楼蘭《ろうらん》と呼ぶ小さい国があった。この楼蘭国が東洋史上にその名を現わして来るのは紀元前百二、三十年頃《ごろ》で、その名を史上から消してしまうのは同じく紀元前七十七年であるから、前後僅《わず》か五十年程の短い期間、この楼蘭国は東洋の歴史の上に存在していたことになる。いまから二千年程昔のことである。

楼蘭の紹介者は、漢の武帝*の頃西域に使し、その功に依《よ》って博望侯に封ぜられた有名な冒険家張騫《ちょうけん》である。現在西域地方は大部分中国の新疆《しんきょう》省に包含されているが、当時は中国の西北部に当たる大沙漠《さばく》地帯で、いわゆる胡族《こぞく》*の住む胡地であり、異民族の住む異域であった。ここが東西文化交流の回廊となり、いわゆるシルクロードなる隊商路が走り貫いたのはずっと後世のことである。

武帝の頃は、まだこの沙漠地帯へ足を踏み入れる無謀者はなかった。沙漠の大きさがいかなるものか判《わか》らなかったし、いかなる種族がそこに住み、いかなる国がそこにあるか知らなかった。

武帝がここへ張騫を派遣したのは、西域という未知の地への好奇心からでも探検的興味からでもなかった。未知の沙漠地帯を越えた向うに大月氏《だいげっし》*という大国があり、その大月氏と協力して、強大な勢力を持って漢をおびやかし続けている匈奴《きょうど》*を撃つためであった。漢では高祖*以来五十余年の間、匈奴へ次々と王女を妻《めあ》わし、幣帛《へいはく》を贈り、通商を許していたが、しかも匈奴の侵掠《しんりゃく》はやむことがなかったのであった。

当時中国の歴代の天子は例外なく匈奴の劫掠《ごうりゃく》に手を焼いていた。匈奴は漢北の地を転々として、シベリヤから中央アジアへかけて跳梁《ちょうりょう》する遊牧民族で、性は兇暴剽悍《きょうぼうひょうかん》で、隙《すき》を見ては南下して中国の辺境を襲った。飢饉《ききん》や天災のない年はあっても、匈奴との闘いのない年はなかった。この匈奴との闘いに、当時の漢もまた士卒も馬匹《ばひつ》も殆《ほとん》ど費《つか》い果たしてしまったと言っていい状態にあった。武帝が初めて匈奴を討伐した時、匈奴の捕虜の中に一人の胡人がおり、その胡人が「匈奴は月氏の王を破り、その頭を酒を飲む器とした。月氏は匈奴を憎むこと甚《はなは》だしいものがあるが、共に立って匈奴を撃つ協力者がないので、いかんとも為《な》し難《がた》い状態にある」と語った。これを聞いて、武帝は大月氏に使者を派して、匈奴に対する共同作戦を張ろうとしたのである。そして武帝は大月氏に使者となる人を募集したが、その時それに応じたのが張騫であった。張騫は紀元前百三十九年に曾《かつ》て匈奴の奴隷《どれい》であった者百余人を率いて隴西《ろうせい》郡を発して胡地へとはいった。その張騫が漢へ帰って来たのは十三年後で、百余人の従者のうち、張騫と共に漢土を踏んだのは僅か一人であった。張騫は途中匈奴の捕虜となり十余年を空《むな》しく過ごしたが、隙を見て逃れ、漠地を越え、目的地大月氏に辿《たど》り着き、使者としての役目を果たし、帰路もまた匈奴に捕えられたが、こんどは匈奴の内乱のお蔭《かげ》で、そこを逃れ、漸《ようや》くにして帰国することができたのであった。

元朔《げんさく》五年（紀元前一二四年）、張騫は都長安にはいり、武帝に自分が経廻《へめぐ》って来た西域諸国の風土、民情、物産等について奏上するところがあった。

この時、楼蘭は、且末《しょまつ》、于闐《うてん》、莎車《さしゃ》、焉耆《えんき》、輪台《りんだい》、亀茲《きゅうじ》、疏勒《そろく》*等の沙漠地帯の多くの国々と一緒に初めてその存在を中国の歴史の上に現わして来たのであった。『漢書西域伝』は当時の西域を次のように伝えている。――西域は初め三十六国あったが、その後分かれて多い時は五十余国を数えている。そのいずれもが、匈奴の西、烏孫《うそん》の南にある。南北に天山、コンロンの大山脈横たわり、中央にタリム河が流れている。東西六千余里、南北千余里、東は玉門、陽関を以《もっ》て漢に接し、西はパミール高原を以て遮《さえぎ》られている。

要するに、西域は天山、コンロン、パミール高原の三山脈に挟《はさ》まれた現在のタリム盆地にあたり、その中央はタクラマカン沙漠を形成し、その沙漠の周辺に、それぞれ別々の言葉と別々の風習と別々の皮膚の色とを持つ異なった民族を収めた小城廓国家が散在していたのである。この西域地方と中国との交通は勿論《もちろん》武帝以前にもあったが、それはすべて民間的なものであり、国家と国家とが交渉を持つようになったのはこの武帝の時が初めてであった。

玉門、陽関を出るとすぐ沙漠地帯が拡《ひろ》がっている。そしてその沙漠を越えたところにロブ湖《ノール》があった。当時はこの湖を漢人は蒲昌海《ほしようかい》とも塩沢とも呼んでいた。現在のロブノールに何倍かする、湖というより海といった方がふさわしい濃い塩分を含んだ巨大な潮の沢であった。玉門、陽関を去ること三百余里の地点である。タクラマカン沙漠の中で一番の大河であるタリム河がここに注いでいる。

そしてこの湖の西北岸に漢に一番近い国としてあったのが楼蘭である。漢から西域に出る道はこの楼蘭に於《お》いて二つに別れる。一つは南に向かい、コンロン山脈の北麓《ほくろく》に沿って行く道で、一つは北へ向かい、天山山脈の南麓に沿って西走する道である。楼蘭から道を南にとると、且末、于闐、莎車、疏勒の国々があって、月氏に通じ、道を北にとると、姑師《こし》、焉耆、輪台、亀茲の国々を経て、烏孫、大宛《だいえん》*の国々に至る。従って、楼蘭は南道を取るにしても、北道を取るにしても、中国から西域諸国に行くには、どうしても、通過しなければならぬ道にあった。

『漢書西域伝』は楼蘭の後身である鄯善《ぜんぜん》*国について、「戸千五百七十、口万四千一百、勝兵二千九百十二甲」と報じているが、これに依って楼蘭という国の大体の大きさを想像することができよう。ともかくロブ湖畔の北西岸に人口一万四、五千の小国があったのである。この楼蘭国人は人種的にみるとアーリア人種のイラン系で、色は黒く、眼はくぼみ、鼻は高かった。総体に彫りの深い顔立ちを持っていて、農耕と遊牧と、ロブ湖に依る採塩と漁業とで生活していた。

この国は張騫に依って初めて紹介されたが、勿論、この種族がこの地方に住みついたのは更に何百年か溯《さかのぼ》ることになるだろう。漢との関係を持つまで、楼蘭は絶えず匈奴の脅威に曝《さら》され、その残忍な劫掠に苦しんではいたが、兎《と》も角《かく》それに隷属することに依って、美しいロブ湖畔で、互いに寄り添うような生き方で、この一万四、五千の小種族は生きていたのである。国が小さいので匈奴に反抗することはできなかったが、それでも武器を取ると一人一人は勇敢であった。騎馬の戦闘も巧みであり、車を駆り、弓を射る独特の戦闘法も他種族を怖《おそ》れさせるに充分なものがあった。

武帝は匈奴に対して共同作戦を取るために張騫を遠く異域に派したのであったが、肝心の大月氏の態度がはっきりしないために、その意味では、武帝は張騫の報告から期待したものを受け取ることはできなかった。併《しか》し、武帝が張騫の話から得たものは、全く彼が予期していないものの中に大きいものがあった。それは西域諸国というものに対する新しい認識であった。

匈奴に対する政略的意味からいっても西域諸国は大きな価値を持っていた。これを支配下に置いて匈奴を側面から脅《おびや》かすこともできたし、その兵力をもって匈奴を撃つことも考えられた。それからまた漢地の小国群は珍奇な財宝の数々を産していた。玉《ぎょく》もあれば、琥珀《こはく》もあった。金も銀も銅もあった。塩もあり、胡椒《こしょう》もあり、葡萄酒《ぶどうしゅ》もあった。馬も、水牛も、象も、孔雀《くじゃく》も、犀《さい》も、獅子《しし》もいた。果物も豊富であり、五穀も豊かに稔《みの》っている。これらの諸国と貿易すれば、匈奴との闘いに疲弊し尽している漢の財政の一端を救うことができる筈《はず》である。特に大宛の産する駿馬《しゅんめ》は、馬匹《ばひつ》の補給に苦しんでいる武帝にとっては大きな魅力であった。

　武帝はまたその西域諸国の向う側にある幾つかの大国の名前を知った。康居《こうきょ》、＊安息《あんそく》、身毒《しんどく》の国々はどこにあるのか見当はつかなかったが、ひどく大きい国で、国土は数々の財宝で充《み》たされているようであった。特に武帝が興味を持ったのは、大夏《たいか》の東南数千里にある暑熱の国身毒（インド）であった。そこへは匈奴の脅威なくして通ずることができるということと、その国人が己《おの》が国の産する財宝と漢の財物との交換を望んでいるということとを聞いて、そのことが武帝に身毒という国を特殊な国として印象づけたのであった。

張騫が武帝の命を受けて二回目に西域にはいったのは、紀元前百二十二年であった。この時の使命は身毒に至って通交を求めることにあったが、途中西南の蛮族に阻《はば》まれて、張騫は目的を達することができないで帰国した。

その翌年張騫は三度西域にはいることになった。この場合は漢軍が匈奴を撃ち、それまで匈奴の勢力範囲にあった敦煌《とんこう》附近の地を手中に収め、西域への道を確保することができたので、この機を逸《のが》さず、武帝はここに初めて西域諸国との友交関係を確立するために、張騫を胡地に派遣することになったのである。紀元前百二十一年のことである。

楼蘭人が初めて漢の部隊を眼《め》にしたのは、張騫の三回目の西域入りの時であった。その日、城壁で囲まれたロブ湖畔の小城邑《しようじようゆう》は、漢族襲撃の報を得て、上を下への大混乱を呈していた。城外に置かれてある何千という馬匹や駱駝《らくだ》は、尽《ことごと》く、城内に引き入れられ、その上で七つの城門は堅く閉ざされ、城壁の要所要所には隈《くま》なく武装した男たちが配された。

城壁に登ると、ロブ湖の湖面が一枚の青い布のように静かに見えた。濃い塩分を含んだ、少しの風でも荒々しく波立つ湖がこの日このように静かであることが、人々を不安にし怖れさせた。湖面は岸に近い方が碧《みどり》に、遠くになるに従って紺青《こんじょう》に見えた。城壁から見て北側の湖岸には見はるかすような密林地帯が続いている。殆ど白楊《はくよう》（ポプラ）の林であるが、その間に檉柳《ていりゅう》（タマリスク）その他の灌木《かんぼく》が埋めている地帯があって、だんだら模様の自然の織物を造り上げている。南側の湖岸はどこまでも荻《おぎ》や蘆《あし》の類《たぐい》が生い茂っていて、何本かの河川がそこに注いでいるが、その河筋は荻や蘆に覆《おお》われていて傍《そば》へ行かない限り眼にすることはできない。

河筋と言えば城廓の周囲にはやたらに水路が多い。湖北の密林地帯以外の土地は、何里もの間、水路が網の目のように織りなされ、その水路と水路の間に耕地が展《ひら》けている。水路は人工的なものもあるが、大部分往古の河の跡である乾河道へ、城から一里離れたところを流れているタリム河の水を引き入れたものである。従って正しく言えば、楼蘭は沙漠地帯にはあったが、ロブ湖に沿っており、地味肥沃《ひよく》なタリム河のデルタ地帯に造られた城邑であった。

タリム河の北を一本の道が走っている。城壁の上からは、タリム河の河筋は、その両側を埋める灌木地帯のために大部分匿《かく》されて見えないが、一カ所だけそのどんよりとした青い姿態を見せているところがあった。数年前その長い流れの一カ所に異変が起きて、新しい流れの道が作られたが、そこだけが両岸に樹木を持たないために、天日にむき出しに曝《さら》されていた。そしてその流れの岸に、それに並行して走っている道も、また、そこだけ衣服を剝《は》ぎ取られていた。

城壁に上っている楼蘭の人々は、その遠く見える道を豆粒のような人間と動物の隊列がもう長いこと続いているのを見ていた。人間と動物は密林から出て、密林へはいるまで、かなり長い時間を要していた。遠目の利《き》くことで選び出された三人の男たちが城壁の上に立って、隊列を形造っている人間と動物の数を算《かぞ》え、他の男たちはそれを次々に大声で呼ばわって、そこから城壁の下へ、城壁の下から第一の屯所《とんしょ》へといった具合に、次々に漢の部隊の動静を口伝えに伝えて行った。

七十八歳で、この国で一番よく遠目の利く瘦《や》せた老人は、三百人の人間と、それに倍する馬と、それから万を算える羊と牛とを、ひどく小さいその二つの眼に映し取っていた。そして老人は馬の半分がいずれもその背に大きな荷物の箱を置いてあることを知ると、それまでの緊張していた顔の表情を革《あらた》めた。いま自分の眼に映っている漢の部隊が決して戦闘を目的とした集団でないことを知ったからである。

急に城内の騒擾《そうじょう》は少し変わった質のものになった。併し、差しせまって戦闘はないと知っても、だれも気を許す者はなかった。戦闘配置が解かれ、財宝が穴蔵から出され、馬や駱駝が城外へと戻されたのは二日経《た》ってからであった。それから数日間、楼蘭人たちは漢から西域へはいって来た大部隊が、なぜこの楼蘭国へ一人の使者も寄越さず、一路西へ進んで行ったかについて噂《うわさ》し合った。

その漢の部隊が楼蘭から道を北に取り、タクラマカン沙漠の北側にある北道諸国中最も勢力を持っていた烏孫に行き、烏孫と款《かん》を通じたこと、更にそこで部隊が数隊に分かれて、大宛、康居、大月氏、大夏、安息、身毒、于闐、扜弥《うび》＊等の国々に向かったこと、そうしたことを楼蘭国王が知ったのは半歳後であった。漢の部隊が匈奴の勢力範囲にある楼蘭や、やはり楼蘭と同様に西域の入口にあって匈奴に隷属している姑師を意識的に避けたことは明らかであった。

そうしたことがあった翌年から、楼蘭人たちは漢の大部隊や小部隊が殆ど毎月のように西行したり、東行したりするのを見た。漢の部隊ばかりでなく、烏孫人の数十人の一団が数十頭ずつの馬と駱駝を連れてタリム河沿いに漢へ向かうのを見たこともあれば、大夏の小部隊が同じように馬と駱駝を連れて、何日間か毎日のように東へ進んで行くのを見たこともあった。楼蘭人たちは、自分たちには無関係なことではあったが、漢と西域諸国の関係が日々密接になって行くのを手に取るようにはっきりと見ることができた。

楼蘭人たちは城廓を出て、それらの旅行者たちを間近に見るために広い耕地を越えて、タリム河の河岸まで出掛けて行くことがあった。こうしたことはこの種族がここへ住みついてから、これまでに一度もないことであった。

楼蘭人たちには匈奴はもう再びこの地方へ姿を見せることはあるまいと思われた。漢が匈奴を破り、匈奴の渾邪《こんや》王を降伏せしめたということは噂で聞いていたが、それが紛れもない事実であることを信じないわけには行かなかった。旅行者の話では匈奴の根拠地の一つであった酒泉《しゅせん》、敦煌《とんこう》には漢の二郡が置かれ、万里の長城は酒泉まで延ばされ、敦煌の西には玉門、陽関の二関を初め幾つかの烽台《ほうだい》や屯所が築かれ、漢と西域を通ずる廻廊《かいろう》は完成したということであった。

ここに楼蘭は初めて匈奴の劫掠を受けない二年の歳月を持つことができたのであった。

楼蘭が漢から使者を受けたのは、彼等が初めて漢の部隊を見てから三年目の秋であった。使者の趣は、玉門、陽関を出て西域にはいる漢人のために、楼蘭国は適当な人数を出して、沙漠の途中まで糧食と水の補給をするようにという一方的な命令であった。この漢の命令を受け取ったのは、楼蘭ばかりでなく姑師も同じことであった。

楼蘭はこのために殆ど毎日のように多数の男たちを沙漠の中へと送り込まなければならなかった。重い糧食を背負い、水を担《にな》って、沙漠の途中まで漢人を出迎えることは大変な仕事であった。匈奴の横暴にも多年苦しめられて来たが、漢の大国としての武力をかさに着た命令も楼蘭人たちには堪え難《がた》いものであった。

楼蘭の男たちの何人かが耕地へ出て行く替りに、重い荷物を背負って沙漠の中へ出て行くようになってから一カ月程したある夜、楼蘭人たちは長く耳にしなかった匈奴の操る馬のいななきを耳にして眼覚めた。城門を押し開いてはいって来た匈奴の十数名の一団は、城内の路地路地を駈《か》け廻り、己《おの》が種族がまだ健在であることを楼蘭人たちに示して廻った。馬に跨《また》がっている匈奴の若者たちの槍《やり》の尖端《せんたん》には、彼等がいま屠《ほふ》って来た許《ばか》りの漢兵の首級が刺されてあり、それが血を滴《したた》らせながら月光の中に青く光って見えた。

翌日、いつものように駆り出されて沙漠の中へ出て行った楼蘭の若者たちは、三人の漢の旅行者を殺戮《さつりく》し、夕方、その所持品を奪って帰って来た。それを見た城内の者たちは歓声を上げてその若者たちを迎えた。楼蘭人たちはどうせ隷属《れいぞく》しなければならないなら、気心の判《わか》らない漢より、多年深い関係を持って来た匈奴を選ぼうという気になったのであった。

漢人は翌日も沙漠の中で殺された。そして、それを最後に楼蘭人は再び漢使のために沙漠の中へ出て行くことはなかった。間もなく匈奴の部隊の一部が姑師、楼蘭の両国にやってきて駐屯した。それ以後、楼蘭の若者たちは屢々《しばしば》漢使を襲った。

漢が、玉門、陽関附近に再び進出して来た匈奴の部隊と初めて西域の沙漠地帯で干《かん》戈《か》を交えたのは、その年紀元前百八年の冬の初めであった。漢の将趙破奴《ちようはど》は数万の軍隊を率いて、西域にはいり、忽《たちま》ちにして匈奴を破って北に奔《はし》らせ、その余勢を駆ってロブ湖畔へ殺到して来た。姑師と楼蘭を撃つためであった。

楼蘭はあっという間に漢の大軍に包囲された。急な漢軍の進攻で、戦闘準備は全くできていなかった。漢の武将王恢《おうかい》が手勢七百を率いて、城門を開けて侵入して来るのを、城内の者は手を拱《こまね》いて見ているよりほか術《すべ》がなかった。漢の兵は城の中央にある王の館《やかた》にはいって来た。王は直ちに捕えられた。

楼蘭王は趙破奴の陣営にひき立てられ、そこで漢に対して帰順を誓わせられ、漢廷に質として送るために長子をその夜のうちに漢軍に差し出さなければならなかった。

漢軍は楼蘭をその手中に収めると、次いで姑師を攻め、そこを陥《おとしい》れ、烏孫《うそん》、大宛《だいえん》をも震駭《しんがい》させて、その翌年の春に軍を退《ひ》いた。

漢軍が西域を去ると、それを待ち構えていたように匈奴の部隊がやって来た。楼蘭王は先に漢に為《な》したように、こんどは匈奴のために忠誠を誓わせられ、次子を質にとられた。

一度西域で軍を動かした武帝は、以後西域諸国の経営に武力を用いるようになった。武帝は大宛が千金と駿馬とを交換することを断わり、その交渉に立った漢の使者を斬《き》ったことを怒り、大宛を征する軍を起した。太初二年（紀元前一〇三年）、李広利《りこうり》＊は正規兵六千騎と無頼《ぶらい》の少年数万人を率いて、西域にはいり、大宛に向かった。併《しか》し、この時は西域諸国はいずれも城市を閉ざして軍食を供給せず、ために遠征軍は大宛に辿《たど》り着くことは着いたもののその大半は飢えていた。その上戦にも敗れ、李広利は生き残った少数の兵力を纏《まと》めて玉門関に帰った。武帝は李広利の不手際《ふてぎわ》を怒り、「軍敢《あ》えて入るものあらばこれを斬る」という勅諭を下し、敗残軍を玉門関より一歩も入れなかった。ために李広利は敦煌に留《とど》まった。

翌年、李広利は再び六万余の兵を率いて敦煌を進発した。こんどは牛十万、馬三万、それに驢馬《ろば》、駱駝《らくだ》それぞれ数万を引き連れ、武器食糧の補給に万全を期した。

李広利の大軍がロブ湖畔を通過すると、楼蘭は匈奴の命で漢軍の後方を擾《みだ》すために兵を出した。併し、これは直ちに漢軍の察知するところとなり、楼蘭は玉門関に屯《たむろ》していた漢軍のために囲まれた。この時は匈奴の騎馬隊の応援があったが、城を支えることができず、楼蘭王は再び漢軍の捕虜となるに至った。

楼蘭王が漢の都長安に送られたのは、遠征軍の大宛に於《お》ける捷報《しょうほう》が次々に報じられて来ている時であった。遠征軍は大宛城を囲み、大宛を降伏させ、数十頭の良馬を初め三千余頭の中馬を手に入れたのであった。

楼蘭王は取調べに当たって、「楼蘭という小国が漢、匈奴という二つの大国の間にある。楼蘭は漢にも属し、匈奴にも属さなければ、国を立てて行くことはできない。国民はそのためにすっかり疲れ切っている。漢が若《も》し楼蘭を己が支配下に置こうとするならば一つの方法しかない。願わくば楼蘭国人全部を移して漢地に留まることを許して戴《いただ》きたい」と言った。武帝はこのことを聞いて憐《あわ》れに思い、王を斬ることなく、再び楼蘭の地に送り帰した。

大宛遠征後、漢は玉門関よりロブ湖に至る沙漠地帯の要処要処に望楼を建てて、漢より西域への通路を保護させ、また輪台《りんだい》とタリム河畔の要地にそれぞれ屯田兵《とんでんへい》数百名を置いた。これ以後楼蘭は好むと好まざるに拘《かかわ》らず漢の支配下に置かれることになった。征和四年（紀元前八九年）、漢は姑師を撃ったが、この時楼蘭では、漢の要請によって自国の兵を戦線に送った。この戦闘では楼蘭兵は姑師を応援する匈奴の軍と闘わなければならなかった。楼蘭は多くの戦死者を出した。

楼蘭王が漢と匈奴の両国に属さなければならぬ心労のために病に罹《かか》って歿《ぼっ》すると、楼蘭の王位を継ぐ者はなかった。子供の一人は匈奴に、一人は漢に質となって送られたまま帰って来ていなかった。漢に送られた長子は法に触れて死罪に問われたということであり、匈奴に送られた次子の方は全くその消息を断っていた。楼蘭では已《や》むなく先王の縁者の一人が推《お》されて王位に就《つ》くことになった。併し、新王もまた位に就くと直ちに両国から質を要求され、二人の子供の中、兄安帰《あんき》を匈奴に、弟尉屠耆《いとき》を漢に送らねばならなかった。

西域経営に積極的であった武帝も、その晩年は財政の逼迫《ひっぱく》、民心の離反などのためもあったが、いささか軍事に疲れた形で、西域に対して一時期ほどの熱意を示さなくなった。匈奴は再び西域諸国に出没して、徐々に勢力を拡張していった。一時は沿道諸国の殆《ほと》んどが漢に臣属したが、この頃《ころ》から次第に漢室を離れるものが多くなった。楼蘭も亦《また》、時の情勢に従って、漢から離れ、匈奴に近づいた。

楼蘭の新王もまた二国の間に国を処する心労のあまり在位数年にして歿し去った。匈奴は王の長子で数年間質として己が地に置いた安帰を楼蘭に帰し、これを王位に就かせた。二十八歳の若き王であった。安帰は王となると、はっきりと親匈反漢の政策をとった。父及びその前王が、二つの国に属して如何《いか》に苦しんだかを知っていたし、長くその陣営にあった安帰としては、匈奴の方が当然親しみ易《やす》くもあり、そこに知人も多かった。

楼蘭の若き新王安帰の親匈反漢の政策ははっきりと具体的な形をとって現われた。安帰が王位に即《つ》いて幾許《いくばく》もなくして、漢よりの使者が来て新王に入朝を勧めたが、安帰は辞して漢に赴こうとはしなかった。のみならず、安帰は匈奴陣営の一翼として、漢の西域諸国への通行を妨げる挙に出た。西域へ向かう漢の使者や漢へ貢物《みつぎもの》を持って行く諸国からの使者は、ロブ湖附近に於て、度々楼蘭人の襲撃するところとなった。安帰が王になってから数年の間、匈奴の部隊は公然と楼蘭の城廓内に出入した。城門の内外にはいつも匈奴の白馬の群れが見られた。漢は武帝卒し、昭帝の代となっていた。

西域諸国の中、はっきりと匈奴の陣営に属する者は、楼蘭国のほかでは亀茲《きゆうじ》があった。亀茲もまた漢にも、匈奴にも常に圧力をかけられ易い地にあって、その悩みは姑師や楼蘭のそれと異ならなかった。今や沙漠を挟《はさ》んで対《むか》い合っている二小国は、共に漢、匈奴両国に同時に通ずる態度を棄《す》て、結果的にそれが有利であるかどうかは判らなかったが、匈奴の陣営に属することによって、国を建てて行く決心を固めていたのである。

併し、こうした楼蘭や亀茲の態度はいつかは漢に依《よ》って報復されなければならなかった。そのことは王安帰にも判っていたが、ただその時期は彼が予想したよりも早く来たのであった。

紀元前七十七年の秋、楼蘭国は漢の使者傅介子《ふかいし》を迎えた。楼蘭が傅介子を迎えるのはこの年二回目であった。この前の時は最近の楼蘭の態度を責められたので、安帰は一応謝罪して傅介子を帰した。が、その後毫《ごう》も国の政策には変りはなかったので、さすがの安帰も、同じ漢使を迎えることは心重かった。いつも附近に駐屯している匈奴の部隊が丁度折悪《おりあ》しく引揚げて行った許《ばか》りの時で、王安帰は心すすまないものはあったが、これを城内の館の中に招じ入れないわけには行かなかった。

広間で酒宴は開かれた。傅介子は従者二人を連れていた。三人の漢の使者を取り囲むようにして、楼蘭王の一族、重臣たちは座を占めていた。

宴が半ばに達した頃、傅介子は王だけの耳に入れたいことがあると言った。王安帰は使者の私語を聴くために、体を傅介子の方へ寄せようとした。その時、間髪を入れず、王の右手の椅子《いす》に就いていた漢の二人の若者は、同時に王をその背後から刺した。一座騒然となる中で、傅介子は周囲の者を睨《にら》み立ったまま、大声で叱咤《しった》した。一座の者には傅介子の形相《ぎょうそう》は火を噴いた仁王《におう》のように見え、その声は雷鳴のように聞こえた。

「王は漢に反抗した罪でいま天子より誅《ちゅう》せられた。長く漢土に質子《ちし》となっていた尉屠者が新しい王として、やがて漢兵と共に来るであろう。徒《いたず》らに騒いで国を亡《ほろ》ぼす勿《なか》れ」

一座の者がたじろいでいる隙《すき》に、傅介子は刀を抜くと、素早く安帰の首を落した。

二

楼蘭の質として長く長安にあった尉屠耆《いとき》は、漢吏から兄安帰の死を伝えられ、安帰に替わる楼蘭の王となるために、即刻故国へ帰るように命じられた。

併《しか》し、尉屠耆が長安を離れるまでにはなお何日かを要した。

「自分がいま楼蘭へ帰っても、匈奴《きょうど》とその協力者のために直ちに殺されてしまうことは必定《ひつじょう》である。幸い楼蘭の南部、伊循城《いじゅんじょう》のある地方は湖もあり地味も肥沃《ひよく》である。願わくば、そこへ漢兵を派遣して屯田《とんでん》させて戴《いただ》きたい。そうすれば、漢兵の威力に依《よ》って、楼蘭国は匈奴の桎梏《しっこく》から逃れてやって行けるかも知れない。それ以外に自分は王として楼蘭国を治めて行く自信はない」

尉屠耆は奏上して、官からの返事を待った。漢室はやがて、司馬一人、吏士四十人を以《もっ》て、伊循の地に屯田させることを尉屠耆に約した。

漢兵に護《まも》られて長安を発《た》った尉屠耆が酒泉、玉門関を過ぎて、上に飛鳥なく下に走獣なしと言われる白竜堆《はくりょうたい》の沙《さ》漠《ばく》地帯を越え、数年振りでロブ湖岸を埋める密林地帯を遠くに望んだのは、楼蘭王安帰が傅介子《ふかいし》に刺殺されてから二カ月経《た》っている時であった。

尉屠耆の到着を知って、城門には群集が群がっていたが、その人々の眼《め》は新しい王には冷たく見えた。王が城門をまさに通過しようとする時、まだ十歳に満たぬ少年は叫んだ。

「河竜を売るな」

河竜とはこの種族が自分たちの種族神として崇《あが》めている神の名であった。少し行くと、こんどは一人の老婆《ろうば》が手を挙げて若き王を打つ真似《まね》をして叫んだ。

「楼蘭を離れることは、死を意味する」

尉屠耆は、少年と老婆のその二人の言葉を理解することはできなかった。王の館《やかた》は漢兵に依って厳しく警固されていた。尉屠耆もよく見知っている王族の男女が多勢出迎えてはいたが、彼等の新王に投げる眼もまた冷たかった。

尉屠耆は、彼が城にはいって来るまで楼蘭をその内乱と匈奴の手から守っていた漢の武将と対面した。

「伊循の地に間もなく漢兵は派遣されるだろう。新王は一日も早く、全楼蘭人を引き連れて、この地を捨て、伊循附近へ移って貰《もら》いたい」

全く寝耳に水の漢の武将の言葉であった。尉屠耆は生まれてからこれ程驚いたことはなかった。

楼蘭国がこのロブ湖畔にある限り匈奴の劫掠《ごうりゃく》から逃れることはできない。楼蘭国が匈奴の桎梏から逃れて、漢に帰順してやって行くには、もっと南方に国を移さなければならない。そうしない限り、幾ら漢兵を派遣しても無駄《むだ》である。——これが漢の為政者の考えた楼蘭の処置であった。

尉屠耆は漢に対して、漢の屯田兵が伊循の地に駐留することは希望したが、そこへ国を移すというようなことは思いもよらないことであった。楼蘭人にとってはロブ湖は神であり、祖先であり、自分たちの生活そのものであった。ロブ湖なしに、また何十本かに分かれてそこに注ぐタリム河なしに、そしてまた湖畔を埋める密林や、蘆《あし》の沢や、そしてそこに降る陽《ひ》や、そこを吹く風なしに、決して楼蘭を、自分たちを、楼蘭人たちは考えることはできなかった。

尉屠耆は新しい王としての最初の布令を出して、十歳以上の一人残らずの王族と、国の古老重臣の総《すべ》てを集め、楼蘭国がいま立ち至った重大事態を説明した。集まって来た者はすべて、既にこのことを漢の武将から告げられて知っていた。彼等は尉屠耆が漢と共謀してやったことだとばかり思い込んでいたが、尉屠耆の説明で、漸《ようや》くにしてひと先《ま》ず新しい王に対する恨みと誤解を解くことができた。

王族、重臣、古老の間には毎日のように意見が闘わされた。国をロブ湖畔から他へ移すことに賛成するものは一人もいなかったが、併し、これは今となっては漢の至上命令とでもいうべきものであった。国が亡《ほろ》びるのを覚悟して漢の命令を退けるか、ひと先ず漢の意志に添って、伊循附近に一時的な国都となるべき地を卜《ぼく》するか、取るべき途《みち》は二つに一つであった。

そして結局最後に決定したことは、ひと先ず漢の命令に服し、楼蘭の城邑《じょうゆう》を棄《す》て、南方に新しい国を営み、漢の保護のもとに国力を充実させ、機を見て再びこのロブ湖畔へ都を戻そうということであった。

それから一カ月の間、毎夜楼蘭の城内には到《いた》るところで火が焚《た》かれ、祭儀と酒宴が行なわれた。昂奮《こうふん》した人々は眠りを忘れたように夜遅くまで起きていた。子供も老人も辻々《つじつじ》に火の焚かれている巷《ちまた》を歩き廻《まわ》った。

その間に、やがて彼等が移って行く新しい経営の地は決められた。そこは伊循城から程遠からぬ地点にある、ロブ湖とは較《くら》べものにならぬ小さい湖の南岸に沿った原野であった。その新しい都の場所が決定すると、人々はそこを誰言うとなく鄯善《ぜんぜん》と呼び始めた。鄯善とは彼等の言葉で〝新しい水〟という意味であった。彼等にはその新しい地に楼蘭という名を冠することは到底考えられないことであった。ロブ湖を離れて、楼蘭もなければ、楼蘭人もあり得なかった。

都が鄯善に決定し、そこへ一国全部が移動して行く日が決まってから、それまでの二十日間程を、楼蘭人たちは忙しく送った。彼等は自分たちが永久にこの辛苦して経営して来た土地を棄てて行くとは思わなかったし、そんなことは信じようにも信じられなかった。彼等はこれまで何回も考え方を切り替えたように、今は匈奴に頼ることから、漢の庇護《ひご》のもとに生きることに、比較的容易に頭を切り替えることができていた。それで漢が完全に匈奴の勢力を西域の地から追い払って仕舞うまで、匈奴の劫掠を避けて、一時的に南方に移り、そこで漢の武力に守られて生きるのだと思い込んでいた。

楼蘭人たちは、城に留まっている漢兵の眼を逃れては、自分たちの財宝を持って、それらを匿《かく》す場所を探すためにロブ湖畔を歩き廻った。彼等の中には数里も離れた遠隔の地まで出掛けて行く者もあった。于闐《うてん》国の月光盛んな夜に得られるという玉《ぎょく》*もあれば、また楼蘭の城邑から数里離れたタリム河の乾いた川床から産する、数は少ないがもっと美しい玉もあった。壁に掛ける四角な織物もあれば、織物の袋もあった。静かな光を湛《たた》えている絹の衣服もあれば、同じく絹製の上靴《うわぐつ》もあった。それから雑多な珍奇な動物の角《つの》も、その角で作った細工物もあった。こうしたものを、楼蘭の男女たちは、再び、自分たちがこの国にやって来るまで、どこか決して他国人に発見されないところに埋めておかなければならなかったのである。ある者は、〝湖の牡犛牛《おすやく》〟と呼んでいる驢馬《ろば》の鳴き声のような鋭い声で鳴く鳥の声に怯《おび》えながら密林地帯を奥へ奥へとはいって行き、ある者は湖岸の枯れた大きな樹木に登ったりした。そしてこうした作業は夜となく昼となく行なわれた。

そして財物を隠匿《いんとく》する仕事が一段落つくと、楼蘭人は幾つかの集団になって城を出てロブ湖畔や、タリム河や、その支流や、蘆《あし》の生《お》い繁《しげ》っている沢や、白い川床の露出している乾河道や、そんな水に関係のある場所で、何回も同じような祭壇を作り、そこで火を焚き、彼等の神である河竜に祈りを捧《ささ》げた。

楼蘭人たちが、二百五十哩《マイル》離れた新しい都城鄯善へ移るために、祖先代々住み慣れたロブ湖畔の城邑を棄てる日、出発を眼の前に控えて二つの事件があった。

一つは王族の一人である老婦人の死であった。彼女は若くして夫に死なれ、一人の子を匈奴に質として取り上げられた不幸な婦人であった。この何年かずっと病床に就《つ》いていたが、楼蘭がその都を移す日の朝、己《おの》が館《やかた》の一室で息を引きとったのであった。王族の一人なので死者は鄭重《ていちょう》に葬《ほうむ》られねばならなかった。このためにこの種族の新しい歴史への出発は一日遅らされねばならなかった。老婦人の亡骸《なきがら》は、彼女が平生冠《かぶ》っていた赤い紐《ひも》のついた帽子を冠せられ、経帷子《きょうかたびら》を着せられ、その上を黒褐色《こっかっしょく》の織物の布で巻かれて、柩《ひつぎ》の中に移された。

葬列は既に廃墟《はいきょ》になっている城を出た。柩は城から小半里離れた丘の上に運ばれ、そこで深く掘られた粘土の穴の中に落し込まれた。葬列に参加した人たちは、墓穴が埋められると、そこに幾つか大きな石を運んで載せた。そして人々は長いことそこから立ち去らなかった。死者に対する悲しみもあったが、そこから見渡せるロブ湖の眺《なが》めと当分別れなければならなかったからである。

それからもう一つは、その夜、老婦人の死を追いかけるように、安帰《あんき》の室が自らの生命を断った事件が起きたことである。つまり先王の后《きさき》の死であった。

この方は明らかに自殺であった。美しく化粧し、美しく着飾って、これも寝台の上に息絶えて横たわっているのを、侍女の一人に発見されたのである。顔には何の苦悶《くもん》の跡もなかったが、口中から一枚の毒草の葉が発見された。

この安帰の室の死を最も深く悲しんだのは尉屠耆《いとき》であった。尉屠耆は、亡《な》き兄王の若く美しい后を、若《も》し彼女が同意するならば、自分の室にしようと秘《ひそ》かに考えていた。これは尉屠耆ひとりの考えではなく、すべての王族の希望でもあったし、またそれは楼蘭人全部の希望でもあるに違いなかった。彼女は国中の人々全部から敬愛されていた。勿論《もちろん》尉屠耆はそのことをだれにも口外していなかった。それよりももっと差し迫った都城を南へ遷《うつ》す問題や、それに附随した雑多な仕事が、新しい若い王の毎日を埋めていた。尉屠耆は鄯善へ都を遷してから、このことを周囲に諮《はか》り、賛成を得てから発表するつもりであった。

ところがその先王の室は突然われとわが生命を断ったのであった。彼女の死とその自殺の理由は、楼蘭人の全部によって論議された。ある者は故王の悲運に対する悲歎の余りであると言い、ある者は故王の墓所のあるこの楼蘭の地を離れることの悲しさのためだと言った。またある者はここに廃墟として打ち棄てられる楼蘭の城邑へ彼女は殉じたのに違いないと言った。正確には彼女の死の意味はだれにも判《わか》らなかったが、不思議に彼女の死は国人のだれにも素直に受け取られた。いささかも奇異な感じは受けなかった。当然起ることが起きたのであって、だれもがそのことに今まで気付かなかったことが不思議のような気がした。彼女に死なれて、人々は初めて楼蘭以外のどこにも彼女が生きることができなかったことに気付いた。ロブ湖と切り離して楼蘭を考えることはできなかったように、ロブ湖を切り離して若い后を考えることもできなかった。

尉屠耆は、老婦人のために一日延ばした鄯善への進発を、兄王の后の死のために、更に二日延ばさなければならなかった。彼女の葬儀は翌々日盛大に行なわれた。彼女の亡骸は、二人の侍女の手によって、何枚かの美しい布片《ぬのぎれ》で巻かれ、頭にはターバン風な帽子を冠せられ、そして尉屠耆の手で柩に移され、その上に彼が漢から持ち帰った美しい模様の布を掛けられた。

この方の柩は老婦人の葬られた丘より少し隔たった丘の中腹に埋葬された。柩を埋める穴は大きく掘られ、柩と一緒に、彼女の日用品や手廻りの品々が何個かの箱に収められて埋められ、一匹の羊も、彼女の従者として一緒に葬られた。楼蘭だけで見られる濃い朱と紫と青と、色とりどりに輝く美しい日没が彼女の新しい墓地を飾った。彼女を葬った墓土の上には、ロブ湖畔から伐《き》り取られて来た一本の太い檉柳《タマリスク》が墓標として立てられた。そしてその前には、花を飾るための大きい石の花いけが据《す》えられた。尉屠耆も、参会者も、それ程遠くない将来、再び自分たちがこの后の墓に詣《もう》でる日のあることを信じて疑わなかった。

南へ移動する日、楼蘭人たちは暁方《あけがた》城門の前の広場に集結し、何千頭からの馬と駱《らく》駝《だ》に荷物を満載した。そしてロブ湖の対岸からのぼる日の出が湖面を赤《あか》錆《さ》びた色に見せ始める頃《ころ》、何回目かの、そしてこれがもはや彼等にとっては最後であるところの河竜への礼拝と祈禱《きとう》を終わり、そして初めて先頭部隊は進発した。

人間と馬と駱駝の、一本の鎖のような長い隊列は、城邑をあとにして、初め沼沢地帯を避けるために北に進み、それから何本もの乾河道に沿って進路を南に取った。先頭部隊が沙漠地帯へ足を踏み入れた時、まだ部隊の後部は城門のところにあった。

最後部の部隊が城門を離れて半刻程《はんとき》してから、行進の隊列から離れた三人の男たちが、彼等が朝立ち去ったばかりの城邑へと戻って来た。一人は城の中にはいると、彼が住んでいた家の前まで馬を乗り入れ、家の中へはいり、納屋の棚《たな》からそこに置き忘れて行った仕事用の鉈《なた》を取って腰に着けた。そして彼は再び馬に跨《また》がった。

もう一人は城邑の内部を突っ切って反対側の門から城外へ出ると、湖岸の密林地帯の入口まで馬をすすめ、財物を埋めてある穴の蓋石《ふたいし》を除いて、そこに口をあけた穴の中へ、持ち来たった西方の小さい壺《つぼ》を入れた。そしてまたもとのように穴に蓋をし、土をかけ、丸太を転がしたり、落葉を敷いたりして、もう絶対にそこにそのような穴が匿されていようとは見えないようにしてから、再び馬上の人となって取って返した。

一番最後に城邑へ戻って来た一人は、別に特別の仕事を持って来たわけではなかった。彼は城内の奥深い路地から路地へ馬を駈《か》け廻《めぐ》らせた後、はいって来た城門から出ると、一度城壁を仰ぎ見るようにして、あとは馬首を真直《まっす》ぐに立てると疾風のように彼が離れて来た隊列を追った。

それから二日間というもの、楼蘭は全く無人の城であった。この二日の間に楼蘭は何十年も一度に年齢を加えたように見えた。風が吹き荒れたためもあったが、築地《ついじ》は崩れ、路地という路地には灰のような砂が積もった。そして城邑全体が廃墟の相を帯びて色褪《いろあ》せて見えた。風が漸く静まった三日目の夕方、漢の数百名の騎馬部隊がここに駐屯《ちゆうとん》するために沙漠を横切ってやって来た。無人の城邑は忽《たちま》ち人声と馬のいななきに満たされた。ロブ湖の湖面は黄濁し、一面に小さい波の立ち騒いでいる日であった。

三

楼蘭《ろうらん》人が鄯善《ぜんぜん》に移った紀元前七十七年から漢に王莽《おうもう》*の乱が起った紀元八年迄《まで》の約八十五年間は、西域《せいいき》に於《おい》て漢は匈奴《きようど》に対して常に優位を占めていた。西域都護*を置いたり、各処に屯田兵を置いたりして、概《おおむ》ね西域諸国を自己の支配下に置くことができた。匈奴との間に烏孫《うそん》*や車師の大々的な争奪戦は行なわれたが、徐々に漢は匈奴を西域より閉め出すことに成功した。

鄯善に移った楼蘭人は、ロブ湖と異なって塩分を全く含まない淡水湖の畔《ほと》りで、新しい耕地を切り拓《ひら》き、彼等が住む城邑《じようゆう》を造って行った。楼蘭人は鄯善に移ってから、一度も匈奴の侵略を受けなかった。匈奴の桎梏《しっこく》を脱する意味では、鄯善に都城を遷《うつ》したことは、楼蘭人のためにいいことであった。

楼蘭人が楼蘭の地を棄《す》ててから十年目の宣帝の地節三年（紀元前六七年）に、鄯善から百名ほどの男たちの一団がほぼ人数と同数の駱駝《らくだ》を連れて、楼蘭に向けて出発した。楼蘭の城邑とその附近から彼等の種族が曾《かつ》て埋め匿《かく》した財宝を持ち出して来るためであった。

一行百名の中の三分の二は三十以上の年配の者で、鄯善へ移ってから一日も楼蘭の城邑とロブ湖とを忘れたことのない連中であり、他は鄯善へ移った当時まだ物心つかぬ幼児であったり、鄯善へ移ってから生まれたりした少年たちであった。彼ら少年たちは生まれてから今日まで毎日のように河竜へ捧《ささ》げる祈りの言葉の中で、楼蘭とロブ湖の名を口にし耳にしない日はなかったが、併《しか》しそこがいかなるところかは全く知らなかった。塩を含んだ水や、塩を含んだ砂というものが本当にあるものか、想像もできなかった。ただ自分たちがいつかはそこへ戻り、そこの美しい城邑で生活しなければならないということだけは知っていた。彼等はそれが自分たちの種族の持つ神に依《よ》って定められた運命ででもあるかのように固く思い込まされていた。

併し、この一隊の楼蘭行きは惨憺《さんたん》たる結果に終わった。往路沙漠《さばく》の真ん中で匈奴の部隊に襲撃され、連れて行った駱駝の半分と十数名の人間の生命を失った。そしてどうにか楼蘭に行き着くことは行き着いたが、楼蘭は全くの要塞地《ようさいち》と化して漢兵が充満しており、車師を占拠している匈奴を撃つための漢からの部隊が、ひっきりなしに湖畔の城へ到着しては、またその城から進発していた。彼等は自分たちの財物を掘り出すどころではなかった。城邑へ一歩も入ることを許されないばかりか、その附近にさえも近寄れなかった。

砂の丘の上から遠く曾て自分たちの都であった楼蘭を見下ろした時、大人たちには楼蘭の城邑もその附近も全く自分たちが住んでいた時代のものとは別のものに見えた。足許《あしもと》を見ると、風は地面を這《は》うように吹きすさび、ために砂は地上低いところに幾つもの小さい渦《うず》を巻いて立ちのぼっていたが、彼らは十年前には決してこのような砂塵《さじん》は見なかったと思った。城邑を廻《めぐ》って起伏している夥《おびただ》しい丘陵もその形を変え、全く親しみのないよそよそしいものに見えた。曾て水晶のように澄んでいた湖はすっかり汚濁して、蘆《あし》は少なくなり、岸辺近いところでも徒《いたずら》に波は互いに体をぶつけ合って立ち騒いでいた。

河竜は怒っているのだと、いまは鄯善人としてある十年前の楼蘭人たちは思った。そして彼等は一個の財物をも掘り出し得ないで空《むな》しく引揚げねばならなかった。

　このことがあってから、更に十年程して、水利の管理を仕事としている七十歳の老人が、ただ一人駱駝に乗って鄯善から楼蘭へ向けて出発した。彼はだれにも一言も言わないで出発したので、老人の周囲の者たちは、老人の姿が忽然《こつぜん》として消え失せたことで大騒ぎをした。老人はゆっくりと沙漠の旅を重ねた末、十日目に彼が夢にも忘れたことのない楼蘭の城邑に辿《たど》り着くことが出来た。彼は駱駝を下りると城門から城の中へ這入って行った。城廓は荒れ放題に荒れていて人影はなかった。

　東の城門から半丁程進んだ時、彼は一人の漢兵の死体を発見した。死体はまだ新しかった。更に半丁程行くと、こんどは三人の匈奴兵の死体がいずれも矢を背に受けて俯伏《うつぶ》せに倒れているのを見た。老人は更に四、五歩歩みを進めて、こんどはまた漢兵の死体を見つけた。突然老人の歩みを、極く近いところに居るに違いない馬のいなきが停《と》めた。

　老人はそこから引き返すと、城門の横に休ませて置いた駱駝に乗り、すぐその不気味な城邑を離れた。そしてまる一日を駱駝の背に揺られ続け、そして自分がいまロブ湖の南端に近い水草地帯に居ることを知った時、初めて駱駝の背から降りた。そして老人は自分が楼蘭へ出掛けて行った目的の何一つをも果たさなかったことを知った。財物を運んで来ることも、祖先の墓に詣《もう》でて来ることも、そして自分が曾て住んでいたロブ湖畔の景色を、それこそ倦《あ》きるほどたっぷり眼《め》に収めて来ることも、そうしたことを総《すべ》て楼蘭の城の中の何個かの死体のためにすっかり忘れてしまったと思った。老人はそこからロブ湖岸までさして遠い道のりではないと判断をつけると、再び駱駝の背に乗った。それから一刻後に老人はロブ湖らしい湖の岸に出た。老人はそこで再び駱駝から降りたが、湖の方へ眼を遣《や》った老人の眼に最初に映ったものは幾つかの朱色の塔であった。それは一つだけ高く聳《そび》え、他の幾つかはその裾《すそ》の方に同じように朱《あか》い塔の先端部を見せていた。老人は長いことそれに眼を瞠《みは》っていた。それはどうしてもこの世の物とは思われなかった。小さい波の立っている、湖面の上に、それは色のついた一枚の切抜き絵でも立てたとしか思えなかった。

老人はすぐ駱駝に乗ると、そこを離れた。老人はこの時、自分が楼蘭の城邑で見たものも、いま湖面に見たものも、同じ変異の仕業だと思った。老人はこうした数々の変異を見ることは、河竜が怒り給うているに違いないからだと思った。

老人は鄯善へ帰ると、自分がどこへ行ったかも、自分がいかなる変異を見たかも一言も語らなかった。そして彼は、河竜の怒りを鎮《しず》めるために、一日も早く鄯善人は楼蘭の故地へ帰らなければならぬと思った。

老人が楼蘭の城邑で見たものは頗《すこぶ》る殺伐たる情景であったが、併し宣帝の時代はそれでも漢威が最も西域地方に及んだ時代であった。宣帝の神爵二年（紀元前六〇年）、鄭吉《ていきつ》が西域都護の官に任ぜられて、亀茲《きゆうじ》の烏塁城《うるいじよう》に留《とど》まるようになってから、西域諸国は概ね漢に帰属し、漢と西域との交通は頻繁《ひんぱん》に行なわれ、毎日のように楼蘭の北部を西方からの隊商は通過して行ったのであった。

紀元八年、漢に内乱が起り、王莽《おうもう》が簒立《さんりつ》するや、漢が西域諸国を軽視する政策を取ったので西域は再び乱れた。そしてこの機に乗じて姿を現わし始めた匈奴に通じ、西域都護に叛《そむ》く国々が現われた。

併し、鄯善は終始漢の陣営にある態度を取っていた。漢の庇護《ひご》に依って国を建てて行くために先祖代々の楼蘭の地まで棄てたのであってみれば、あくまで漢を恃《たの》む態度を変えることはできなかった。今になって匈奴に隷属《れいぞく》するようなことがあれば、何のために鄯善へ移って来たか、その意味は失《な》くなってしまうわけであった。勿論《もちろん》、楼蘭時代を知っている鄯善人は、いまは数える程少なくなっていたが、それでも楼蘭を棄てたということそのことが、とりもなおさず永遠に匈奴との袂別《べいべつ》を意味するものだという考え方は、すべての鄯善人の心に生きていた。鄯善はいかなることがあっても、漢の力を恃まなければならなかったし、そしてまたいつかは故都楼蘭へ帰らなければならなかったのである。楼蘭という言葉は、いまも鄯善人の心の中では、いつか「帰るべき都」という言葉と同義語になっていた。

漢では王莽の乱は治まって、光武帝が即位したが、漢の威令はもとのようには行なわれず、一度乱れた西域は容易に鎮まらなかった。匈奴の劫掠《ごうりやく》はまた次第に烈《はげ》しくなりつつあった。

紀元三十八年、三代目の鄯善王はその頃《ころ》次第に西域諸国の中で強大になりつつあった莎《さ》車《しや》の王と謀《はか》って、漢に使者を派して宝物を奉献した。この漢への使者の派遣は、もっと積極的に漢兵を西域に派遣し、漢の内乱に依って廃止された西域都護を復活することの要請であった。当時、この二国に限らず総ての西域諸国が匈奴の重斂《じゆうれん》に耐えかねて漢への服属を願っていた。

紀元四十一年に莎車王賢は単独で漢に使者を出して、再び西域都護の再設を請うた。光武帝は匈奴と事を構えることを好まなかったため、それに応ぜず、西域都護の印綬《いんじゆ》を賢に与えることにした。併し、時の敦煌太守悲遵《とんこうたいしゆひじゆん》は上書して胡人《こじん》に都護の印綬を授けることの不可を説き、その結果漢は一度与えた印綬を莎車王から取り返すに至った。

このことがあってから、莎車王はひどく漢を恨み、漢に西域経営の意志のないことを知って、自ら西域諸国の統合を計って、その盟主となる野望を抱き、徐々に他国に対して侵略的な態度を取り出した。

この莎車の態度に堪《たま》りかねて、西域諸国は聯合《れんごう》して、事情を漢へ訴えようとした。この時鄯善王は亀茲、車師前王国、焉耆《えんき》等十八国と謀り、漢に使者を送り、それぞれ子を漢に入侍し、珍宝を献じ、具《つぶ》さに西域の事情を訴えて、光武帝の積極的な西域経営を促した。西域十八国の使者は代わる代わる自分たちがいかに漢の統治下にはいることを望んでいるかを告げたが、併し、これに対する光武帝の態度は頗《すこぶ》る煮え切らないものであった。各国の使者たちに賞賜《しょうし》し、彼等が差し出した侍子たちは受け取らなかった。

莎車の鄯善への侵略が始まった時、鄯善人は莎車と闘った。鄯善人たちはここに城邑を移してから初めて、自分の城邑を守るために武器を取ったのであった。併し、鄯善は莎車のために破られた。鄯善は自国を救うために、三度漢に西域の事情を訴える使者を派したが、この場合も亦《また》光武帝の顧るところとはならなかった。鄯善はそこで自国を護《まも》る方策を講じなければならなかった。鄯善王はついに車師と共に、匈奴の陣営にはいることを決意した。全鄯善人は漢に対する怒りに燃えて身を匈奴の陣営に投じた。彼等の祖先が楼蘭を捨ててから百二十年目のことである。

四

漢では光武帝の後明帝が即位したが、明帝もまた内治に忙しく異民族との間に事を構える余裕は持っていなかったので、光武帝の時と同様に、西域《せいいき》への入口である玉門関、陽関は固く閉ざされたままであった。その間、西域諸国は匈奴《きょうど》の跳梁《ちょうりょう》するままに任せられてあった。鄯善《ぜんぜん》は勿論《もちろん》他の諸国はいずれも匈奴に隷属《れいぞく》し、苛酷《かこく》な誅求《ちゅうきゅう》に堪えていなければならなかった。

漢が長く打ち捨てておいた西域を新しい眼《め》で見始めたのは、明帝の晩年からで、北匈奴*が漢の河西《かせい》*劫掠を始めたためであった。漢が河西を保つためには西域に通じなければならず、西域と通ずるためには、そこから匈奴の勢力を駆逐しなければならなかった。

漢廷がついに匈奴討伐を決意したのは永平十六年（紀元七三年）のことである。竇《と》固《こ》および耿秉《こうへい》の二将は酒泉塞《しゅせんさい》を出て、漠地《ばくち》を遠く北進して匈奴を討ち、匈奴の根拠地伊吾盧《いごろ》*を占領した。そしてこの匈奴討伐が終わると、直ちに竇固は西域諸国への通交の使者として班超《はんちょう》*を西域へ派遣した。班超と彼の従者三十六人は玉門関を出て、十六日間かかって沙漠《さばく》を越え、鄯善国へはいった。

鄯善国では王莽《おうもう》の乱より六十何年かぶりで漢使を迎えたわけであった。鄯善人はこれだけ多数の漢人を見ることは初めてであった。鄯善国王広は班超を厚く遇して、数日間滞在させたが、その間に匈奴の部隊が鄯善から三十里の地点に到着したので、広は匈奴の怒りを恐れて、漢使の一行に対する待遇を変えなければならなかった。併《しか》し、この待遇が急に変わったことで班超は匈奴が近くに来たことを知り、その所在を広から聞いて、その夜直ちに匈奴の部隊の幕営を急襲して、その使者の首級を挙げた。

鄯善王広は班超の武勇を怖《おそ》れて、その服属を約した。班超はそれから更に西域諸国を廻《めぐ》り、班超の力で、西域諸国と漢との通交はここに五十数年ぶりで再開されるに至った。鄯善、于闐《うてん》、疏勒《そろく》、車師前国、車師後国等の、当時の西域諸国は匈奴の暴虐《ぼうぎゃく》に苦しんでいたので、いずれも漢に服属することを悦《よろこ》んだ。そして、ここに漢は西域都護を復活し、本格的に西域の経営に乗り出したのであった。

併し、その翌々年の永平十八年（紀元七五年）に匈奴は二万の大軍を率いて、西域奪還の挙に出て来た。ここに於て漢と匈奴との間には、これから班超がその一生をかけるに到《いた》った長い宿命的な闘争が繰り展《ひろ》げられることになったのであった。

鄯善王広が二千の国兵を率いて故地楼蘭を襲ったのは、匈奴の大軍が漢の勢力と大々的に雌雄を決せんと、南下して来る直前であった。班超が三万の軍勢を持つ疏勒に留まって、そこを西域経営の足だまりとすることに決定したという報を得た時、いきなり血気壮《さか》んな鄯善王の頭に閃《ひらめ》いたのは、長く匈奴の屯所《とんしょ》となっている楼蘭を彼等の手から奪還することであった。鄯善人の匈奴に対する憎しみは、他の西域諸国人より一層烈《はげ》しいものがあった。匈奴が来るというと、人々はみな固く家の戸を閉ざし、床下にかくれ、あとは彼等の荒れ狂うに任せた。こうしたことは年に何回となくあった。年々莫大《ばくだい》な貢物《みつぎもの》を献じた上で、鄯善人はこうした劫掠《ごうりゃく》に甘んじていたのである。

現在の鄯善人にとっては、「楼蘭」は、彼等の祖先が考えていたような「帰るべき都」ではなかった。それは、いつか一度はそこで匈奴の兵を殺戮《さつりく》しなければならぬ復《ふっ》仇《きゅう》の場所であった。武装した鄯善二千の部隊は、駱駝《らくだ》に乗り、馬に跨《また》り、彼等が一度も近づいたことのないロブ湖畔の墳墓の地へと向かった。

この行軍は初めの三日間烈しい風に悩まされたが、だれ一人引き返そうという者はなかった。楼蘭へあと三十里の地点で、鄯善人たちは駱駝を棄《す》て、馬に乗った。そしてその夜のうちに楼蘭の城壁へ殺到した。鄯善人たちは城壁を攀《よ》じ登って匈奴の屯所を急襲する作戦であったが、戦闘は城外で始まった。匈奴の部隊は鄯善人の夜襲を察知していて、彼等が城壁に近づくのを待って、いっせいに城壁の上から毒矢を射かけて来た。城の上と城の下の弓の射合いであった。鄯善人たちは次々に倒れて行った。

そしてその何分の一かが毒矢に倒れた時、匈奴の部隊は彼等を側面から襲撃した。王広は、大勢のいかんともし難《がた》いのを知ると、已《や》むなく引揚げの命令を下した。

鄯善の兵は三々五々、夜の闇《やみ》に紛れて漠地を鄯善の方角へ向けて敗走した。匈奴の追手に討たれたり、漠地に道を踏み迷ったりして、どうにか鄯善に辿《たど》り着くことのできた者は、三百人に充《み》たなかった。王広はだれもが討死してしまったのではないかと思った頃、全身に手疵《てきず》を負うた身を曳《ひ》きずるようにして帰って来た。

この楼蘭城の急襲は、惨憺《さんたん》たる結果になったが、併し、鄯善人はこのために自分たちが漢に頼る以外仕方のない立場に立ったことを知らないわけには行かなかった。明帝の西域経営は、叛服《はんぷく》常ない胡国《ここく》の態度に依って悩まされ、班超はこのため西域にあって、その一生を胡族との戦いの中に送ったが、そうした中にあって、鄯善国だけは終始漢の陣営から離れなかった。離れることができなかったといった方がいいかも知れない。

永元十四年（紀元一〇二年）に半生を西域の戦塵《せんじん》の中に過ごして老いた班超は洛陽《らくよう》に帰った。その後任尚が都護となったが、その任を得ず、再び西域諸国は漢より離れるに至った。それに加えて匈奴の進出が烈しくなった。漢朝では、西域の道遠く且《か》つ険阻であること、胡族の叛服常ならぬこと、西域派遣軍の費用莫大なること――この三つの理由に依って、安帝の永初元年（紀元一〇七年）に、ついに西域を放棄し、都護屯田の官吏、兵士を召還した。そして、再び玉門関、陽関は固く閉ざされた。それに替わって、西域には北匈奴がまたもや次の支配者として登場して来た。そして楼蘭はまた匈奴の屯所となった。

安帝の元初六年（紀元一一九年）に、北匈奴は西域の山南諸国を従え、これと聯合《れんごう》して屢々《しばしば》漢の河西に入寇《にゅうこう》した。時の敦煌《とんこう》の太守曹宗《そうそう》は匈奴の大々的な侵略を恐れ、西域諸国に何らかの政治的工作を施すことを上奏した。そしてその結果、長史索班を将として、千余人の兵が伊吾盧《いごろ》に出兵して西域諸国を慰撫《いぶ》することになった。この時、真先に漢に服属したのは匈奴の劫掠に最も苦しめられている車師前国と鄯善であった。

これに対して翌年、匈奴は再び車師後国の兵を率いて来攻し、車師前国を破り、長史索班を殺した。この時鄯善王は兵を率いて索班を応援しようとしたが、匈奴の枝隊に破れた。

鄯善王が救いを曹宗に求めたので、曹宗は上書して、兵五千を出して匈奴を討伐して貰《もら》いたいと願い出た。併し、これは遂に漢廷の受け入れるところとはならなかった。

その後漢廷では、曾《かつ》て西域経略に大功あった班超の子、班勇*を召し出して、その意見を聴いた。その時班勇は、敦煌に旧来あった営兵三百名を復興し、それから楼蘭に西域長史を将とする五百人の兵を置くことを建議した。併し、これもまた実現を見るに至らなかった。

その後、紀元百二十四年、安帝の命に依って、班勇は西域長史として、五百人の兵を率いて西域にはいった。この時も、鄯善は真先にその陣営にはいった。

以後班勇に依って、漢の勢威は何回目かに西域諸国に及んだが、併し、やはりそれは一時的なものでしかなかった。漢の西域経営の熱がさめると、替わって匈奴が来攻して来た。鄯善国は匈奴と漢の間にあって、常に匈奴に劫掠され、漢が西域にはいって来ると、いつもいち早く漢を頼った。併し、やがてまたそれは漢に裏切られる結果にならざるを得なかった。鄯善国の持つ宿命として、こうしたことが、今まで繰り返されたように、またそれからも繰り返されて行った。

武帝の頃三十幾つかを数えたタリム盆地周辺の小城廓国家は、漢と匈奴の間に挟《はさ》まれて、ある時は漢に、ある時は匈奴につき、しかも互いに抗争して来たが、三国時代の始まる紀元二百二十年頃から、次第に国の数を減らして少数の大国となって行った。

鄯善は且末《しよまつ》、小宛、精絶*等の国を併有し、于闐《うてん》は戎盧《じゆうろ》、扜弥《うび》、渠勒《きよろく》、皮山《ひさん》等を併《あわ》せ、その他、焉耆《えんき》、亀茲《きゆうじ》、疏勒《そろく》、車師後国も、それぞれ近隣を己《おの》が国土とすることになった。そしてこれら六国は、武帝時代とは比較にならぬ程の広い領土を持つに至った。

併し、国土は大きくなったが、匈奴に替わって北方に登場して来た鮮卑《せんぴ》*その他の異民族のために、やはり絶えずその隷下に立たせられていた。そしてそうした新勢力と抗争する中国の権力者にも亦《また》、これらの国は絶えず款《かん》を通じなければならなかった。

東晋《とうしん》の明帝の太寧二年（紀元三二四年）に、敦煌附近に勢威を揮《ふる》っていた前涼王張駿は部将楊宣に命じて、流沙《りゆうさ》を越えて鄯善、亀茲を討たしめた。両国は張駿に降服し、この時鄯善王元孟は美女を献納した。

降《くだ》って東晋の孝武帝の太元七年（紀元三八二年）に、車師前王と鄯善王は前秦《ぜんしん》王符堅《ふけん》に入朝した。この時、西域の二人の王は下賜《かし》された朝服を着て西堂に赴き符堅に会ったが、宮殿の壮麗なことと、威儀の厳粛なことに驚き、これからは年々朝貢《ちようこう》したい旨《むね》を申し出たが、符堅は西域の道の遠いことを理由にして許さなかった。そして三年に一度の入貢と九年に一度の朝見を将来の定制とすることにした。こうしたことがあってから間もなく両国は符堅の命に依って、兵七万五千を率いて西域長史となった将呂光の嚮導《きようどう》となって、他の西域諸国の兵と闘わねばならなかった。

併し、間もなく、前秦は東晋と戦って敗れ、前秦が瓦解《がかい》するに及んで、その余波を受けて西域一帯の地も亦騒然とした。

この時鄯善国の若い一人の武将は、ずっと長く中国の権力者の所有に帰していた楼蘭を襲う決意を固めた。遠い祖先の城邑《じょうゆう》の地であり、当然鄯善国の領土であり、現在国破れた前秦の部将が屯《たむろ》しているに違いない楼蘭を、この混乱期に乗じて手中に収めようと思ったのである。

彼はたまたま手勢五百を率いて使者として敦煌に向かっていたが、敦煌には向かわないで、途中から引き返して道を楼蘭に取った。若い指揮者以外、五百の部下たちのうち一人も、楼蘭が自分たちといかなる関係を持っているか知らなかった。

部隊は昼も夜もなく沙漠を行軍し、楼蘭の城まであと半日の行程になった日の夜、部隊は充分な休養をとった。そしてその翌朝、楼蘭へ向けて部隊が進発する時、若い指揮者は部下たちに、自分たちの任務が楼蘭を無力な守備者たちの手から奪還するにあることを伝え、そしてその楼蘭がいかに自分たちと深い関係にあるかを説明した。鄯善兵たちは常に彼等の指揮者の人柄《ひとがら》を敬愛し、その武勇を尊敬していたので、だれもその命に反《そむ》く者はなかった。祖先の城邑を自分たちの手に収めるということに感動して、それが卓抜な指揮者に依って必ず実現することを信じて疑わなかった。

その日、風は出発の時から烈《はげ》しかったが、古い城廓が間近になって来た頃《ころ》から一層烈しくなった。指揮者の命令で鄯善の兵たちは、一寸先も見えない砂塵《さじん》の中を、馬もろとも半ば吹き飛ばされながら進撃した。やがて彼等は砂塵の中から、巨大な灰色の城壁と櫓《やぐら》がその姿の一部を現わすのを見た。

若い指揮者は自ら先頭に立ち、城門に廻って三人の番兵を斬《き》った。そして部隊は一丸となって城邑の中へ突入した。闘いはすぐに始まった。守備兵の兵力は正確なことは判《わか》らなかったが、予想したよりもずっと多かった。攻撃隊は幾つかに別れて、その一つ一つの部隊はいつも固まっていた。決して単独に行動することはなかった。闘いは城邑の、あらゆる家屋や、あらゆる路地や、あらゆる櫓や、あらゆる塁《とりで》で行なわれた。

夜が来た。闘っている者たちにはひどく早く夜が来たように思われた。夜になると同時に風は収まった。鄯善兵の三分の一の人数が倒れたが、併し守備兵はその何倍かを失っていた。

暁方《あけがた》に小さい戦闘があったのを最後として、戦いは全く終わった。生き残りの守備兵は夜陰に紛れて逃れてしまったらしく、朝になると城内には敵の一兵の姿をも見ることはできなかった。鄯善の兵たちは到《いた》るところに屍体《したい》が転がっている城内を歩き廻った。そしていつも彼等の国への侵入者たちがやったように、あらゆる建物や家屋の中を、金品を物色するために歩き廻った。

若い指揮者は数人の部下と一緒に櫓の上に登った。六百年程昔の祖先たちの経営した土地は、彼の眼《め》にはひどく殺風景なものに見えた。城を繞《めぐ》って、見渡す限り沙漠の海であった。無数の小さい砂丘が恰《あたか》も波のように起伏している。そしてその砂丘は、白い波でも立っているように白く棘々《とげとげ》して見えた。

昨日のように烈しくはなかったが、風が吹いていて、その白い砂の波頭は、いつもその幾つかがその斜面や頂《いただき》から砂粒を宙に巻き上げていた。そして巻き上げられた砂は一枚の立てられた薄い布となって、北から南へと走っていた。

若い指揮者は、河川も湖もなくて、よく自分たちの祖先はここに住んでいたものだと思った。併《しか》し、若者ははるか北東に密林地帯の一部が姿を現わしているのを見ると、あるいはあの中に小さい池でもあるのかと思った。

それから暫《しばら》くして、指揮者は、城内の屍体を取り片附けて沙漠の中へ棄てに行った部下の一人から、密林地帯の中に、細長い刀の切先《きっさき》のような形の湖が長く続いているということを聞いた。そしてその兵は、その細長い湖は若《も》しかすると限りなく遠くへ続いて、大きな湖にはいるのではないかと言った。若い指揮者は兵たちを集めて、その細長い湖を見に行くことにした。彼はこの城邑へ敵の援兵が決して来ないことを知っていたので、ひどくのんきであった。密林地帯の中へその切先を喰《く》い込ませている湖は、透《す》き徹《とお》るような美しい水を湛《たた》え、ひどく浅かった。その浅い湖はどこまで行っても尽きないで、次第にその幅を広くして行った。所々に水鳥が群れをなしていた。

鄯善兵たちは城へ引きあげると、城邑の中から見附け出した酒樽《さかだる》を真中に置いて、戦勝の酒宴を始めた。日は早く暮れた。落日は鄯善人たちが決して一度も見たこともない程多彩な光で空を彩《いろど》った、ひどく美しいものであった。

兵の一人が、その落日を見て不吉な前兆であるから早く引きあげた方がよいと主張した。若い勇敢な指揮者にも、それは不吉と言えば不吉なもののように思われた。併し、鄯善の部隊はその夜そこにもう一晩泊まった。

翌朝、鄯善兵たちは自分たちが未《いま》だ曾《かつ》て耳にしたことのない異様な鳴物の音を聞いた。いつかまた風は烈しくなっていたが、それは風の音ではなく、風の音の間から聞こえて来た。

若い指揮者が兵の一人に櫓に上がることを命じた時、最初の一本の矢が飛んで来て、それが建物の側面に当たり、石畳の路地の上に落ちた。かなり長い矢であった。それを合図に城内には夥《おびただ》しい矢が射込まれた。相当遠距離からのものであった。矢はどちらの方向から来るのか見当がつかなかった。そして矢の大半は烈風に吹き飛ばされて水平に地上に落ちていた。

櫓に登るために出掛けて行った鄯善兵が帰って来た。砂塵で天地は暗くなり、視界は全く利《き》かないと報告した。指揮者は自ら櫓に登って行ったが、兵の言うように城外は全く何物も見えなかった。

夜の帳《とばり》が下りたように暗くなった天地を、風が怒号しており、風の怒号の中にもう一つの怒号が聞こえていた。それは若者が昼間もう少し辛抱して先に進んで行けば、恐らくその眼で見ることができた筈《はず》のロプ湖の怒った波の叫びであった。

若者は櫓から降りた。舞い落ちる矢の数は繁《しげ》くなり、異様な鳴物の音は間近になった。若い指揮者は部下たちをひと塊《かたまり》にして、城門へ向かった。多数の敵を相手にする時、城内を戦場に取ることは不利であったからである。鄯善兵たちは一隊となって城門へ向かって走ったが、彼等は反対に城門へ侵入して来る異様な装束の一隊と、城門の屯所《とんしょ》の建物の前でぶつかった。鄯善兵たちは城外に出ることは諦《あきら》めて、そこで敵を迎え撃った。敵は手に手に太刀を振りかざして、舞いでも舞うような恰好《かっこう》で飛びかかって来た。

鄯善の兵たちは長槍でそれに立ち向かった。乱闘の場へは滝のように砂が降り始めた。敵も味方も砂が降って来ると、その間だけ闘いを休まなければならなかった。眼は開けていられなかったし、砂は衣服のあらゆる小さい隙間《すきま》から侵入して来た。

風の怒号は益々《ますます》烈しくなり、砂の雨は益々ひどくなった。そして天日は翳《かげ》り、戦闘者たちはお互いの姿を確《しか》と認めることはできなかった。

若い指揮者は何人かの部下と共に城門の外に出た。併し、一歩も歩くことはできなかった。砂の雨は城内よりもっと烈しかった。鄯善兵たちは次々に城門を出て来て、城壁にへばりついた。その城壁には城内にはいらず、そこに立往生していることを余儀なくされている多数の敵兵が居た。そこでは風の叫びと波の音のほかに、何百という馬のいななきと駱駝《らくだ》の悲痛な叫びが聞こえていた。

風はそれから昼となく、夜となく、三日三晩荒れ狂った。人間も埋まり、馬も、駱駝も埋まった。城壁は砂のために半分の高さになった。

戦闘は初めそこに行なわれたということが不思議なように、いつか完全に終わっていた。鄯善人も、二番目の侵入者も、残りの三日を砂との闘いのために費《つか》った。

若い指揮者は何十人かの部下を砂の中に置いて、四日目の午後風が少し静まった頃、楼蘭の城から離れた。異国の侵入者たちもまた同じように何分の一かの兵力を砂のために奪われて、小さい沙漠の中の城廓から離れた。

鄯善人たちは、馬を失っていたので、帰りは歩いて鄯善へ帰らなければならなかった。彼等が楼蘭を離れた時は、まだ沙漠の中には何百かの砂の竜巻《たつまき》が林のように立っていたが、それは夕方になるに従って、次第に数を減らした。

鄯善人たちは、それから何日か、また沙漠の変異に苦しめられねばならなかった。賑《にぎ》やかな家族の話し声がふいに聞こえたり、恐ろしく沢山の馬のいななきがすぐ間近に聞こえたりした。それからまた彼等は自分たちの行手に、幾度か泉が噴き出しているに違いない小さな森を見た。併し、そこへ向かって行けども、行けども、森には行きつかなかった。森はいつか消えていた。

若い指揮者は出発した時の三分の一の人数の部下を引き連れて、一カ月目に鄯善へ帰った。彼等は異様な侵入者がどこの国の者か知らなかったので、彼等の語ることは、彼等が沙漠の中で見物したものと同じように、沙漠の魔物の仕業ではないかと思われがちであった。——北方に威を張る柔然*の一枝隊の侵略であることを、若い指揮者はついにその生涯《しょうがい》で知ることはなかった。

二年後、鄯善のこの若い指揮者はもう一度、部下と共に楼蘭を訪れた。併し、この時は楼蘭の城邑は全く砂に埋まり、僅《わず》かに櫓の一部を砂から覗《のぞ》かせているのを見ただけであった。そして細長い湖を見るために密林地帯へはいって行ったが、白く乾いた砂の道が帯のように拡《ひろ》がっているだけで、どこにも湖を見ることはできなかった。ロブ湖は姿を消し、楼蘭は全く沙漠のただ中に埋まってしまったのであった。

これから約六十年後の元嘉二十二年（紀元四四五年）に、鄯善は時の権力者魏《ぎ》の太武帝に刃向かい、ために彼の派した涼州の兵に依って討たれ、王は降伏した。これ以後鄯善は魏の郡県同様に扱われることになり、国家としての存在を全く失った。ロブ湖も、楼蘭も、そして鄯善も、相前後してその姿を史上から消すに至ったのである。

五

東晋《とうしん》の安帝隆安三年（紀元三九九年）に、僧法顕《ほっけん》*は同学の僧十数人と共に梵語《ぼんご》、梵文を学ぶために長安を発《た》って、印度にはいったが、その時の旅行記に、

「玉門関を出て沙河を渡るが、沙河附近一帯、悪鬼棲《す》み、然《しか》も熱風生じ、旅人一度これに遭遇せば尽《ことごと》く死し、一人として生命を全《まっと》うする者なし。空に一飛鳥なく、地に一走獣なくして、遍望眼を極め、渡る所を求めんとすれば即《すなわ》ち擬する所を知らず、旅人はただ沙上に暴露された人骨獣骨の類《たぐい》を以《もっ》て、行路の標識となすのみ」

と記述している。楼蘭《ろうらん》の眠っている砂の上か、あるいは曾《かつ》て湖岸であったところか、確かなことは判《わか》らないが、ともかく、法顕が楼蘭の附近を通過して行ったことだけは事実として考えていいであろう。

それから唐の時代に、太宗《たいそう》*の命を帯びて印度に赴いた玄奘三蔵《げんじょうさんぞう》*は、艱難辛苦《かんなんしんく》の後経

文を都に持ち帰ったが、その際に、帰途楼蘭の地を通っている。『大唐西域記*』に短い記述がある。

「行くこと四百余里にして覩邏《とから》故《こ》国《こく》に至る。国は久しく空曠《くうこう》にして城は皆荒蕪《こうぶ》せり、これより東行六百余里にして折摩駄《しやるまだ》那《な》故国に至る。即ち沮末《しょまつ》の地なり。城廓は巋然《きぜん》たれども人煙は断絶せり。復《また》この東北に千余里を行《ゆ》いて納縛波《なばば》故国に至る。即ち楼蘭の地なり」

　玄奘三蔵は大流沙の中に、二つの無人の城廓を認めているが、楼蘭の地については何の記述もない。その四辺はただ空々漠々《ばくばく》たる沙漠で、城廓は既に沙中深く埋もれていたのであろう。今から千数百年前（紀元六四五年）のことである。

　楼蘭が長い眠りを覚まされて、世界史上に登場して来るのは二十世紀になってからである。

　この間、世界地図は幾度かその領域を示す色を変えたが、併《しか》し、楼蘭の眠っている中央アジアの一部分だけは、誰の訪れるところともならなかった。生物の姿を殆《ほとん》ど見ない広漠たる沙漠地帯へ、足を踏み入れる者はなかったのである。

　併し、西紀千九百年にスウェーデンの探検家、スウェン・ヘディンの手によって、沙漠に埋もれた昔の都楼蘭は、突然千何百年ぶりかで地上に姿を現わすに至った。併し、それが楼蘭遺址《いし》と断定されるには、何回も多くの学者たちに依って論争されなければならなかった。そして楼蘭の位置と関連して曾《かつ》てその楼蘭の傍に水を湛《たた》えていて、現在はそこから消えてしまったロプ湖の秘密が、同時に解決されなければならなかった。

古代の楼蘭人が、ロプ湖なしに楼蘭が考えられなかったように、二十世紀の学者たちにも、その二つのものを引き離して考えることはできなかったのである。そしてヘディンが発見した遺址が楼蘭であるためには、曾てそこにあったように、いまもそこにロプ湖がなければならなかった。一体ロプ湖はどこへ行ったのであるか。沙漠地帯に散在している多くの湖の群れの中から、たとえロプ湖のなれの果てであろうと、兎《と》も角《かく》、それを見付け出さなければならなかった。そして、それがいかにして移動したかの秘密が解決されなければならなかった。

かくして、そこが楼蘭の故地であることが決定すると共に、ロプ湖が千五百年の周期をもって、南北に移動する湖であるという推定が行なわれ、それが一つの動かすべからざる定説となったのであった。——ロプ湖はそこに注ぐタリム河の、土砂の堆積《たいせき》と風の作用に依る河道の変遷に依って、千五百年の周期をもって、北から南へ、南から北へ移動する。

西紀千九百二十七年、ヘディンは六十二歳の時、多数の専門家から成る一大探検隊を組織して、彼にとっては、四回目の大々的な西域探検旅行を試みた。そしてこの探検隊の正式な名前である西北科学調査団の主要メンバーは、スウェーデン人およびドイツ人十八名、中国人十名のほか、現地で傭《やと》い入れた運転手や料理人、従者などであった。

ヘディンはこの第四回探検に於《お》いて、楼蘭遺址を再び訪れた。そして、その沙漠におけるある日、彼は四世紀頃《ごろ》まで流れていた何本かの水路の一つを辿《たど》って行った。往古、楼蘭人が住んでいた頃は水が流れ、そしてその後長く水を寄せつけなかった乾いた水路に、いまや再び水が満ち始めているのを見た。楼蘭はロブ湖の移動によって沙漠の中に置き忘れられた無人の城邑《じようゆう》となり、砂に埋まってしまったが、いまその楼蘭の遺址には、再び水が訪れ始めているのであった。何本かの乾河道にはすでに水が来つつあり、水と共に植物や動物の生命が一緒に移って来つつあった。そして、まだ水を持たない何十本かの砂の川にもやがて水が流れ、水と共に無数の生命が移動して来る筈《はず》であった。

ヘディンはその日、二つの柩《ひつぎ》を沙漠の中で発見した。一つは丘の上であり、一つはそこからかなり離れた丘の麓《ふもと》であった。ヘディンはその一つに就《つ》いて、自分の著書の中で次のようにその柩を発見した前後の模様を詳細に記述している。

鷹《たか》のように目のいい二人の船頭が、メサ（沈積物が浸蝕《しんしょく》されて残った粘土の大塊）の頂上からもう一つの墓を見付けた。これは大きいメサの麓にある極めて小さいメサの頂上の東側にあった。

我々は心なく乱暴に攪《か》き乱した墓をそっとしておいて、寂しい休息所へ下りて行った。そしてもう舟を出せないのを見てとった私は、二番目の墓の丁度南西の所にテントを張るように命じた。ところがみんなは調査が済む迄《まで》一緒に居らして頂きたいと言うので、私も彼等のいたずらな楽しみを拒むわけにはゆかなかった。

此《こ》のたった一つの墓のある小さいメサは北東から西南に向かって居り、長さ四十一呎《フィート》、幅十二呎、頂上は水面から二十九呎、周囲の地面からは二十四呎ある。大きいメサの頂上から見ると、此の小丘に墓がある事は一見してわかる。何故《なぜ》ならメサの頂は何時《いつ》もまる裸で何も生えてはいないのに、その上に檉柳《タマリスク》の柱が一本立っているのはどう見ても普通である筈がないからである。

孤立したこの一本の柱が、掘ってくれと言わぬばかりに我々を誘っているので、人々は早速仕事にとりかかった。しかしながら此のメサの粘土はまるで煉瓦《れんが》のように硬く、粘板岩になりかけていた。そこで上陸個所まで斧《おの》を取りに行って来て、それで硬い所を切り拓《ひら》いた。墓は長方形でメサの北西の斜面の際《きわ》にあり、斜面寄りの粘土壁は上が一呎、下に行って二呎になっていた。深さ二呎三吋《インチ》の所で、掘手達は木の蓋《ふた》に打ち当り、最初は斧で、次には鋤《すき》で土を取り除《の》けた。その蓋は長さ五呎十一吋のよく保存されている二枚の板で出来ていて、幅は頭の所で一呎八吋、足の方で一呎五吋半、木の厚味は一吋半あった。頭部は北東に向かっていた。

柩の蓋はきれいになったが、柩は粘土にぴったりくっついていて、今掘った穴をもっと大きくしないことにはとても上に上がらないことがわかったので、すぐさま北西側の粘土壁をすっかり取り払うことに決めた。それは時間も要るし、労力も要る仕事であった。しかし遂に最後の障碍《しょうがい》が取り除かれると、気を付けながら何とか巧《うま》い工合にメサの上まで柩を持上げる事が出来た。

柩の型は水の多い地方に特有なもので、舳《へさき》と艫《とも》とを鋸《のこぎり》で切り落し、その代りに真っ直ぐな板を横に渡した普通の独木舟《カヌー》と丁度同じ形をしている。

蓋になっていた二枚の板は、既にメサの外壁が壊される前に上げられていた。我々は、かくも永い間乱されずに眠り続けて来た未知の屍体を見ようと、熱心に待ち設けていた。ところが見えたのは屍体に非《あら》ずして、頭の先から足の先迄屍体を完全に包んでいる毛布だけであった。その覆《おお》いは非常に脆《もろ》くなっていたので、ちょっと触れただけで粉々になってしまった。我々は頭が隠れている部分を取り除けた。そして今我々は見た。美《うる》わしさ限りなき沙漠の支配者、楼蘭とロブ湖の女王を。

うら若い女は突然の死に見舞われ、愛する人々の手で経帷子《きょうかたびら》を着せられ、平和な丘の上に運ばれて、遥《はる》か後代の者達が呼び醒《さ》ますまで、二千年近くの長い眠りに憩《いこ》うていたのである。

顔の皮膚は羊皮紙のように硬いが、目鼻立ちや顔の輪廓は長い歳月にも変えられずにいた。彼女は殆《ほと》んど落ち窪《くぼ》んでいない眼の上に瞼《まぶた》を閉じて横たわっていた。唇《くちびる》の周囲には幾世紀もの間消えずにいた微笑が今もなお漂って居り、この神秘な存在をして一層可憐《かれん》な魅力深きものたらしめている。

しかし彼女は過去の秘密や、又墓場まで持って来た楼蘭の多彩な生活や、湖辺に萌《も》える春の緑や、小舟や独木舟《カヌー》の川旅の思い出を洩《も》らしてはくれない。

彼女は、匈奴《きょうど》やその他の蛮人達と戦うために出かける楼蘭の守備兵の行進を見、射手や槍兵《そうへい》達を乗せた戦車を見、楼蘭を通ったり其処《そこ》の宿屋に泊まったりした大隊商を見、また支那《しな》の高価な絹の梱《こり》を「絹の道」を通って西方へ運ぶ数知れぬ駱駝《らくだ》を見たに違いない。そして彼女は確かに恋し、又恋されたに違いない。若《も》しかすると恋の悲しみのために死んだのかも知れない。しかしこれらの事はすべて知る由《よし》もないことである。柩の内側の長さは五呎七吋で、世に知られぬこの女王は、ほぼ五呎二吋の小女である。

午後の陽光を浴びながら、詹《チエン》と私は暫《しば》しの間彼女が埋葬される時つけていた着物を調べはじめた。頭には頭巾《ずきん》風な帽子を被《かぶ》り、その周りに簡単な帯《バンド》を一本巻いている。身体《からだ》は麻の織物（多分大麻の）で覆われ、此の下に同様な二枚の黄色い絹布の被《おお》い物《もの》を着けている。胸は真四角な赤い刺繍《ししゅう》のある絹布で覆われ、その下にもう一枚麻の下《した》衣《ぎ》をつけている。

身体の下の部分はスカートのような袷《あわせ》となった絹布に包まれて居り、黄色い絹布と麻とに続いている。同様に白地のスカートが短い麻の下衣から続いている。この下に又薄いスカートとズボンをはき、絹の上靴《うわぐつ》をはいている。腰紐《こしひも》は肌《はだ》に直接巻かれている。

我々はこれらの衣類全部からそれぞれの標本を持ち去った。その中の或《あ》るものは——例えば頭の被り物とか上靴のようなものは——そっくりそのまま取り、なおその上彩《いろど》り美しい模様のある財布も一つ持ち去った。柩の外側の頭部に当たる所で、我々は低い縁のある四本脚の長方形の食卓と赤く彩色した木製の椀《わん》を一つずつ、それから羊の骸骨《がいこつ》を一頭分そっくり見付けた。これはあの世の旅路で旅行者が食べるための食糧であったのだろう。

ヘディンが掘り出した柩が、古代の楼蘭人が城を捨てて行こうとした日に自殺した若い后《きさき》のものであったか、どうか、そうしたことをここで穿鑿《せんさく》するには及ぶまい。もともと彼女の死そのものが秘密に包まれていたのだから、われわれは何を知る必要があろう。楼蘭が砂に埋もれていた千五百年のうちに、楼蘭はロブ湖と共に所在をくらまし、それがどこにあるか判らなかったが、その二つが学者たちの手に依って明らかにされたことだけで充分ではないか。

ロブ湖はいま、楼蘭の故地へ帰りつつある。ヘディンが楼蘭遺址を発見してから、今日までに既に半世紀の歳月が経過しているが、その間ずっとロブ湖の水は楼蘭の故地へ向かって移動し続けており、いまも移動し続けているのである。それが全く帰り終えてしまうには、なお何十年かの歳月を要するかも知れないが、ともかく、いま帰りつつあることだけは事実である。そしてそこに住んでいた楼蘭人の神である河竜も、また、いまそこへ帰りつつあるであろう。いや、すでに河竜は帰っているかも知れない。

（作中に引用したヘディンの記述は岩村《いわむら》忍《しのぶ》氏訳の『彷徨《さまよ》へる湖』から借用したことを附記しておきます）

洪《こう》水《ずい》

後漢献帝*（紀元一八九―二二〇年）の末期、索勱《さくばい》は敦煌《とんこう》の兵一千を率いて玉門関を出た。タクラマカン沙漠《さばく》の東部を流れるクム河《ダリヤ》の河畔に、新しい軍事植民地を建設するためであった。漢の部隊が国境を越えて所謂塞外《いわゆるさいがい》の地へ足を踏み入れるのは三十年振りのことであった。

武帝*が武力を用いて初めて西域《せいいき》と通じてより三百年の長い歳月が流れていたが、その間、西域を舞台にして漢と匈奴《きょうど》*との抗争は連綿と続き、玉門関、陽関はある時期は開かれ、ある時期は閉ざされていた。漢威が遠く崑崙《こんろん》山脈の彼方《かなた》にまで及んだこともあれば、その反対に玉門関を越えて黄河流域一帯の地まで、匈奴の劫掠《ごうりゃく》に任せられたこともあった。

前漢、後漢を通じて歴代の天子は例外なく匈奴問題に手を焼き、匈奴ある限り枕《まくら》を高くして寝ることは出来ない状態であった。河西《かせい》*を収めるには匈奴を撃たなければならず、匈奴を撃つためには西域に通じなければならなかった。併《しか》し、西域への道は遠く、険阻であり、しかも胡族《こぞく》*は鳥獣の心を持って叛服《はんぷく》常ならず、西域派遣軍の費用は莫大《ばくだい》な額に上った。このためにやがて西域は放棄されなければならなくなった。こうした宿命的な繰返しをいつの時代も漢の為政者たちは繰り返していたのである。

　索勱の西域入りも、長い歴史を通じて数えきれないくらい繰り返されたことが、いままた新しく行なわれようとしているだけのことであった。三十年前に西域は放棄されたが、近年匈奴の跳梁《ちょうりょう》が烈《はげ》しくなり、年に何回か河西地方がその馬蹄下《ばていか》に蹂躪《じゅうりん》されるので、献帝は再び匈奴の根拠地を一掃するために西域への出兵を余儀なくされたのであった。そしてその第一陣を承って、将来の大々的な漢軍進駐の時に備えて、兵站《へいたん》基地を建設することが索勱の受け持つ任務であった。「索勱は敦煌の人、字《あざな》は彦義、才略あり」と古書*には出ているが、この西域出兵時までの彼については一切知られていない。

　西域入りの兵卒は昔から概《おおむ》ね罪人か不良の徒と決まっていた。武帝の時、初めて西域に使した張騫《ちょうけん》*が引き連れて行ったのも無頼の徒であったし、良馬を求めて大宛《だいえん》*に入った弐師《にし》将軍*李広利《りこうり》*の部隊も生命《いのち》知らずの不逞《ふてい》の徒ばかりであった。その後西域に赫々《かっかく》たる武勲を樹《た》てた班超*、班勇*も例外ではなかった。いずれも天下の罪人、無頼の輩を集めて、已《おの》が部隊を編成していた。

　大組織の西域派遣軍でさえこのようであったから、索勱の率いる一千の屯田兵《とんでんへい》がいかなる素姓の者たちか想像に難《かた》くないだろう。既に四十の半ばを越した辺土出身の初老の武将は、敦煌に配されている辺境軍の中から取りわけ曰《いわ》くつきの生命知らずの男たちを選んでいた。僅《わず》かでも資格のようなものがあったとすれば、それはこの部隊に編入された者が、孰《いず》れも強弓の引ける強い臂力《ひりょく》を具《そな》えていたということぐらいであろうか。

隊長索勱ばかりでなく誰の眼《め》にも、一千の兵たちは一度玉門関を出るや再び漢土に戻って来ようとは思われなかった。その日索勱は部隊の先頭に立って駱駝《らくだ》を進めて行ったが、部隊の後尾が関壁を二町程離れた時、僅かの時間部隊の行進を停《と》めた。何の命令も出さなかったが、索勱は兵たちに、彼等が再び眼にしないに違いない故国への訣別《けつべつ》の機会を与えたのであった。部隊の集結は暁方《あけがた》為されたが、出発準備に予想外の多くの時間を取られ、その時は既に日中の暑熱を思わせる陽《ひ》は高く昇っていた。関の城壁は明るい光線の中に灰色の姿を浮かび出していたが、その表情は固く不機嫌《ふきげん》であった。

索勱は関の建物の中で一箇処高く聳《そび》えている望楼に暫《しばら》く眼を当てていたが、やがてそれを逸《そ》らすと、直《す》ぐ持前の鋭い眼光を持った意志的な表情に戻って、前進の命令を下した。

索勱はこれまでの生涯《しょうがい》を匈奴との戦闘の中に送っていた。辺境の任地を転々として、半生を異民族との闘争に捧《ささ》げていたので、いかなるところへ転属されようと些《いささ》かも動ずることはなかったが、こんどの胡地への進発には今までとは多少異った感懐があった。敵地の真只中《まつただなか》へ一つの小さい拠点を作るということは、それが何を意味するかよく知っていた。決して終末ということのない呪《のろ》われた匈奴との抗争に明け暮れるであろうし、叛服常ない西域諸国の懐柔に骨身を削ることであろう。そして食べるために田を耕さねばならぬ。幸いにクム河河畔に於《お》ける屯田に成功したとしても、それを長く漢地の中で持ちこたえるということは殆《ほとん》ど考えられぬことであった。よほど積極的な本国からの支援があれば兎《と》も角《かく》、そうでない限り建設した屯田地と共に結局は沙中に打ち棄《す》てられるのが兵たちの運命であった。本国からの支援ということは期待できなかった。漸《ようや》く衰亡の一途を辿《たど》り、内治に追われている漢室がいつ政策の変更を見ないものでもなかった。朝令暮改はここ何年かの為政者たちの常套《じようとう》手段であった。

索勱の部隊はその日の午後、一望眼を遮《さえぎ》るものもない沙《すな》の海の真中に出た。三日目から沙の海はゆるやかな起伏を為して拡《ひろ》がり、一つの砂丘を越えると、また新しい砂丘が続いた。四日目から、部隊は戦闘隊形をとって進んだ。そしてその晩、部隊は僅かばかりの緑地を見つけて露営した。夜、どこから嗅《か》ぎつけて来たのか、十数人の異様な風体の男女が水を売りに来た。アシャ族*の男女であった。

索勱はその中の若い女の一人を呼び寄せ、己が幕舎に泊まらせた。女は逆らわなかった。女の躰《からだ》は一面に油でも塗ったように光り、肌《はだ》は魚体のように冷たかった。女は漢人の血を混じえて居《お》り、僅かながら漢語を解した。

女は索勱の寝所で、この附近一帯の地が曾《かつ》て竜都《りゅうと》と言って、ギャン・ライの首都であったところだったと語った。ギャン・ライという夷狄《いてき》の名は索勱の初めて耳にするものであった。何時《いつ》の時代のことか、女の話からは判《わか》らなかったが、その城邑《じょうゆう》は極めて広大であり、日の出に西門を発すると、日没頃《ごろ》漸く東門に達すると言われていた。城邑は湖畔に臨んでいるゆるく傾斜した地盤の上に建てられてあり、一条の幅広い運河が城邑に沿って走って、湖に通じていた。城内の高処に立って顔を西に向けて湖を望むと、運河は身をくねらせ横たわっている一匹の竜の姿に見えた。城邑を載せている広大な地盤は、どこも固い塩の規則正しく重なり合った層より出来ていて、旅人たちは自分の連れて来た家畜を寝かせるために、地面に毛氈《もうせん》を敷かなければならなかった。一年中日夜を分かたず霧がたちこめていることが多く、ために、太陽も、月も、星も仰ぐことができない日があった。そこにはギャン・ライの男女だけではなく、魔物も多く棲《す》んでいたが、一夜湖に異変が起きて、その大城邑は沙中深く沈んでしまったのであった。

索勘はそうした話を語っている女を、幕舎に射《さ》し込んで来る月光の中に捉《とら》えた時、初めてその女に心を惹《ひ》かれるのを感じた。

翌日、索勘は隊列の中にその女を加えた。側近の兵の勧めを容《い》れて、荒くれた兵たちの眼を掠《かす》めるために、女に男装させ、女の駱駝を自分の傍に配した。

それから二日程の間に、部隊に女が居ることは兵たちの間に知れ亙《わた》ってしまった。併し、兵たちはたれも女の傍に近寄ろうとはしなかった。兵たちは索勘を怖《おそ》れていた。

七日目から部隊は沙と石の原野へはいり、人骨や獣骨を行路の標識として進んだ。この日から三日間毎日一つずつ無人の城廓を見た。城はいずれも半ば沙に埋もれていて、望楼も、塔も、建物という建物はみな西方に向かって傾いていた。もとは胡族の築いた城であり、時代が移り替わると、そこには何回となく漢兵や匈奴兵が駐屯したことがあったに違いなかったが、いまは全く人煙絶え、沙中に打ち棄てられた廃城であった。

そうした沙に呑《の》み込まれようとしている城廓を次々に見て、十日目に部隊は目的地クム河にあと半日を行程とする地に達した。前日から落ち出した雨はこの日になって豪雨となり、人も馬も駱駝も、骨の髄まで雨を滲《し》み透《とお》らせていた。雨中に幕を拡げて夜営したが、雨は幕布を通して内部に落ち、ために兵たちの体を真冬の寒気が押し包んだ。

その夜、思いがけず、鄯善《ぜんぜん》*の兵十数名が王の使者として、糧食を携えて歓迎の意を表するためにやって来た。そしてその夜半には、こんどは亀茲《きゆうじ》*の商人三人が、これまた糧食を駱駝に背負わせて、この方はそれを売りにやって来た。亀茲商人の伝えるところに依《よ》ると、索勱が屯田しようと目指しているクム河河畔の一聚落《しゆうらく》には、二、三日前から匈奴の大部隊が集結しつつあるということであった。

それを聞くと索勱は、夜半ではあったが、直ちに部隊に進発命令を下した。時を移さず匈奴の集団を急襲し、いっきにそれを屠《ほふ》ってしまおうと思ったのである。部隊は夜をこめて進発し、豪雨の中を強行軍を続け、暁方に匈奴の集結している聚落を対岸に置いたクム河河畔の一地点に到着した。

河畔に立った時、索勱は暁方の白い光の中に、黄濁した水が狂騰《きようとう》しながら奔《はし》り流れているのを見た。渡河するどころの騒ぎではなかった。部隊を渡河させることさえできれば、匈奴の陣営を襲って敵を奔らせることは訳なく思われたが、その容易に思われることが、目前で、荒れ狂うクム河に依って遮られていた。

索勱は為す術《すべ》もなく、呆然《ぼうぜん》と立ちつくしていた。河岸には蘆荻《ろてき》が生い茂っていたが、それ以外に雨を避けるべき一本の樹木も見当たらなかった。仕方なく、索勱は部隊を河岸に集結したまま、雨に打たれるに任せていた。そうして小半刻《こはんとき》を過ごした時、黄濁した奔流を見詰めていた索勱の前に一人の兵が進み出た。河神の怒りを鎮《しず》めるには、昔から生身の女を生贄《いけにえ》に捧げることが伝えられている。いま、それ以外に策はないだろう。そう言った兵は、十数年索勱と野戦の労苦を共にして来た、索勱の最も信頼している張という部下であった。

索勱は張の進言に対して黙っていた。すると張は更に語をついで、渡河が一日遅れれば、それだけ匈奴は強勢になり、味方にとっては不利になるであろうと言った。索勱はなおも暫く黙っていたが、やがて、

「王尊*が節を建てるや、河堤はために溢《あふ》れることはなかった。王覇《おうは》*が至誠を尽すや、呼沱河《こだがわ》*はその流れを留めた。水徳の神明なること、今も昔も変りあるまい」

と言った。そして索勱は直ぐ、河岸に祭壇を造らせ、その前に進み出て祈った。索勱は女をどうしても濁流に投ずる気にはなれなかったのである。女を生贄として河神に捧げる代りに、祈禱《きとう》によってクム河の水嵩《みずかさ》を減らそうと思ったのだ。往時武人が河流を鎮めたという故事が真実なら、よもや自分にもそれができないことはあるまいと思った。

祈禱すること一刻に及んだが、黄濁している流れには何の変化も見られず、減水す

るどころか、水位は刻々高くなるばかりであった。更に祈ること一刻、ついに水は岸に溢れ、いつしか兵や生きものの足許《あしもと》を濁流が浸し始めていた。それでもなお索勱は祭壇の前を離れなかった。

張は索勱のところに近付くと、再び生贄の話を持ち出した。こうなっては、祈禱して神慮を待つより、女を投じた方が早くはないかと言った。索勱がそれに応じそうもないのを見て、張は、それではここより直ちに引き揚げるべきである。でなければ、人も馬も駱駝も水に流されてしまうだろうと言った。

その時索勱は突然抜刀すると、その刀身を口に銜《くわ》え、天を仰いだ。索勱は降りしきる雨滴を両眼を見開いた顔に受け続けていた。張を初めとして兵たちは固唾《かたず》を飲んで、ただそうした索勱の姿を見守っている許《ばか》りであった。索勱の姿には鬼気迫るものがあった。そうしている時、索勱の前にあった祭壇がふいに傾いたと見るや、一瞬の後それは濁流の中に没し去ってしまった。あとには異様な風体の索勱だけが、依然として濁流を足許に受けながら立っていた。

やがて索勱は躰《からだ》を動かすと、銜えていた刀を口から離し、部隊の方を向いて大声で呼ばわった。

「わが精誠の天に通じないのは、この河に悪鬼が棲みついているためである。かくなる上は武力を以《もっ》て悪鬼を殪《たお》し、水を退《ひ》かせて、河を押し渡るばかりである」

兵たちには、索勱の声は、宛《さなが》ら雷鳴のように聞こえた。

この頃から雨は歇《や》んだが、水勢は益々《ますます》烈しくなった。索勱は部隊を一町ほど後退させ、いくらか高処になっているところに、戦闘隊形をとって布陣させた。

弓箭兵《きゅうせんへい》に依って、矢はいっせいに流れに向かって射込まれた。夥《おびただ》しい数の矢は次から次へと濁流の真只中に落ち、瞬時にして黄土の流れに呑まれた。何百本かの矢が射込まれると、こんどは徒歩《かち》の兵たちが喊声《かんせい》をあげて河岸に殺到した。軍鼓が殷々《いんいん》と鳴り渡る中を、兵たちは岸から溢れる水に突入し、膝《ひざ》まで水につかって刀槍《とうそう》を揮《ふる》った。兵たちは濁流を斬《き》り、濁流を突いた。飛沫《しぶき》は到るところに上がった。そうした水との交戦のさ中、何人かの兵は流れに足を攫《さら》われて、濁流に奪い去られた。

夕刻まで闘いは繰り返された。布陣の位置は高処を求めて次々に後退して行った。戦闘を指揮している索勱の眼にも、そしてまた流れと必死に斬り結んでいる兵たちの眼にも、奔騰する黄濁の流れはいつか巨大な魔物の姿として映っていた。魔物は身もだえ、荒れ狂い、襲いかかり、押し寄せ、退き、また押し寄せた。

夜になると、兵たちは疲れ切って、水浸しの台地に倒れて眠った。

翌日天候はすっかり恢復《かいふく》したが、水嵩はいっこうに減じる様子はなかった。昨日に増して濁流は渦《うず》を巻いていた。クム河との闘いは早朝から始められた。この日も前日と同じように、流れに向かって矢が射込まれ、石が投じられ、刀槍は濁流の中で揮われた。兵たちの振り廻《まわ》す槍《やり》や刀は、日中になると厳寒から一足跳びに酷暑に変わってしまったような強い陽の光に当てられ、妖《あや》しくぎらぎら光った。敵もひるまなかった。濁流は戦闘ごとに何人かの兵たちを呑み込んだ。

再び夜がやって来た。鄯善、焉耆《えんき》*、亀茲三国の武将が、それぞれ兵一千を率いて到着した。彼等は多年匈奴の劫掠に苦しめられ、漢兵の西域入りを望んでいた時だったので、西域出兵の噂《うわさ》を聞いて逸早《いちはや》く漢に従属を誓うためにやって来たのであった。

索勱は、自分たちと異なった言語と風習を持つ胡族の兵たちをも加えて、夜も戦闘を続けることにした。四千の大部隊は青い月光の落ちている沙漠の上に、三列の横隊を作った。軍鼓が打ち出されると、兵たちは鬨《とき》の声をあげ、流れを目がけて進撃した。一隊が退くと他の一隊がこれに替わった。併し、河勢は依然として衰えることなく、月光の下に黒々とした渦を見せながら奔騰していた。

遂に索勱は最後の必死の突撃を試みることを決意した。彼は部隊全体の馬を集めると、それに屈強の兵たちを乗せた。人馬諸共《もろとも》、激流のただ中に突入するつもりだった。三百騎余りの騎馬武者の先頭には、索勱自らが立った。索勱の号令と共に、馬はいっせいに沙を蹴《け》った。流れに躍り込むと索勱は槍をがむしゃらに揮った。槍を揮いながら、索勱は自分の躰が馬と共に矢のように下流に走って行くのを感じた。どれだけ時間が経《た》ったか、索勱は馬と一緒に浅瀬に投げ出された。索勱は馬の首を抱えるようにして岸の上に上がった。何十頭かの馬が濡《ぬ》れた躰を月光に光らせて岸の上に立っていた。乗手を失った馬もいれば、反対に馬を失った兵もいた。馬や兵は次々に岸に這《は》い上がって来た。

索勱は兵たちを整列させて人数を算《かぞ》えた。兵も馬も約半数が失われていた。索勱たちは遥《はる》か下流に流されていたので、再び本隊の居る場所に戻るのに、一刻近く水浸しの原野を歩かなければならなかった。

索勱は集結地に戻ると、再び生き残った兵たちに再度の攻撃を命じた。索勱はこんどもまた自ら先頭に立とうとしたが、索勱の意志に反して馬は足を踏み出そうとしなかった。索勱の馬ばかりでなく、総《すべ》ての馬が同様であった。索勱は刀を抜くと、それを鞭《むち》にして馬を動かした。兵たちはみなそれに倣《なら》った。索勱も兵たちも、こんどは前回の経験から槍を棄て刀を握っていた。やがて、騎馬隊は一塊《ひとかたまり》になって、まっしぐらに河岸を目指した。

索勱は河岸まで来て、思わず馬の手綱を引いた。そして刀を高く翳《かざ》して自分に続く兵たちに停止を命じた。併し、何騎かは馬を制し切れず河中に飛び込んだ。索勱は眼《め》を瞠《みは》った。自分の眼を信ずることの出来ない思いであった。つい先刻まで満々と水を湛《たた》えていた河筋は、いつしかその水量を半分ほどに減らし、濁流は相変らず奔《はし》ってはいたが、併し、水面の上に岸は何尺か姿を現わしていた。

索勱は張を招《よ》んだ。張はやって来ると、彼も亦呆然《またぼうぜん》と立ちつくして河の面《おもて》に見入っている許《ばか》りであった。部隊のあちこちから、クム河との交戦の勝利のどよめきのあがるのが聞こえた。

半刻後、部隊は何集団かに分かれ、次々に減水したクム河を渡った。そして時を移さず、漢兵も、鄯善兵も、焉耆兵も、亀茲兵もみな一体となって、河から五、六支里程の地点にある匈奴《きょうど》の陣営を襲った。

干戈《かんか》は暁方になって全く鎮まったが、敗走する敵を追撃して行った部隊の総てが戻って来たのは翌々日になってからであった。索勱が敵の一兵でも生存している限り、追撃を止《や》めてはならぬことを厳しく申し渡してあったからである。

それから一年間、索勱は匈奴の手から奪い取ったクム河河畔の小部落にあって、そこに小さい軍事植民地を建設する作業に従事した。先《ま》ず仮の兵舎を作り、それが終わると、部落を中心にかなり広い地域に亙《わた》って、クム河の水を引いて、それを灌漑《かんがい》用水として耕地を作った。この作業には入れ替わり立ち替わり亀茲や鄯善を初め何カ国かの兵たちが手伝いに送られて来た。索勱の匈奴の大部隊を一挙に粉砕した剛勇は西域一帯の地に知れ渡り、クム河の流れをも屈服せしめたその武威は、タクラマカン沙漠《さばく》周辺に散らばっている三十数国の胡族たちを怖れしめた。

この索勱のクム河河畔の屯田《とんでん》に依《よ》って、その後暫《しばら》く匈奴はこの地方に姿を見せなかった。屯田地と玉門関との間には二つの楼台が造られ、それらを飛石として、漢から西域へはいる隊商は次第に多くなって行った。また反対に西域からの大小の隊商も、三日を挙げずこの地を経て漢へと向かった。

再び往時のように西域都護*が設置されるだろうという噂はまことしやかに隊商の商人たちに依って語られた。これは必ずしも根も葉もない噂ではなかった。もともと西域諸国に於ては都護の設置要望の声は強く、実際にそうしたことを漢室に上奏する胡国の使臣たちも、索勱の駐屯している部落を経て東に向かっていた。

二年目にも索勱は大々的な兵舎の建造と城壁の構築に取りかかった。兵舎は板と煉《れん》瓦《が》とで造り、粘土の壁を塗り、苧麻《からむし》の莚《むしろ》で屋根をふいた。五百名の兵のはいれる大きな兵舎四棟と、兵舎の傍に二個の望楼を造った。城壁は兵舎、練兵場は勿論《もちろん》、部落全体を包む大きいもので、城内には市場もあり、寺院もあり、共同墓地もあった。この工事のために、西域諸国から資材と労力が提供された。工事場ではソグド語*、于闐《うてん》語*、匈奴語*、土語などいろいろの言葉が使われた。城壁の上に立つと、それを取り巻いて四方に拡《ひろ》がっている耕地が見渡せた。耕地の間を縦横に水路と溝渠《こうきょ》は走り、まだそれほど大きくならぬ白楊《ポプラ》の木が、水の流れる道を示すように、それらの岸に沿って植えられてあった。

索勱の部下の兵たちの半分は城造りにかかり、他の半分は、近隣の部落民と一緒になって、毎日城門を出て耕作に従事した。二年目には初めての収穫として粟《あわ》と小麦がそれぞれ五十万石ずつ収められた。この収穫量は年々大幅に増えて行く筈《はず》であった。兵たちは合戦を忘れて田作りと城造りに専念した。索勱はずっとアシャ族の女と同室に起居していた。無口で目立たない女ではあったが、索勱はその女を愛した。この女に依って、索勱の胡地《こち》に於ける生活はどのくらい慰められたか判《わか》らなかった。索勱の居室だけに色彩があった。粘土の床には蘆《あし》の莚が敷かれ、その上に色あざやかに織りなされた絨毯《じゅうたん》が敷かれてあった。土間には水がめが並び、部屋の棚《たな》には西方のガラス製の皿《さら》や器が並べられた。女は化粧をしていなかったが、美しいもので躰《からだ》を飾った。薄い青銅で作った指輪をはめたり、碧玉《へきぎょく》の首飾りをかけたり、白い玉の耳環《みみわ》をつけたりした。

　初めての小麦の収穫時に、詰まり索勱が西域にはいってから一年経《た》った時、敦《とん》煌《こう》に駐在している西域長史*を通じて索勱の働きに対する恩賞の沙汰《さた》があった。それと一緒にその使者は索勱の部隊に対して帰還の命令を伝えた。索勱は新しい軍事植民地がまだ漸《よう》く《や》建設の緒についた許《ばか》りの段階にあることを訴え、もう暫く異域に留《とど》まりたい希望を述べた。索勱はこの使者に依って、自分のクム河と交戦して流れを停止させた行為が、母国に於て大きく英雄的行為として賞讃《しょうさん》されていることを知った。使者は、索勱が若《も》し帰還したら、曾《かつ》て大宛に使した将軍李広利に与えられた弐師将軍に匹敵する称号が、そのまま彼を飾るのではないかと言った。そうした噂が都では専《もっぱ》らであるということであった。過去半生、栄達ということには一切無縁であったし、自分でもまた自分はそのように生まれついているものと許り信じていた索勱にとっては、そうした思いがけず自分を見舞おうとしている栄光がただ眩《まぶ》しく感じられた。

　この話は、索勱は一言も口に出さなかったが、忽《たちま》ちにして部隊全員に伝えられ、兵たちは一人残らず帰還熱に浮かされ、どこへ行ってもそのこと許りが話題に上っていた。

　アシャ族の女は、彼女もまたこの噂を耳に入れて、それを索勱に質《ただ》した。索勱は目下の自分が毛頭漢土へ帰る意志を持っていないことを告げた。女は生まれつき喜怒哀楽を訴える表情の動きを持っていなかったが、その時は索勱に帰還の意志のないことを知った悦《よろこ》びが、彼女の眼を生き生きとしたものにし、彼女の口を饒舌《じようぜつ》にした。女は眼をきらきらさせながら、やたらに喋《しやべ》ったり笑ったりした。そして彼女はその日一日ありったけの装身具で躰を飾った。そうした女の姿が索勱の心を打った。

索勱は部隊全員を集めると、部隊に行なわれている噂を、自分の口から強く否定して、これから匈奴との戦闘の何年かが自分たちを見舞うであろうと述べた。そして今後帰還の噂を口にするものは、何びとであろうと、容赦なく斬罪《ざんざい》に処することを言い渡した。

恰《あたか》もこの索勱の宣言を裏書きするように、その数日後から何日間か、部隊の兵たちは久し振りで鍬《くわ》を棄《す》て、弓や刀を執《と》って、城邑《じようゆう》を襲って来た慓悍《ひようかん》な匈奴の騎馬隊と闘わなければならなかった。それを皮切りに、その後匈奴の襲撃は屢々《しばしば》繰り返された。兵たちは鍬を取ったり、それを弓や刀に替えたりして忙しかった。帰還の噂は曾てクム河の水が減水して行ったように、忽ちにして遠くへひいて行ったのであった。

三年目の夏、小麦と粟はそれぞれ百万石の収穫量を持った。丁度城邑の工事も一応完成した時だったので、索勱は粒々辛苦《りゆうりゆうしんく》の経営の地に於て、三日に亙って盛大な祭儀を営むことにした。そしてその日は、どこにひそんでいたかと思われる程の夥《おびただ》しい数の胡人たちが、それぞれ思い思いの服装をして、その盛儀を見るために城邑に集まって来た。

索勱はその三日間毎晩のように望楼の上に立って、アシャ族の女と共に、到《いた》るところ篝火《かがりび》をもって飾られた城の賑《にぎ》わいを見た。この時、女は索勱に、このような盛儀が行なわれることは、部隊がやがてこの城邑を去るためではないかと言った。索勱が笑いながら否定すると、女は索勱の眼を見入ったまま、静かにかぶりを左右に振った。索勱がどうして自分の言葉を信じられないのかと詰《なじ》ると、女は貴方《あなた》の言葉を信じるに吝《やぶさ》かではないが、いまの貴方自身さえも知らない運命というものを、どうして信じることができようかと言った。

この時の女の杞憂《きゆう》は必ずしも杞憂ではなかった。女が信じないと言った索勱さえ知らない運命は、それから半歳程後にやって来たのであった。

秋の終りになり、農耕の時期が終わると、索勱は部隊の半分を引き連れて、西北方に蠢動《しゅんどう》する匈奴と交戦するために城邑を出て行った。城を出て行く時は、索勱はどんなに長くかかっても十日程で城へ帰れると思っていたが、戦闘は意外に長引く結果になった。亀茲人《きゆうじ》の一枝隊が敵方に内通したり、例年より早い降雹《こうひょう》に悩まされたりして、作戦はことごとに齟齬《そご》し、部隊は直《す》ぐには撤退できない窮地に立たされた。

秋の終りから始まった戦闘は、互いに勝敗あって、漸《ようや》くにして匈奴を北方に奔《はし》らすことができた時は、年が改まっていた。索勱も、兵たちも、出動した時とは見違える程瘦《や》せ衰えて、雪の日、城門をはいって来た。それでも先頭の駱駝《らくだ》隊は槍の穂先に匈奴の武将たちの首級数個を突き刺して、それを旗のように真直ぐに立ててやって来た。首級にも、駱駝の背にも、兵たちの肩にも雪は積もっていた。

索勱は久しぶりに己《おの》が館《やかた》にはいった。索勱は戸口に自分を迎えるアシャ族の女を見た時、すぐその顔色が、いつも自分を迎える時の彼女の顔色とは違っていることに気付いた。女は、索勱を戸口から真直ぐに客室へ導いた。客室には索勱の帰城を待って一カ月滞在していた母国漢からの使者がいた。使者の携行しているものは、索勱への帰還命令であり、それには漢室の署名があった。母国に於ては大きい栄達が索勱をも、索勱の部隊をも待っていた。

索勱の部隊に替わる新しい進駐部隊が到着したのは、城邑の檉柳《タマリスク》の木が青い芽吹きを見せ始めた七月の初めであった。索勱は帰還のことが決定してから、それまでずっと耕地の整理や、時折出没する匈奴の小部隊との小さい交戦に忙しく、アシャ族の女のことに思いを馳《は》せる暇《いとま》は殆《ほとん》どなかったが、女の方は絶えずこれからの自分のことが気になっている風であった。索勱と一緒に漢土を踏めるものやら、よし漢土を踏んだとしても、果して今までと同じように索勱との生活を続けることができるものかどうか、すべてはその小さい頭では処理できないこと許りであった。女がそのことに触れる度に、

「勿論、一緒に連れて行く」

索勱はいつも同じ言葉を吐いた。索勱は本当に女を連れて行くつもりであった。ただ、長く眼にしていない酒泉《しゆせん》や涼州の街々のたたずまいを頭に思い浮かべると、何となく夷狄《いてき》の女をその中にしっくりと嵌《は》め込むことのできない気持があった。女の頭髪も、眼も、皮膚の色も、言葉も、すべてが気持にひっかかった。併《しか》し、索勱はそうした思いをすぐ自分の頭から突き放した。索勱は生まれつき物を考えるということは苦手であったし、まして女のことで先のことまで思いを馳せてみる気持にはならなかった。

城にはいって来た交替部隊は、索勱の部隊に倍する兵力であった。索勱は自分に替わって新しく城邑の支配者になる若い武将に諸事の引渡しを終わると、それからなお三日間を城内で送った。己が経営の地を離れ難い気持もあったし、霖雨《りんう》が明けて晴天

になるのを待つ気持もあった。

出発の日、索勱の部隊は充分の敬意をもって新しい駐留部隊に送られた。城門を出ると、そこには附近の部落民が二百人程索勱との別れを惜しんで集まって来ていた。駱駝と馬と兵との長い隊列は、耕地の真中を貫いている自分たちが造った道を進んだ。空は紺青《こんじょう》に晴れ、道の両側に植えられた白楊や檉柳の木の梢《こずえ》を吹く風は乾燥して爽《さわや》かであった。

道は城邑から真直ぐに走って、クム河の流れに殆ど直角に突き当たっていた。クム河の河畔まで来て、索勱は先年初めてこの河を渡った時と同じように、いままた増水した水が、何倍かに川幅を拡《ひろ》げて滔々《とうとう》と流れているのを見た。

索勱は何とかして渡河したいものだと思った。クム河の増水のために、いったん送られて出た城邑へ引き返す気にはなれなかった。張を初めとする幹部の兵たちも同じ考えであった。曾《かつ》てクム河を制圧して天下にその名を轟《とどろ》かせた部隊が、いまクム河の増水の故《ゆえ》に引き退《さが》るわけには行かないというのが、皆の一致した意見であった。

「もう一度河と交戦して押し渡る以外仕方がないだろう」

と部下の一人は言った。索勱は部隊をひと先ずそこに留まらせ、一夜を明かすことにした。昼間は晴れていたのに、夜半からまた雨は落ち出した。そして雨勢は強くなった。

暁方、張は索勱の幕舎を訪ねて来ると、河水はこの雨で益々《ますます》増水する、まごまごしていると、何日も何十日も渡河することができない羽目になりかねない、河と交戦するなら一刻も早い方がいいと意見を述べた。

索勱は張を幕舎に残しておいて、自分だけ外に出た。夜は明けかかっていた。索勱は雨に打たれながら河岸に立った。河水は明らかに昨日より量を増していた。索勱は長い間そこに立ちつくしていた。索勱は一つの考えに捉《とら》われていた。索勱にとって、初めて経験する身を苛《さいな》むような苦しい時間が過ぎた。

索勱は幕舎に戻った。そしてそこに待っていた張に向かって、

「女を献じよう」

索勱が低い声で、併し、はっきりと言った時、張ははっとして、眼を索勱の顔に当てた。女と言えば、部隊にはアシャ族の女以外にはいない筈《はず》であった。短い時間の後、張はおもむろに口を開くと、そのことを索勱自ら決意してくれたことを謝して、もともと自分はそれを言いたくてやって来たのだが、口に出して言うことを憚《はばか》っていたのだと言った。そして張は直ぐ幕舎を出て行った。

やがて、索勱の耳に、女の悲痛な叫び声が聞こえて来た。索勱の幕舎のすぐ傍にあ

る幕舎から引き立てられて行く女の叫びであった。その叫びは、去年の秋から今年の初めにかけて行なわれた苦しい匈奴との闘いに於て、山地の露営の時何回か耳にした闇《やみ》をつんざくような野鳥の啼《な》き声《ごえ》に似ていた。

夜が明けきると、索勱は部隊を河岸に集結させた。いつか雨は上がっていた。女を飲み込んだ黄濁の流れは、そのためかどうか、水勢がいくらか衰えて見えた。索勱の眼にそう映っただけではなく、張にも同様に見えているらしかった。

「渡河するなら、現在を措《お》いてはないだろう」

張は決意を促すように言った。

部隊は数百メートル河岸を流れに沿って下って、水勢の一番弱いと思われるところを選んで、そこを渡河点とした。部隊は幾集団かに分かれ、その最初の一隊が流れの中にはいって行った。忽ちにして駱駝も馬も人も下流へ下流へと押し流された。しっかりくくりつけられた筈の梱包《こんぽう》が、馬の背を離れて幾つか水面に浮かんだ。それでも第一隊はどうにか無事に向う岸に辿《たど》り着くことができた。張は、一兵も損じないで渡河できたのは女を河に献じたためであろうと言った。索勱は黙っていたが、彼もまたそれに違いないと思った。

集団は次々に渡河して行った。索勱は最後の集団に加わって自分の馬を河中に進めた。第一隊が渡った頃《ころ》より水勢は更に衰えているように見受けられた。無事に対岸に辿り着いた時、索勳は改めて犠牲になった女に感謝と憐憫《れんびん》の情を感じた。そして、それと同時にまた一方では、今まで思ってもみなかった何か肩の荷が降りたような吻《ほっ》とした思いのあるのを覚えた。

部隊の行進は再び開始された。索勳は張と共に先頭に立っていた。部隊が進発してから何程も行かないうちに、張は突然馬を停《と》め、あれを見よ、と叫んだ。索勳も馬を停めてその方を見た。平原の遥《はる》か向うから、恰《あたか》も黄色の熔岩《ようがん》でも流れ出したように、徐々に拡がって近附いて来るどろどろした一種の流動体のようなものの動きが認められた。索勳にはそれが何であるか、直ぐには見当がつかなかった。それはゆっくりと、着実に、重量感を持った動き方で平原を埋めて来つつあった。

「あれは何だ？」

索勳は呶鳴《どな》った。張にも、周りにいた兵たちにも、その正体は摑《つか》めなかった。口々に、何だ、何だ、と叫び交しているばかりであった。その時、

「水だ、洪水《こうずい》だ！」

と叫んだ者があった。そう言われてみると、平原を浸して来るその黄色のどろどろした生きものは、確かに水に違いなく思われた。洪水に違いなかった。まさしくそれ

は洪水以外の何ものでもなかった。黄濁した水は、ある箇所は早く、ある箇所は緩やかに、何本かの不気味な足を拡げて平原を押し包んで来つつあった。

「どうする？」

傍から張が声を掛けたが、索勱にも咄嗟《とっさ》の処置は思いつかなかった。

「とにかく下流へ逃げろ」

索勱は叫んだ。右に行っても左に行っても、巨大な攻撃者の触手から逃れられそうもなかった。水に呑《の》まれないためには、さし当たってクム河の下流の方向に脱出路を求める他はなかった。駱駝と馬と人との隊列は忽ちにして入り乱れ、先を争って移動し始めた。幾つかの砂丘を駈《か》け登り、駈け下り、部隊は平原の中を東南方へと動いた。併し、やがて部隊は行手を阻《はば》まれて立ち停まった。クム河の下流流域も氾濫《はんらん》しているのか、前にも一面水浸しの地帯が拡がり始めていた。

部隊はすぐ進路を変えて、こんどは東北へ向かった。併し、幾許《いくばく》もなくして、また水のために進路を断たれた。部隊が何回目かの進路を変えようとした時、索勱は、黄土の流れが厚い絨毯の束を拡げでもするように、自分の立っている砂丘から二つ三つ向うの砂丘まで迫って来ているのを見た。

「高地へ上がれ！」

索勱が命じるまでもなく、いまや人と馬と駱駝の集団は、少しでも高処を求めようと犇《ひしめ》き合っていた。戦闘の場でも見ることのできない必死なものが、どの兵の顔にもあった。

索勱は丘の一つを目指した。人と生きものの群れは、鉄片が磁石にでも吸い寄せられるようにみなそこに集まった。その丘の高処に立つと、索勱は改めて平原を見渡した。黄土の流れは平地をも丘をも甞《な》めつくし、広袤《こうぼう》たる原野は一望の泥海と化していた。人と馬がひしめき合っている砂丘から三つ目の砂丘には、すでに濁流が寄せ始めていた。

やがて索勱は更に驚くべきことを発見した。丘から遠く西北方に眼を遣《や》ると、その方面の泥海は他とは異って波立っている感じで、その黄色の揺れ動いている波の果てに、城壁の一部と望楼とが小さく水面から突出しているのが見えた。どんなに遠くても、どんなに小さくても、索勱はそれを見誤る筈はなかった。それは昨日まで自分たちが住み、自分たちが築いた城邑に他ならなかった。耕地や民家は既に完全に泥海の下に沈んでしまったものと思われた。

索勱はこの時、やがて自分たちも泥土の流れの中に埋没してしまうであろうことを思った。瞬間、索勱の頭にアシャ族の女と初めて会った夜、女が話した竜都《りゅうと》の話が閃《ひらめ》いた。併し、それは閃いただけで直ぐ消えた。それどころではない事態がいま現実に眼の前に迫っていた。索勱は極めて短かったが、ひどく冷静な時間を持った。索勱は身内に煮え滾《たぎ》るような烈《はげ》しい怒りを感じ、洪水への突撃を決意した。洪水と交戦し、洪水と雌雄を決する以外、今やいかなる手段も残されていなかった。

命令はすぐ下された。兵たちもその命令には従順だった。誰にも、ここにこのまま留まっていることの無意味さは判っていた。

軍鼓は打ち出され、鬨《とき》の声は上がった。部隊は二つに分かれ、張が一隊を、索勱が他の一隊を指揮した。張の指揮する一隊が先に丘を駈け降りて進撃して行った。駱駝も、馬も、兵も走った。丘を越え、丘を降《くだ》った。索勱の眼には、併し、その突撃は無力に見えた。軍勢と濁流とは刻々お互いにその間隔を縮めて行った。そしてその二つの先端が一つの丘の裾《すそ》で触れ合ったと思った瞬間、索勱の眼には、突然張の部隊が掻《か》き消すようにその姿を消すのを見た。あっという間もない無造作な消え方であった。

それと同時に、索勱は残りの部隊に進撃の命令を降した。索勱は生まれて初めて出会った一番手強《てごわ》い相手に対して、全身憎しみと敵意の固塊《かたまり》になっていた。索勱は馬に跨《またが》り、槍を揮《ふる》って先頭を駈けた。地軸を揺り動かすような轟々《ごうごう》たる洪水の音が天地を埋めている。

索勒はやがて行手に、今や一つの丘を屠《ほふ》って、その余勢を駆ってこちらに押し寄せて来る濁流の先鋒《せんぽう》を見た。無数の悪鬼はのたうち、荒れ狂い、見る見るうちに近づいて来た。索勒は右手に握った槍を大きく頭上に振り翳《かざ》しながら、高さ一丈もある濁水の壁に向かって馬もろ共ぶつかって行った。索勒の姿が消え、それから彼に続いた駱駝と馬と兵の姿が、ただの一個も残さず、きれいさっぱりと消えてしまうまでには、何程の時間も要さなかった。

一面の泥海と化した沙漠の上にどんよりと薄汚れた空がかかり、その空の一角には、血を滾らしたような赤さの日輪が、日蝕《にっしょく》の時のそれのように、異様な静けさで輝いていた。虚空は依然として轟々たる洪水の音で充《み》たされていた。洪水には片時の休息もなかった。これからまだ飲み残してある沢山のものを飲み込まなければならなかった。

異域の人

班超《はんちよう》は字《あざな》は仲升、『史記後伝』の作者班彪《はんぴよう》*の子として、建武八年（西紀三二年）に平陵に生まれる。兄固は後漢の儒家として『漢書《かんじよ》*』の撰者《せんじや》として有名である。班超は幼時から大志を抱き、常に進んで艱苦《かんく》を取り、書伝を渉猟《しようりよう》して倦《う》まなかった。兄固が召されて校書郎*となった後は、官の筆耕に傭《やと》われて、貧苦の中に親を養っている。ある時筆を投じて、嘆じて曰《いわ》く「大丈夫《だいぢやうふ》他に志略なし、猶当《なほまさ》に傅介子《ふかいし》、張騫《ちようけん》の功を異域に立て、以《もつ》て封侯を取りしを効《なら》ふべし。安《いづく》んぞ能《よ》く久しく筆硯《ひつけん》の間を事とせんや」——『後漢書』*班超伝は斯《こ》う伝えている。傅介子は元帝の時に西域《せいいき》に使し、楼蘭《ろうらん》王を刺殺し、義陽侯に封ぜられた人であり、張騫は武帝の時の西域の開拓者で、博望侯に封ぜられた人物である。

班超が匈奴《きようど》討伐軍に参加して西域に使したのは永平十六年（西紀七三年）、四十二歳の時である。この時までの班超に就《つ》いては詳しく知られていない。僅《わず》か数行の文字が彼の前半生の輪廓を漠然《ばくぜん》と物語っているに過ぎない。

班超が人となったのは光武帝および明帝の時代である。光武帝は言うまでもなく一度王莽《おうもう》に奪われた漢室を復興した後漢の世祖であり、明帝は光武帝の子で、英明を以て知られた天子であり、光武帝、明帝の時代は国内よく治まり、漢室の基業漸《ようや》く固からんとした頃《ころ》である。

斯うした時代に、大志を抱く青年が等しく想《おも》いを馳《は》せるのは西域であった。西域以外に徒手空拳《としゅくうけん》で封侯に列する功を期待できる場所はどこにも見当たらなかった。武帝の西域経略に大きい勲功を樹《た》てた張騫の冒険物語から世は幾許《いくばく》も降《くだ》っていず、大丈夫たらんとする者はみな第二の張騫たらんことを夢みていたのである。

しかも武帝に依《よ》って為《な》された西域の経営は、王莽の乱に依って崩壊し、それ以後西域は放棄されたまま匈奴の掠略《りゃくりゃく》に任せられてあった。

班超は機会あらば、傅介子、張騫に倣《なら》って功を異域に樹てんと望んでいたが、その機会は四十二歳まで来なかったのである。光武帝は労多くして功少ない西域経略に対し消極的であったし、明帝また内治に忙しく強《し》いて異民族との間に事を構える気持は持っていなかったのである。

北匈奴*が西域諸国を脅《おびや》かして河西*掠略を始めたのは、明帝の晩年からである。匈奴の跳梁《ちょうりょう》は年々烈《はげ》しさを加え、ために辺境の郡県は昼もなおその城門を固く閉ざしている状態だった。漢としては河西を保つためには西域と通じなければならず、西域と通ずるためには、その北に遊牧している匈奴を駆逐しなければならなかった。

漢の朝廷が、ついに匈奴討伐を決意したのは永平十六年である。二月、竇固《とうこ》および耿秉《こうへい》の二将軍は命を受け、兵を率いて、国境に近い酒泉塞《しゆせんさい》を出て漠地を北進して匈奴の呼衍王《こえんおう》を打ち破り、その根拠地伊吾廬《いごろ》*を占領した。

そしてこの作戦が終わると同時に、総指令官竇固は西域へ通交を求める使者を派遣した。その時に選ばれたのが班超である。身分は仮司馬*であった。彼は部下三十六人と共に遠く異域に使するために玉門関を出た。

班超は部下の誰よりも軀《からだ》は縦横一廻《ひとまわ》り大きかった。一見すると、図体《ずうたい》の大きい朴訥《ぼくとつ》な風貌《ふうぼう》だったが、眼《め》は鋭く、異様な光を帯《お》んでいた。そして口を開く前にその眼で相手を見据《みす》える癖があった。見据えられた相手は例外なく畏怖《いふ》を感じた。平生は無口であったが、いったん話すと、低い声で諄々《じゆんじゆん》と説くように語った。

当時、西域地方には城邑《じようゆう》を中心とする三十幾つかの小国*がタリム盆地周辺に置かれてあった。天山山脈の南麓《なんろく》には車師《しやし》前国、車師後国、焉耆《えんき》、亀茲《きゆうじ》、姑墨《こぼく》、温宿《おんしゆく》、疏勒《そろく》*等の城郭を中心にした都邑があり、これらは総括して北道諸国と呼ばれていた。

また崑崙《こんろん》山脈の北麓には于闐《うてん》、莎車《さしや》*等を初め幾つかの小国があって、南道諸国と呼ばれていた。そして漢に一番近く、北道諸国、南道諸国のいずれに行くにも通過する地点に鄯善《ぜんぜん》*があった。

みな匈奴の西、烏孫《うそん》の南にあり、南に大山（天山山脈と崑崙山脈）あり、中央に河（タリム河）あり、東西六千余里、東は即《すなわ》ち漢に接し、扼《やく》するに玉門、陽関を以《もっ》てし、西は即ち限るに葱嶺《そうれい》（パミール高原）を以てす。——三十数個の散在する小国を包む地形は、『漢書』西域伝の言葉を借りればまさにこのようなものであった。住民はアーリヤ人種のイラン系に属する種族で、当時漢人からは一括して胡人《こじん》と呼ばれていた。

班超及び三十六人の部下は、玉門関を出て、沙漠《さばく》を旅すること十六日、死人の枯骨以外何物も見なかった。文字通り上に飛鳥なく下に走獣ない沙《すな》の海であった。十七日目の朝、彼等は昨日までとは全く異なった塩質の堅い土層の上に立っていた。更に行くこと一日にして、遠くに城邑を見た。鄯善国であった。

国王広は漢服を着て、手厚く班超を迎えた。班超はここに数日間滞在したが、急に待遇が疎略になったのを感じ、この国に匈奴の部隊が近づいて来たことを知った。

班超は付添いの鄯善人に、

「匈奴の使いが来ている筈《はず》だ。いま彼等はどこにいるか」

と表情を厳しくして訊《たず》ねた。すると鄯善人は、

「三日前に到着して、現在は三十里程離れたところに屯していています」

と顔に恐怖の色を浮かべて答えた。

時を移さず、その夜、班超は、烈風の中を匈奴の宿舎を襲撃した。そして風上より火を放って、幕営を混乱に陥《おとしい》れ、匈奴の使者および従者百余人を斬《き》った。これが班超の異域に於《お》ける最初の戦闘であった。

翌朝、班超は鄯善王に匈奴の使者の首級を示し、漢に服従を誓わせ、その子を質として納めた。

班超は鄯善国に滞在すること一カ月、帰国すると、この功績に依って軍司馬に昇格した。

続いて同年班超は再び西域の于闐国に使する命を受けた。班超は、この時も前に連れて行った部下三十六人のみを従えた。竇固《とうこ》は班超の兵を増そうとしたが、彼はこれを受けなかった。絶域に使するには心を一つにする者のみの集りが必要であった。兵力《たか》の多寡は問題でなかった。

班超の一行は再び流沙を越え、鄯善を経て、更に南道に沿って進み、玉門関を出てから三十数日目に于闐国に到着した。この国へ入るところに、沙漠が横たわっており、班超はそこで熱風のために三人の部下を失った。于闐は匈奴の属国化していたので、鄯善国の場合と違って、一行は冷たく遇された。

当時この国には巫子《みこ》の言を信ずる風習が行なわれていて、一人の巫子が「漢使は浅黒い馬を持っている。急ぎ求めて来て吾を祠《まつ》れ」と王に献言したので、国王広徳は、班超のところへ使者を立てて馬を要求して来た。

班超は巫子自ら来ることを求めて、その巫子が来るや、それを斬った。広徳はために大いに怖れて、自国に派遣されていた匈奴の役人を斬って、子を質にして、漢に服属することを誓った。

斯《か》くして、鄯善、于闐は漢に降服し、南道は五十数年振りで、漢と通ずるに到《いた》った。この年、この班超の遠征に平行して、竇固、耿秉《こうへい》の率いる本隊も対匈奴戦に於て戦果を収めた。即ち十一月、彼らは敦煌《とんこう》北方の崑崙塞を出て、匈奴を撃ち、更にその余勢を駆って西域に入り、北道の車師後国、車師前国に兵を進めて、これを降服せしめるに到った。

班超は、翌十七年、三度西域に入って、西域では一番の奥地にある疏勒国に使した。洛陽《らくよう》を隔たること一万三百里である。当時疏勒は、隣国亀茲に依って王を殺され、亀茲人兜題《とうだい》を王に戴《いただ》いていた。不満は国内に溢《あふ》れていた。城内には棉《わた》や羊毛を積む驢《ろば》が目立ち、疏勒河が豊かな水量を見せて城の北を流れていた。

班超は国を亀茲の隷属《れいぞく》から救うために、兜題の居城に赴き、隙《すき》に乗じて、兜題を斬り、故王の兄の子である忠を王位に就けて、以て国民の信望を得た。

当時疏勒は戸数二万一千の城邑で、兵三万余を持って居た。班超はここを西域経略の足場とすることの得策なるを知り、この地に留《とど》まるために、使者を立てて将軍竇固に上申、その許可を得た。

斯くして鄯善、于闐、疏勒、車師前国、車師後国、いずれも漢に服従するに到ったので、漢はここに西域都護を復活し、陳睦《ちんぼく》を都護とし、耿恭《こうきょう》を戊《ぼ》校尉《こうい》、関寵を己《き》校尉《こうい》に任命した。

陳睦と耿恭は車師後国の金蒲城《きんぽじょう》*に駐屯し、兵数百名が配された。関寵は車師後国の柳中城*に、同じく数百名の屯田兵《とんでんへい》と駐屯した。疏勒国に留まった班超は異域に骨を埋める決心をして、故国から妻子を招《よ》んだ。

併《しか》しこの明帝時代の西域経営の平穏さは半年とは続かなかった。翌永平十八年（西紀七五年）初めには、早くも北方からの匈奴の西域奪還の動きが感ぜられて来た。

そして三月、突如匈奴は二万の大軍を以て移動して来て、車師後国を囲んだ。金蒲城の陳睦と耿恭は三百の兵を率いてこれを迎え撃った。この時耿恭は、漢家の神箭《しんせん》なりと予《あらかじ》め匈奴に告知しておいて、敵陣に毒矢を放ち、匈奴の陣営を震撼《しんかん》せしめた。そして更に暴風雨に乗じて敵陣を襲撃して匈奴を北方に奔《はし》らせた。

耿恭は匈奴の再度の襲来に備えて、五月、兵を割《さ》いて金蒲城から小城に移った。

七月、匈奴は再度来攻して、陳睦と耿恭をそれぞれの城に囲んだ。耿恭攻撃の匈奴は城外の谷水を塞《ふさ》ぎ、ために城内は水渇《かつ》して大いに苦しんだ。耿恭は十五丈の井戸を掘ったが一滴の水も得られなかった。そこで彼は衣服を正して井戸に向かって再拝し、祈念すること数刻に及んだ。井戸からは清水が奔り出た。敵はこれを知って、神明の致すところとして退散した。

八月、明帝は崩じて、漢本国は大喪《たいそう》に服し、玉門関は閉ざされて一人の援兵も出なかった。そのため、車師後国は叛《そむ》いて匈奴と行動を共にし、その他の西域諸国も亦《また》逐次反旗を翻《ひるがえ》すに到った。

その年十一月、亀茲、焉耆の両国は金蒲城を攻め、都護陳睦及び二千の漢兵を殺戮《さつりく》した。そしてそれと呼応して、匈奴は更に関寵の守る柳中城を攻撃、関寵は敵軍に包囲されたまま陣歿《じんぼつ》した。

斯うした悲報相次ぐ中に、車師後国と匈奴の大軍は、耿恭の居城を囲んだ。耿恭は困窮の中に数カ月を過ごし、部下は数十名となったが、なお城を棄《す》てなかった。匈奴から降服を勧める使者が来たが、耿恭はその使者を斬った。

本国では明帝に替わって章帝が即位し、間もなく対外政策の変更を見て、西域都護を廃して、異域から軍を退くことになった。
異域の孤城に籠城《ろうじょう》する耿恭救出の七千の兵が派遣されたのは、建初元年（西紀七六年）正月のことであった。

救援軍は車師前国の王城交河城*を撃ち、三千八百の首級と三千余人の捕虜、三万七千頭の駱駝《らくだ》と羊を獲《え》た。そして耿恭救出の枝隊二千は、丈余の雪を冒して、餓死一歩手前の状態にある耿恭と彼の部下を救出した。城門を開いた時は二十六人の生存者があったが、帰国の途中、次々に死んで、三月玉門関に入ったのは僅《わず》か十三人であった。

斯うした情勢の中で、一番奥地の疏勒国に在った班超は、疏勒王の忠と共に、亀茲、姑墨の攻略軍と闘っていた。そこへ帰還の命令を伝える使者がやって来た。班超にとっては全く寝耳に水であった。

班超が帰還の途に就こうとすると、疏勒の国民は漢軍に去られるや直ちに亀茲の餌《え》食《じき》にならなければならぬことを訴え、その都尉《とい》の如《ごと》きは、班超の眼の前で自らの命を断った。

班超は部下と共に于闐まで引きあげたが、ここでも亦、王侯以下みな号泣して、于闐人の何人かは彼の馬の脚に縋《すが》りついて離れなかった。

班超は、于闐の王城の前で、二度目の帰国を命ずる使者を迎えた。使者は耿恭が救出され、近く救援軍と共に故国に向かうことを報じた。

班超は、自分と違って、短身痩軀《そうく》の耿恭の面影《おもかげ》を思い浮かべた。班超は、耿恭という名門の出である若い将軍が好きだった。こんどの年余に亘《わた》る籠城もいかにも耿恭らしいものであった。救援軍が来なかったら彼は餓死したろうと思う。そして餓死するまで彼は異域の城を棄てなかったに違いなかった。班超は耿恭の苦難が、いかに筆舌に尽し難《がた》いものであるかは、自分だけが知っていると思った。帰還が耿恭の本意でないことは明らかであった。

「私はここに留まることにする。ごらんの如く、于闐の国民は私を東には向わせないであろう。これから再び疏勒に引き返す。この私のことをよく、耿恭にお伝え願いたい」

班超は使者に言った。

班超は妻子と二十数名の部下を引き連れて、再びそこから疏勒国に引き返した。城下の楊柳《ようりゅう》は漸《ようや》く黄ばむ頃で、城塞の横を流れる河川の向うに黄塵《こうじん》の漠々と上がるのが見えた。班超は己《おの》が骨を埋める地を、暫《しばら》くの間馬を停《と》めて見入っていた。

班超の去ったあとの疏勒国には早くも暴動が起きていたが、班超は亀茲に内通した六百人を斬って、忽《たちま》ちにしてその国を平穏に返した。

班超は疏勒には留まったが、その国内の政《まつりごと》には決して容喙《ようかい》しなかった。専《もっぱ》ら国王忠の軍事顧問として働き、兵馬の実権のみを手中に収めた。班超は馬術と弓に長《た》けた美貌精悍《びぼうせいかん》な若い国王忠が好きだった。忠もまた班超を徳として好《よ》く遇した。

建初三年（西紀七八年）班超は、姑墨が疏勒の敵国亀茲に味方して敵対したので、疏勒、康居《こうきょ》*、于闐、扜弥《うび》*の兵一万を率いて于闐河、タリム河流域の沼沢地帯に沿って北上、途中から道を沙漠に取り、敵陣を急襲して、首級七百をあげた。片道一カ月に亘る遠征だった。

班超はこの遠征から帰ると、直ぐ漢の朝廷に、夷狄《いてき》を以て夷狄を制する策を上書する決心をした。

――ひそかに先帝の西域を開かんことを欲し給うや、北は匈奴を撃ち、西は西域に使せしめ給う。鄯善《ぜんぜん》、于闐は即時に化に向い、いま扜弥、莎車《さしゃ》、疏勒、大月《だいげつ》氏《し》、烏孫《うそん》、康居もまた帰付を願うを見、共に亀茲を壊滅し、漢への道を平通せんことを欲す。若《も》し亀茲を得ば則《すなわ》ち西域の未《いま》だ狼服《ろうふく》せざる者は百分の一のみならん。

こうした文章に始まる長文の上疏文《じようそぶん》であった。そして班超は、亀茲を撃つ方策として、亀茲より差し出している侍子白覇《はくは》を王に任命して、これに兵をつけて、亀茲を撃たせることの得策なることを献言し、さらに莎車、疏勒の田地は肥沃《ひよく》広大で、漢の派遣軍の糧食を給してなお余りあることを説き、亀茲討伐のための出兵を要求した。

夷狄の兵を用い、夷狄の食糧を使う外征政策であった。班超はこの上疏文を携行する使者を彼と共に異域で数年を過ごしている部下から募った。

趙《ちよう》と言う者がその使命の自分に与えられんことを願い出て来た。趙は如何《いか》なる場合でも班超のためには生命《いのち》を惜しまない性篤実《とくじつ》な中年の部下であった。兵を操ると神速人を驚かせた。班超は大役を帯びて一万数百里の故国に使いする者は趙を措《お》いてはないと思ったが、更に人を募ってこの役を他の者に与えた。

「なぜ、私にこの大役を仰せつけてくれないか」

と趙は問うた。

「朝廷にこの献言が容《い》れられるかどうかは全く予測できない。西域の事情を知る者は少ないからである。その実現の可能性は百に一つと見るべきである。そのために自分は自分の片脚を棄てる気にはならない」

班超は答えた。彼はこの異域にあって、最も信頼するに足る股肱《ここう》の部下を手離す気にはならなかったのである。

併し班超の懸念《けねん》にも拘《かかわ》らず、漢の朝廷に依って彼の上疏文は取り上げられた。章帝は直ちに、徐幹を仮司馬に任じて、全国の罪人の中から募った一千の志願兵を付けて、班超を救《たす》けるために西域に送った。

この徐幹の部隊が疏勒に到着した時は、丁度班超が内外に敵を受けて苦境に陥っている時であった。莎車が叛いて亀茲と行動を共にし、疏勒国内でもまた叛逆者《はんぎやくしや》が出ていた。

班超は援軍と協力してまず国内の乱を平らげ、叛逆者千余人を斬った。班超は亀茲討伐はひと先《ま》ず先のことにして、再び漢に上書して、烏孫宣撫《せんぶ》を献言した。漢と班超の間には、漸く使者の往来が繁《しげ》くなった。その使者の一人に依って、班超は自分の身に関する信ずべからざる風評が洛陽に於て行なわれていることを知った。それは、彼が異域にあって、愛妻と愛子を擁し、安逸をむさぼり、祖国を顧みる心を失《な》くしているというのであった。

班超は間もなく、その誹謗者《ひぼうしや》が、自分の献言に依って烏孫への使者として派遣され、途中亀茲に遮《さえぎ》られて、使命を果たさず帰国した李邑《りゆう》と言う者であることを知った。併し、李邑という人物にはさして烈《はげ》しい怒りは感じなかった。そのような小人の誹謗が容易に通用して行く故国の人心と言うものへの怒りの方が大きかった。

班超は、妻を離別して、国に帰すことにした。驢《ろば》に乗った妻と、それを護衛する騎馬の一団が、東へ向かって遠ざかって行くのを、彼は城内の居室の石の窓から見た。沙塵《さじん》を捲《ま》いた天日の翳《かげ》りが間もなく彼の眼から小さい妻の姿を奪った。

漢からは李邑に替わって、再び使者が烏孫に送られ、烏孫は通交を承諾し、子を質として漢に入れた。やがて烏孫国王からの使者が贈物を持って、疏勒の班超の許《もと》にも到着したが、その時は、班超が妻を去らせてから約半歳を経過していた。

班超は、鄭重《ていちょう》に遠路を使して来た烏孫人をもてなし、

「自分の持っている物で、望む物は何なりと進呈しよう。遠慮なく言って貰《もら》いたい」

と言った。烏孫の使者は、その班超の言を誇張であるとして、

「貴方《あなた》の十番目に大切なものを戴きたい」

と言った。

「私有物で、一番大切な物は既に貴国との通交の礎石となって故国に去った。あとには特に大切にしなければならぬ物は何も残っていない」

と班超は答えた。

翌元和元年（西紀八四年）和恭《わきよう》以下将兵八百が、班超の西域の仕事を助けるために送られて来た。

班超は新来の援軍を得て、莎車《さしや》を討ったが、この作戦で多年班超と共に艱苦《かんく》を共にして来た国王忠が叛いた。莎車からの賄賂《わいろ》のためであった。

班超は宰相成大を王として、忠を討とうとしたが、康居国が出兵して、忠を援《たす》けたために果たさなかった。忠は康居の兵と共に遠く去った。班超にとって、忠の反抗は、全く理解し難い夷狄人の心であった。二年後の元和三年、班超は康居の軍を率いて来攻した忠を捕縛するや、自ら刀を抜いてその前に立った。曾《かつ》て彼が愛した若い旧主の眼は憎悪《ぞうお》に燃えていた。何の憎悪か判《わか》らなかった。胡鬼《こき》！　班超は叫んだ。忠の首は前に落ちた。

この頃から、班超は性来の無口が一層甚《はなは》だしいものになった。

章和元年（西紀八七年）班超は、疏勒、于闐を初めとする諸国の兵二万五千を徴して、再び莎車を撃った。この対陣中、部下趙がひそかに于闐人の女を妻としていることと、その愛に引かされ、戦意を喪《うしな》っていると言う風評を耳にした。班超は意に介さなかった。併し再び同じ風評が耳に入った時、彼は趙を招び、その真偽を確かめた。

「仰せの通りです」

と、悪びれず趙は答えた。

「併し、そのために戦意を喪うようなことは決してありません。どのような危険な命令でも私に与えて戴きたい」

と彼は言った。

班超は趙の言に一点の偽りあろうとは思わなかったが、その女を即時于闐に送り返すよう命じた。

趙は命を受けて、直《す》ぐ女を班超の前に連れて来た。耳飾りをつけた少女であった。趙は彼女に驢《ろば》と水瓶《みずがめ》とを与えた。女の号泣する声が、長く班超の耳に残った。彼は自分が為《な》したことを趙にも為さしめたのである。

それから二日目に、女は二本の毒矢を胸に受けたまま、莎車と疏勒の間の耕地で死体となって発見された。于闐に帰る途中莎車の兵に依って殺されたのである。

班超は女の屍体《したい》を葬《ほうむ》ることを命ずるために趙を探したが、趙の姿は部隊のどこからも発見されなかった。班超は自分で趙を探し廻《まわ》ったが無駄《むだ》であった。永年彼と困苦を共にした部下は逃亡したのであった。

班超はこの作戦で、莎車と亀茲の連合軍を急襲し、その首級五千を挙げ、多くの馬畜財物を捕獲して、疏勒へ帰るや、八方に人を遣わして、趙の行方を求めしめた。併し趙の消息は杳《よう》として判らなかった。
この年、長く反抗を続けて来た莎車王が降《くだ》った。

漢本国では永元元年（西紀八九年）章帝崩じ、その子和帝が即位した。班超が初めて西域に入り鄯善《ぜんぜん》に使いした時から、いつか十七年の歳月が経過していた。班超は五十八歳であった。永年に亘《わた》る彼の武力と外交政策の行使に依って、南道諸国は悉《ことごと》く漢威に服していた。

併《しか》し尚《なお》、北道に亀茲《きゆうじ》、焉耆《えんき》の二敵国があった。この両国は匈奴《きようど》の力を恃《たの》んで、強硬に班超に反抗していた。

班超もこの二国だけは撃つことが出来なかった。大沙漠を挟《はさ》んで、いずれも月余の行軍を必要とする遠隔の地にあった。北道諸国の兵は糾合出来たが、恃みとする漢兵は少なく、剽悍《ひようかん》な匈奴の兵を交えている亀茲、焉耆の連合軍に、徹底的な打撃を加えることは難しかった。

南道に於《お》ける唯一《ゆいいつ》の彼等の協力者であった莎車が班超に降服してからは亀茲も焉耆も遠路大軍を動かして来攻することはなくなったが、それでも時々匈奴の騎兵を交えた部隊が南道諸国へ姿を現わして、小戦闘を繰り返した。

班超は、亀茲軍の一隊の中に、趙に似た勇敢な部将がいることを部下から聞いた。部下の一人は、その匈奴の将が趙以外の何者でもないことを主張した。

「どうして、そのような確信を持つか」

班超が訊《き》くと、

「匈奴は遠矢を射かけ、こちらの戦力を知った上で、四方から刀を揮《ふる》って駈《か》け寄って来るが、趙に似た男の戦法は全く違う。近距離になった時、矢を放ち、その矢を射尽すと同時に、部隊の中央に馬を乗り入れ、疾風のように駈け抜けて行く。これ趙の常に得意とした戦法である」

と答えた。

併し、彼が趙であるかどうか、その真偽は、誰も確かめることは出来なかった。

永元二年五月（西紀九〇年）班超は葱嶺《そうれい》の向うにある大月氏の軍勢七万の攻撃を受けた。

大軍来襲の報《しら》せで、城下は混乱したが、班超は、徒《いたずら》に兵力のみ多く、数千里に兵站《へいたん》線《せん》の伸びたこの大遠征軍を怖《おそ》れなかった。

果して大月氏は班超の軍を攻囲しているうちに、食糧難に陥り、糧食を亀茲に求めるために騎馬隊を東方に進発させた。班超は時を移さず伏兵を出して、これを破った。ために大月氏は大いに怖れて、ついに班超に和を求めて来た。和が成立して暫くすると、葱嶺を越えて、符抜《ふばつ》＊、獅子《しし》、珠玉などが班超のもとに贈られて来た。

漢本国では、この年五月に将軍竇憲《とうけん》が伊吾盧《いごろ》に遊牧する匈奴を撃って、この地方から匈奴の影を絶たしめた。この作戦の影響で、これまで叛服《はんぷく》常ならなかった車師前国、車師後国も漢への降服を申し入れて来た。

続いて翌永元三年二月、竇憲は再び、国境を出ること五千余里、金微山（アルタイ山）麓《ろく》に匈奴を撃って、四千人の捕虜を獲得した。

これに依って、匈奴は西に移動して、再び漠北に姿を現わすことはなくなった。この頃《ころ》から西域に於ける亀茲、焉耆は、その拠《よ》りどころを失って、漸次その力を弱めるに到《いた》った。

大月氏退き、匈奴は破れ、漢の威令は漸く西域全域に行なわれるようになった。この年十月、宿年の敵亀茲も、姑墨《こぼく》、温宿《おんしゅく》両国の兵を率いて班超のもとに降服して来た。

建初元年、僅《わず》か一年余日にして廃すの已《や》むなきに到った西域都護は、この年、再び十五年振りに設置されることになった。班超は都護に、長く班超を援けて来た徐幹は長史に任ぜられた。班超は亀茲に移り、疏勒には引き続いて徐幹が屯営《とんえい》した。又戊校《ぼこう》尉《い》を置いて兵五百と共に車師前国の高昌壁《こうしょうへき》に居らしめ、戊部侯《ぼぶこう》を置いて車師後国の侯城に居らしめた。永元三年十二月のことである。

西域都護となった班超に、洛陽からの使者が最初に齎《もたら》したものは、兄班固の獄死であった。一代の儒者として知られ、又晩年には大将軍竇憲の参議として匈奴討伐に参加した班固が、私怨《しえん》を受けて獄に下り、獄中に死んだという報せは、班超を暗然とさせた。

異域にあって干戈《かんか》怱忙《そうぼう》の中に年を重ねた班超の頰《ほお》を、初めて長く相見なかった肉親のための涙が滾《こぼ》れ落ちた。母も妻も数年前既に物故していた。

この年、兄固の訃報《ふほう》を追いかけるように、もう一つの悲報が班超の許《もと》にもたらされた。往年西域に苦闘した耿恭《こうきょう》の死であった。曾《かつ》ての西域の勇将は、その後西羌《せいきょう》＊を討って武勲を立てたが、讒《ざん》せられて獄に下り、官を廃して、失意の中に死んだのであった。兄固の死に涕泣《ていきゅう》した班超は耿恭の死に対しては、もはや涙を見せなかった。併し一日蟄居《ちっきょ》して、何人《なんぴと》にも会うことを拒んだ。

永元六年秋、班超は、西域にあって依然漢への服属を拒否している焉耆と、それの傀儡《かいらい》として動いている危須《きしゅ》、尉犂《いり》の三国を討つための軍を発した。亀茲、鄯善等八国

の兵七万人、吏士、商人一千四百人を合わせて、まず焉耆を討った。進んで尉犂国境に到るや、班超は使者を三国に送り、

「都護は三国を鎮撫《ちんぶ》するために来たのである。過を改め、善に向わんと欲するなら、高官来たって迎えよ。王以下に賞賜《しょうし》し、事の終わり次第軍を還《かえ》す。王には練絹《ねりぎぬ》五百匹を与える」

と告げさせた。焉耆からは王の代りに、実権を握っている左将軍北鞬支が来て牛酒を奉った。班超は北鞬支に、

「都護自ら来たのに、王が出迎えに来ないのは非礼である」

と詰問《きつもん》して、物を贈って引きとらせた。

間もなく王広は贈物を持って尉犂に班超を迎えた。併し王広は、自国に班超の軍を入れないために、国の咽喉部《いんこうぶ》の、葦蘆《あし》の密生している沼沢地帯の橋を破壊していた。大軍はここを通過しない限り焉耆への入国は望めなかった。

班超はこれを知って、他の道を取り、水に軀《からだ》を浸して湖を渡渉し、焉耆に入った。

焉耆国の大官の一人が、使者を立てて内通して来たが、班超はその使者を斬《き》った。そして期日を限って諸国王に招集命令を発し、来る者には重く褒賞《ほうしょう》することを伝えた。焉耆王広、尉犂王汎、北鞬支等三十人相率いて来た。大臣腹久等十七人は誅《ちゅう》せられ

ることを恐れて、湖に入水《じゆすい》して死んだ。危須王は来なかった。

班超は声を荒らげて、

「危須王は何のために来ないか。腹久等は何のために入水したか」

鋭く広に詰問し、吏士を叱咤《しつた》した。峻厳《しゆんげん》近よるべからざる班超の顔は全く別人の観があった。班超は広と汎を、曾て都護陳睦が殺された故城に攻めて、斬った。班超は更に兵を三国に派遣して、国内を平定し、一万五千人の捕虜と馬畜牛羊三十四万頭を得た。

彼は焉耆に留まること半歳、新王を立てて、国内を鎮圧して、亀茲に凱旋《がいせん》した。

翌永元八年、班超は定遠侯に封ぜられて、所領として千戸を賜わった。

永元九年（西紀九七年）、班超は甘英を大秦国（ローマ帝国）に使者として派遣した。甘英は途中安息の西辺で土人に遮《さまたげ》られて目的を果たさず帰国したが、漢威は遠く葱嶺《そうれい》を越え、朝貢《ちようこう》する国は四万里の外に及んだ。

班超が上書して、帰国を願ったのは永元十四年（西紀一〇二年）の初めである。

——自ら寿を全《まつと》うして屯部《とんぶ》に終らば誠に恨むところなし。然《しか》りといえども、後世或《ある》いは、臣を名ざして西域に歿《ぼつ》すと為《な》さん。臣敢《あ》えて酒泉《しゆせん》郡に到《いた》るを望まず、願わくば生きながらにして玉門関に入らんことを。……

——沙漠に命を延ぶるを得て今に至って三十年、骨肉生離して復《ま》た相識《あいし》らず。与《とも》に相随《あいしたが》う所の人皆すでに物故せり。超最もながらえて今七十に到らんとし、衰老病を蒙《こうむ》りて頭髪黒きなし。……

班超はその長文の上書文の中に書いた如く、異域に留《とど》まること三十年、七十一歳になっていた。この班超の願いは和帝に容《い》れられて、彼に故国帰還の命令が下ったのは、その年の春であった。

班超は命を受けるや直ちに亀茲を出発することにした。彼は出発に先立って、彼の後任者として、新たに都護となる任尚を招いて言った。

「塞外《さいがい》の吏士はもともと孝子順孫ではない。皆罪過の徒をもって、辺土に補せられたものである。蛮夷《ばんい》は鳥獣の心を抱き、養い難《がた》く破れ易《やす》い。水清ければ大魚なし。こまやかな政《まつりごと》は下の和を得ない。よろしく小過に寛にして、大綱を統《す》べるべきである」

班超が三十年の異域生活から身を以て得た教訓であった。鳥獣の心を持っていた者は、ただに疏勒王忠一人ではなかった。

七月、班超は流沙《りゅうさ》を踏んで東に進んだ。往年彼に従ってここを西行した部下三十数名中、いま彼に従う者は一人もなかった。一人残らず死亡していた。熱風起らば沙礫《されき》を漂わして、忽《たちま》ち行旅を埋むる沙漠の様相は往年のそれと全く変りはなかったが、そこを往来する胡人《こじん》の駱駝《らくだ》の隊列が、幾度となく班超の衰えた視野の中を過ぎた。それだけが変わっていた。

班超は彼が望んだ如く生きて玉門関をくぐった。そして再びそこの土を踏むことはないと思っていた酒泉郡を通過し、胡族の商賈《しょうこ》の群がる幾つかの市を過ぎ、更に三千余里を行って、都洛陽に入った。八月の終りであった。班超は直ちに和帝に拝謁《はいえつ》した。彼が命を受けて西域に使した明帝の時から、章帝、和帝と世は移っていた。和帝はまだ二十四歳の若き天子であった。

班超は王城を出ると、三人の従者を連れ、店舗が軒を列《つら》ねている洛陽の街衢《がいく》を歩いた。胡風と胡俗が目立った。路行《みちゆ》く人の服装はいずれも眼《め》を奪うばかり華美であった。班超は于闐《うてん》国玉河の産する玉《ぎょく》＊をもって腕を飾る婦人たちを見た。市街は殷盛《いんせい》を極め胡国の産物をひさぐ舗《みせ》が軒を列ねていた。班超は異域に於《お》ける己《おの》が労苦が、不思議な形を取って、洛陽の町に溢《あふ》れているのを見た。班超はなおも街衢を歩いた。

「胡人！」

幼童の言葉で班超は足を留めた。彼は胡人という言葉で、自分が呼ばれたのを知った。三十年の異域の生活は彼を一人の老胡人たらしめていた。漢地の黄塵《こうじん》は彼の皮膚と眼の色を変え、孤独の歳月は彼から漢人固有のおっとりした表情を奪っていた。

班超はもとから胸脅《きょうきょう》の疾*を持っていたが、和帝に拝謁した日から床に就いた。帝は使者を遣わして病状を問い、医薬を下賜された。

九月初め、班超は再び小康を得て、和帝に拝謁、西方の情勢をつぶさに報告した。その日王城を退出すると、彼はまた洛陽の街衢を歩いた。

「胡人！」

路上に遊ぶ幼童の群れがまた彼を呼ぶのを耳にした。

班超は胡商の住む市街西北隅の一区域に足を踏み入れた。西域各国の男女がそれぞれの言葉で客を招び、物をひさいでいた。

班超は途中で匈奴《きょうど》の一老人とあった。老残見る影もなく窶《やつ》れ、身には襤褸《ぼろ》を纏《まと》っていたが、その眼光のみが炯々《けいけい》としていた。班超はその匈奴人を見掛けた時、旧知の情に似たものを感じた。

暫《しばら》くして、班超は彼が、曾《かつ》て自分の許《もと》を去って行った趙《ちょう》ではなかったかと思った。若《も》し彼が趙であったとすれば、彼も亦《また》漠北の地に留まること多年、匈奴の習俗に化して、その面貌《めんぼう》と風姿を改めていたのである。

翌日、班超は病状革《あらた》まって卒した。洛陽に入ってから十数日目である。朝廷は深くその死を悼《いた》んで、使者を立てて、厚く祭祀《さいし》した。

班超の歿後、西域は再び乱れた。都護任尚は人心を喪《うしな》い、西域の諸国挙《こぞ》って叛《そむ》いて、彼を攻撃した。段禧《だんき》替わって都護となったが、その後も戦火絶えなかった。西域の道遠く且《か》つ険阻であること、胡族叛服《はんぷく》常ならぬこと、西域派遣軍の費用莫大《ばくだい》なること——三つの理由に依って、安帝の永初元年（西紀一〇七年）六月、漢は西域を放棄し、都護、屯田の官吏、兵士を召還した。再び玉門関は固く閉ざされた。班超歿してから五年であった。

狼《ろう》災《さい》記《き》

始皇帝の三十二年（紀元前二一五年）、将軍蒙恬《もうてん》は三十万の大軍を率いて、北辺に匈《きよう》奴《ど》を撃った。中国本土を統一した秦《しん》の、強大な北方遊牧民族との、これが最初の対決であった。蒙恬は各地に匈奴の部隊を破り、ついに多年彼等の劫掠《ごうりやく》に任せていたオルドス*地方を略取し、ここに県制を布《し》き、自らは上郡（陝西《せんせい》省綏徳《すいとく》県）にあって全辺境守備軍を統轄《とうかつ》した。

次いで蒙恬は、臨洮《りんとう》郡（甘粛《かんしゆく》省臨漳《りんしよう》県）より遼東《りようとう》郡に至る万里に及ぶ長城*の修築に当たり、山を掘り、谷を埋め、直道を造り、要所要所に麾下《きか》の精鋭を配した。始皇帝の長子扶蘇《ふそ》も亦《また》監軍*として上郡にあって、蒙恬と共に力を併《あわ》せて匈奴討伐に当たった。ために匈奴は従来のように秦の国境に大軍を動かすことはなく、徒《いたずら》に小規模の戦闘を繰り返すのみとなった。

三十七年（紀元前二一〇年）、始皇帝は崩じた。蒙恬が匈奴を撃ってより六年目である。丞相《じようしよう》*李斯《りし》と宦者《かんじや》*趙高《ちようこう》は始皇帝の次子胡亥《こがい》を二世皇帝にたて、己《おの》が権勢をほしいままにせんと図り、太子扶蘇と将軍蒙恬を除くべく偽りの詔勅を出した。死を賜わった扶蘇は自刃《じじん》し、蒙恬は毒を仰いで陽周に死した。この事件後僅《わず》か四年にして秦国は亡滅の悲運に見舞われるに到《いた》るが、その原因はここに端を発したわけであった。

太子扶蘇と将軍蒙恬が死を賜《たも》うた事件は、それの影響を怖《おそ》れて、北辺守備軍には固く秘せられていた。併《しか》し、事件半歳後には上郡に最も近いオルドス地区の長城守備軍の一部にこの報は伝わり、一度それが伝わるや、それは二つの火の手となって、蜿蜒《えんえん》と連なっている長城線を、一つは東へ、一つは西へと、徐々に、併し確実な速度で伝播《でんぱ》して行った。それは燎原《りょうげん》の火の移るのに似ていた。

混乱は各所に起きていた。将軍蒙恬と太子扶蘇の自裁した事件は、辺境の将兵たちには始皇帝の崩去よりもっと大きな事件であり、もっと自分たちに身近い事件であった。殊《こと》に将兵たちの将軍蒙恬の自裁から受けるものは複雑であった。天下のあらくれ者や犯罪者たちに依《よ》って構成されている奴卒は別にして、苟《いやし》くも何百、何千かの長たる者にあっては、彼等の異域に於《お》ける匈奴との戦闘の日々は、将軍蒙恬に対する畏敬《いけい》の念か、さもなくば畏怖の念なくしては考えられぬことであった。ある者には蒙恬は神であった。その部下に対する慈愛と公平、その廉潔《れんけつ》、その勇猛、その忠誠、そうしたものは彼等が北辺に生きるための護符に他ならなかった。併し、またある者には蒙恬は呪《のろ》うべき悪鬼に見えた。彼は己が功のためには万骨を枯らして悔ゆることなかったし、戎狄《じゅうてき》＊を討つために多年軍を境外に曝《さら》して憚《はばか》ることなかった。軍律を守るために峻《しゅん》厳《げん》であり、一法を持するためにはよく十数人の兵の生命を断った。

ある者は蒙恬の死を悲しみ、ある者は蒙恬の死に依って、遠く棄《す》て去っていた故国への帰省の情に烈《はげ》しく駆られた。併し、そうしたことから起る混乱は単に混乱である に留まっていた。いろいろな臆測《おくそく》や疑惑は到るところに渦《うず》を巻いていたが、それらはいかなる具体的な形となっても現われなかった。徒《いたずら》に彼等の任地は都から遠く離れていて、事の真相を知るいかなる方法もなかったし、時代がいかなる動き方をしているかも全く見当はつかなかった。

若《も》し、多少でも蒙恬の死の噂《うわさ》が直接部隊の行動に変化を与えた事実を拾うとすれば、それは長城守備軍の中でも最も悪い籤《くじ》を引いて一番の僻遠《へきえん》の地、陰山＊の麓《ふもと》に配せられている一部隊の場合に於てしかなかった。

その日陸沈康の率いる一千の部隊は、長城線を北に隔たること五百支里の地点に屯していた。月余に亙《わた》る匈奴との苦しい戦闘の果てに漸《よう》やくにして持つことのできた休養の一日であった。匈奴は北に奔《はし》り、その附近には敵影はなかった。陸沈康は、併し、部隊を何日もここに留めておく気持は些《いささ》かも持っていなかった。明日からでも部隊は再び北に向かって進発する筈《はず》であった。長追いの危険なことは判《わか》っていたが、匈奴の拠点となっている更に北方二百支里の山中の聚落《しゅうらく》を襲い、そこを焼き払ってしまうまではこの作戦に終止符を打つことはできなかった。それが彼が上司から与えられた命令でもあり、またそうすることが、この地区の匈奴の波状的に繰り返してくる襲撃を根絶する唯一《ゆいいつ》の方法でもあった。それに季節は既に初冬にはいろうとしていて、いつ降雪に見舞われるか判らなかった。総《すべ》ては雪の来ないうちに片附けてしまわなければならなかった。

陸沈康はその日友軍の一枝隊で、同じく境外ではあるが、ずっと後方に配せられている張安良の部隊からの使者に接した。使者は三百枚の毛皮と夥《おびただ》しい羊肉と張からの書信を携行して来ていた。使者は陸沈康の部隊の所在を知るために朔風《さくふう》吹き荒《すさ》ぶ初冬の原野を十数日にわたってさまよったということであった。

陸沈康は久しく会わぬ友の顔を魂の疼《うず》くような懐《なつか》しさで思い浮かべた。毛皮も羊肉も、陰山地区に於て冬を越さなければならぬ部隊にとってはこの上ない有難い贈物であった。陸沈康は幕舎の前に酒宴の席を設け、使者を手厚く遇した。そしてその席で陸は張安良からの音信に初めて眼《め》を当てた。陸は己が眼を疑った。将軍蒙恬が死を賜わった事実が竹片に認《したた》＊められた幾つかの文字に依って伝えられてあったからである。

陸沈康にとっては蒙恬は絶対的な存在であった。始皇の二十六年に蒙恬が斉《せい》＊を攻めて大功を樹《た》てた時、陸沈康は一小部隊の長としてその戦闘に参加していたが、それを皮切りに今日まで常に蒙恬に属する部隊の兵として、三十代から四十代へかけての十年を戎狄との戦闘に明け暮れていた。陸沈康は勿論《もちろん》将軍蒙恬に謁《えつ》する程身分は高くなかったが、併し、一度だけ蒙恬から親しく声をかけられたことがあった。三十三年の秋、オルドス地区を奪取した秦軍が黄河を挟《はさ》んで匈奴の軍と対峙《たいじ》している時のことであった。陸沈康は最初の渡河部隊の一員として黄河を渡り、三日三晩に及ぶ激戦の果てに対岸の一地点を確保したが、その時蒙恬はやって来て、生き残っている僅かの兵たちを慰藉《いしゃ》した。そして容貌魁偉《ようぼうかいい》なために目立ったのか、陸沈康に眼を当てると、彼だけに名が何であるかを訊《き》いた。陸沈康が己が名を答えると、蒙恬は大きく頷《うなず》いて、汝《なんじ》の名は勇者の名であると、そう一言だけ言った。陸沈康はこの時の感動を忘れることはできなかった。陸沈康は実際に勇者であったが、それ以来前に倍して勇猛を以《もっ》て知られるようになったのであった。陸沈康は百の長となり、五百の長となり、千の長となったが、常に最も戦闘の苦しい部署にのみ配されていた。勿論この事は将軍蒙恬の与《あずか》り知らぬことではあったが、陸沈康はそれをいつも蒙恬からの命令であるかのように受け取っていた。将軍蒙恬のためとあらば、いささかも生命を惜しまなかったし、いかなる苦難の任務にも耐えることができたのである。

そうした陸沈康にとって、将軍蒙恬が故《ゆえ》なくして死を賜わったということは、いかにしても理解し難いことであった。陸沈康はどうしても信じられなかった。一瞬天地晦冥《かいめい》となり地軸の揺れ動く思いであった。

陸沈康はその夜一睡もしなかった。そして一睡もしないで考えに考えた上で心に決めたことは、匈奴との戦闘を打ち切って、軍を故国へ班《かえ》すことであった。これ以上匈奴と闘う何の意義も見当たらなかったし、戎狄の地に冬を越す何の理由も見出《みいだ》せなかった。総ては蒙恬あってのことであったが、その蒙恬はいまや亡《な》いのである。故国に軍を班してから先のことは少しも考えていなかった。そのために罰せられようと死を命じられようと、そんなことはどうでもいいことだった。将軍蒙恬でさえ故なくして死を賜わったのである。数ならぬ自分の身に起ることなど、現在の辺境の一枝隊の長には問題でなかったのである。

陸沈康は張安良にその厚誼《こうぎ》と友情を謝する書信を認《したた》め、それと一緒に前日受け取ったばかりの贈物を改めて使者の馬に積載して、それらを使者に持たせて帰した。陸沈康は部下の兵百をして、使者の一団を百支里の地点まで護衛せしめた。

そしてその護衛が帰着するのを待って、その翌日初めて陸沈康は己が部隊の兵たち全員に、故国への帰還のことを発表した。兵たちには何の反対もあろう筈《はず》はなかった。ただ、彼等は境外に於ける匈奴との戦闘の日々が打ち切られる時がよもや来ようとは思っていなかったので、陸沈康の言葉の持つ正当な意味を解するにはかなりの時間を要した。ひと筋にどこまでも苦難の淵《ふち》に向かってひた走りに走っていた己が不幸な運命にも、やはり終りというものがあることを、彼等は今更のように思い知ったのであった。

張安良の使者が出発してから三日目の朝、陸沈康は部隊の先頭に立って屯営地を南へ向けて発した。七日目か八日目に黄河の河畔に出、十日目か十一日目に長城の線へ到達する予定であった。長城の城壁を眺《なが》めるのは陸沈康の部隊にとっては三年目のことであった。

行軍は最初から難渋を極めた。一日中肌《はだ》を刺すような寒風に吹き曝《さら》されての行軍であったが、三日目から風の中に雪が混じり始め、水気を持った飛雪は叩《たた》きつけるように重たく兵や馬の顔を打った。

四日目に風が落ちると同時に雪は密度を加えて虚空《こくう》を埋め、それがこやみなく降り続いた。部隊は到るところで進行を停止し、己が進路を索《さぐ》らねばならなかった。陸沈康の部下一千の兵たちにとっては、何回となく往来してよく知っている原野ではあったが、彼等はまた雪のためにその原野が一夜にして全く別のものになることの怖《おそろ》しさも知っていた。

その日の夕刻、陸沈康は進路を右にとって、無名丘陵の麓《ふもと》に点々と土屋の配されているカレ族の聚落《しゅうらく》を目指した。その日の宿泊地として予定されていた部落へはまだ半分の道程《みちのり》も進んでいず、これ以上無理をしても、凍傷患者を多く出すか、吹雪に巻かれる危険を増すだけの話だったので、カレ族の聚落にはいって、そこで雪の上がるのを待つことにしたのである。

陸沈康の部隊がカレ族の聚落にはいるのは勿論、それに近寄って行くのも、これが初めてのことであった。カレ族はこの地方に散らばっている部族の中でも最も卑《いや》しい特殊なものと目されており、他種族との交際は全く持っていなかった。男たちは牧畜を業とし、女たちは農耕に従事していたが、生活程度は例外なく低く貧しかった。男たちは口辺に入墨し、女たちは茶色の縮れた髪を束ねて背後に長く垂らしていた。彼等に近寄ると一種独特の臭《におい》が漂い、他種族の者はそれを死臭であるとして忌《い》み嫌《きら》っていた。

陸沈康はカレ族の聚落へ部下を派して五十戸の土屋を自分たちのために明け渡すように交渉した。五十戸の土屋は一千の兵を収容するには充分とは言えなかったが、それ以上の要求はカレ族の者たちを雪中に立たしめる結果になりかねなかった。たとえ五十戸の土屋でも、そこが屋根を持っているということだけで、この際兵たちにとってはまたとなく有難い貰《もら》い物《もの》であったし、また、カレ族の土民としても五十戸の明渡しなら、それに応じられぬ難題とは言えなかった。もともと百戸程の部落で、その半分を取り上げられるだけの話であった。部隊に家を奪われた五十戸の住民は、家を奪われぬ他の五十戸の家へ収容されれば、それでさして支障は起らない筈であった。

小半刻《こはんとき》聚落の入口で停止していた部隊は、やがて隊列を作ったまま半ば雪に埋もれたカレ族の聚落の中へ入って行った。案内したのは五人の部落の男たちであった。男たちの指示に従って、兵たちは何人かずつ空っぽの土屋の中へ吸い込まれて行った。数人はいるところもあり、三十人以上詰め込まれるところもあった。隊列は少しずつ兵の数を減らしながら、一本の木も雪面から頭を出していない大きな白い土饅頭《どまんじゆう》のような丘陵の麓を緩慢な速度で移行して行った。

陸沈康は部下の兵たちが一兵残らず五十戸の土屋に収められるのを見届けてから、己が宿舎として与えられた同じような土屋の一軒へはいって行った。雪にすっかり覆《おお》われている土屋の中には、それでも土間の炉端《ろばた》に薪《まき》の余燼《よじん》がくすぶっており、ここに住んでいた者が立ち退《の》いてからまだ何程の時間も経《た》っていないことを示していた。

土間の右手には狭い部屋があって、床の上に枯蘆《かれあし》がぎっしり敷きつめられてあった。そこが家人の寝所となっているらしいことはひと眼見て明らかだったが、陸沈康はそこへは一歩も足を踏み込まなかった。異様な臭気が立ちこめていた。他部族の者が忌み嫌う死臭というのはこれかと思った。兵の一人がやって来て、土間の炉に火をつけてまた去って行くと、陸沈康は炉端に作られてある木製の粗末な椅子《いす》の上に腰を降ろした。こうしたままここで一夜を明かすつもりだった。半刻程すると、兵二人が食事を持ってやって来、そしてすぐ去って行った。饅頭一個と羊肉の脂肪のぎらぎら浮いている汁《しる》であった。陸沈康は火を見詰めながら黙ってそれらの食物を口に運んだ。

陸沈康は蒙恬の死を知った時から、いかなる部下をも寄せつけないでいた。作戦を打ち切ってしまったいま、彼等と打ち合わせ、相談する何ものも持っていなかった。部下たちも亦、自分の方からは不機嫌《ふきげん》になっている隊長には近寄って行かない方が安全であることを知っていた。彼等は匈奴の捕虜を自分の前に立たせ、一言の言葉も与えずその腕を一本ずつ断ち切る時の陸沈康の恐しさを知っていた。それは何十回見ても見慣れるということのない見物《みもの》であった。陸沈康は部下たちに対して、いかなる他の隊長より慈愛深かったが、併し、部下たちは匈奴の捕虜を斬《き》る一事からして陸沈康を畏怖《いふ》する気持をなくすことはできなかった。

陸沈康は粗末な夕食を摂《と》り終わると、依然として前屈《まえかが》みになった姿勢を崩さないで火影《ほかげ》を見詰めていた。夕食の膳《ぜん》を下げに来た兵の眼には、そんな隊長が実際の四十歳の年齢より何か急に年老いたように見えた。陸沈康は、併し、決して老い込んだのではなかった。前屈みになればなるほど、そしてまた火影を見詰めれば見詰めるほど、彼の心の中では狂暴なものが烈《はげ》しく荒れ狂いつつあったのである。蒙恬が死を賜わったということから生じる救いのない狂暴な思いを、彼はそのような姿勢で僅《わず》かに持ちこたえ得ていたのであった。時々表戸の隙間《すきま》から風と一緒に雪の粉が吹き込んで来て、その度に炉端は一面に白く雪をかぶったが、彼は全くそんなことは意に介さなかった。

陸沈康は腰掛けたままの姿勢で仮睡をとったが、背の方が寒気に洗われる度に眼を覚ました。そして彼は火に薪をくべた。薪は湿っているのでなかなか燃えつかなかったが、それでもある時間をかけると、炉にはひとしきり焔《ほのお》の赤い舌が立ち上がった。陸沈康はまた仮睡をとり、また寒さで眼覚めた。そんなことを何回か繰り返しているうちに、陸沈康はある時ふいに立ち上がると、

「たれか！」

と、烈しい声で叫んだ。身近に物音を感じたからである。風の音とは違っていた。

陸沈康は暫時《ざんじ》炉端に突っ立って聞耳をたてていたが、やがて槍《やり》を握って、寝所とは反対側にある野菜貯蔵所の戸を引きあけた。ここにも亦枯蘆が一面に敷かれてあり、がらくたものが投げ込まれてあった。陸沈康は入口の枯蘆を槍で掻《か》き分《わ》け、床板が顔

を覗《のぞ》かせるのを見ると、いきなりそこへ槍の穂先を突き刺した。そして、

「出ろ」

と呶鳴《どな》った。と、果して、穴蔵には人の動く気配が感じられ、やがて床の揚蓋《あげぶた》の一枚が持ち上げられて来た。陸は槍を構えたまま息を詰めて見守っていた。

穴蔵から出て来たのは女であった。年の頃《ころ》は判《わか》らないが、女であることは確かであった。陸沈康はつかつかと近附くと、女の上衣《うわぎ》を摑《つか》んで炉端へ引き立てて来た。陸が口を開こうとする前に、女が先に口を開いた。

「汝《なんじ》は既に死んでしまっている私をもう一度殺そうとするのか」

女は言った。訛《なま》りの強い土語であった。

「汝はなぜ匿《かく》れていたのか」

陸は訊《き》いた。

「匿れていたのではない。この家から離れるのを好まなかったのだ。私の夫はこの秋に死んだ。私は夫の霊の眠っているこの家以外では眠ることはできないのだ」

女は続けて言った。

「私の夫はこの秋に死んだのだ。私はいまもなお呼吸はしているが、生きているというのは形の上だけのことで、本当は死んでしまっているのだ。私の心はいかなること

をも悦《よろこ》ばないし、いかなることをも悲しまない。私はもう死んでしまった人間だ。その私を汝はもう一度殺そうとするのか」

炉端の火影の光が女の顔の半分をにぶく照らし出しているが、それで見ると、女はまだ若かった。二十歳を幾つも越していないに違いなかった。眼はこの部族の女特有の猜疑《さいぎ》深い鋭い光を湛《たた》えていた。

「汝は死んだ人間というのか。それならば余も死んだ人間である。いかなることも悦ばないし、いかなることも悲しまないだろう」

陸沈康はそう言ってから、

「死者に用はない。汝の寝所へ戻れ」

と一段声を大きくして言った。すると、女は髪を背後に投げるように顔を強く上げると、

「私は出て行く」

と、反抗的に言った。

「どこへ出て行くのだ」

「そんなことは判っているではないか。戸外へ出て行くのか」

「戸外へ出て行くと、それがどういうことを意味するか汝は知っているか」

陸沈康は戸口の方へ眼を遣《や》って言った。依然として雪は落ちていた。この深夜雪の中へ出て行くことは、死以外の何ものも意味していなかった。

「私は既に言った筈だ。私は死んでいる人間なのだ。どうして死を怖れようか」

女は言うと、すぐ背を向けて戸口の方へ歩き出した。陸はもう一度女の上衣をとらえて引き戻すと、

「許してやる。汝は汝の寝所へ戻れ」

と言った。すると、女は再びきっと顔を上げて、

「私はもともと夫以外の男と同じ屋根の下に眠ることは好まないのだ。私が出て行くか、それでなければ汝が出て行くかだ」

と言った。陸沈康は女の顔を鋭く見守っていたが、全く思いがけず、この時ふいに陸は相手に女として挑《いど》まれるものを感じた。長い間女というものを忘れていた陸沈康は、ふいに我に返ったような気持で、いま自分の前に立っている若い女の顔を見守った。

陸は女に近寄ると、三度女の上衣を摑んだが、こんどは彼は女を寝所の方へ引き立てて行こうとした。女は烈しく抵抗したが、寝所の枯蘆の上に体を投げ出されると、あとは諦《あきら》めたのか、死んだように無抵抗になって陸の為《な》すままに任せた。

陸は暁方《あけがた》眼覚めた時、自分が死臭にみちた部屋で、死臭にみちた女の体を抱いていることを知った。寒気は厳しかったが、女の体を抱いている限りは寒さを感じなかった。女は眠っていたが、その体は火のように熱かった。

陸沈康は起き上がって、土間に置いてある刀を摑んで来ると、抜刀してそれを枕許《まくらもと》の枯蘆の中に刺し込み、それからまた女の体を抱いた。誰か部屋にはいって来る者があったら、たちどころに斬るつもりだった。自分がカレ族の女を抱いている姿を眼にする者があれば、生かしておくわけには行かなかった。女は眼覚めると、こんども烈しく抵抗し、諦めて身を任せると、あとは冷たく眼を見開いたまま死んだように体を動かさないでいた。

夜が明けきると、陸沈康は刀を鞘《さや》に収め、女を彼女が匿れていた穴蔵の前に引き立てて行き、そこへ入れた。

その日も雪は一日降り続いていた。陸沈康は炉端に腰をおろしたまま、そこで一日を送った。陸は己《おの》が食事の半分を穴蔵の女に与えた。女は黙ってそれを受け取った。夜が来て、もう部下の兵が自分の宿所を訪ねて来ることのないのを知ると、彼は穴蔵から女を引き出して来て、枯蘆の敷いてある寝所へ拉《らっ》して行った。陸沈康はこの夜も、鞘を払った刀身を寝所の枕許に立てると、それから女の異様に暖かい体を抱いて臥《ふ》した。

三日目も四日目も部隊はカレ族の聚落から進発して行くことはできなかった。雪は降ったり歇《や》んだりしたが、灰色の曇天は依然として重くのしかかっていた。陸沈康は毎夜のように女を抱き、抜刀した刀で自分の行為を守った。女を抱きながらも、彼はいかに小さい物音にも敏感だった。部屋に入って来て自分たちの行為を眼にした者は、兵であれ、隊長であれ、たちどころにこれを斬らねばならなかった。

陸沈康は昼間一人で炉端にいる時、時々己が腕を鼻のところへ持って行った。女の死臭のような体臭が自分の体を染めることが案じられた。併《しか》し、夜になると、彼は依然としてその死臭の立ちこめている女の体を、刀身に守られながら抱かずにはいられなかった。

五日目の夜、女は初めて口を開いた。

「汝はなぜ枕許に刀を立てるのか」

「われわれの臥している姿を見る者があれば、それを斬らねばならぬ」

陸は答えた。

「それはなぜか」

女はまた訊いたが、陸沈康はさすがにそれに対して答えなかった。すると女は、

「何も強《し》いて汝の口からその理由を聞こうとは思わない。汝は私と交わることを恥と心得ているのだ。併し、そのことは私も亦《また》同じなのだ。私たちの種族の者は他種族の者と交わるくらいなら死を選ぶだろう。私も亦、自分の恥を刀をもって守らねばならぬ。たれかこの部屋へはいって来たら、汝が刀を執《と》る前に私が先に刀を執るだろう」

そう言った。女は依然として陸沈康に対しては憎悪《ぞうお》をこめた冷たい眼を向けていたが、この時陸沈康は死臭を持つ女に初めて愛情らしいものを感じた。陸沈康は妻帯したことがなかったので、妻というものはこのようなものであろうかと思った。

六日目に初めて長く降り続いた雪は歇んだ。陸沈康は部隊に当然進発の命令を下すべきであったが、それを一日延ばした。そしてその夜、陸は女を抱きながら離れ難いものを感じた。女は身を任せたあとで、

「私たちのことは、今宵《こよい》で終りとしなければならぬ。明日はこの聚落を進発して行って貰いたい」

と言った。口調は静かだった。

「そう言われなくても、多分自分はそうすることだろう。部隊の進発を停《と》め得るものは雪以外にないのだ。併し、その雪は既に歇んでしまった」

陸沈康は言った。すると女は、

「部隊の出発をとどめるものが、どうして雪だけであろうか。私が若《も》しその気になれば、幾らでも汝の出発をとどめるだろう。併し、私はそうすることはできないのだ」

女はここで烈しく声をあげて泣いた。いつまで経《た》っても泣きやまないので、陸沈康は女がどうかしたのではないかと思った程であった。涙が涸《か》れる程泣いたあとで女は言った。

「私が汝を停めないのは、汝をけだものにするに忍びないからだ。われわれの種族では、昔から他種族の者と七夜契るとけだものになると言い伝えられている。今夜は六夜である。汝がもう一日ここに留まるならば、汝と私はけだものになってしまうだろう」

陸沈康は女のこの言葉ではっとした。けだものになるということではっとしたのではなかった。陸沈康は、女が自分に愛情を持っていることをその言葉の中に感じ取ったからである。この夜は、いつもと違って女の仕種《しぐさ》には優しいものが感じられた。

「けだものになるというが、われわれはいかなるけだものになるか」

陸が訊くと、

「私たちは狼《おおかみ》になる以外仕方がないではないか。私たちは自分たちの営みを、いつも刀で守って来た。実際に誰かはいって来たら、汝も私も直ちに相手に襲いかかるだろう。狼というものも亦そのようなものだと聞いている。狼は雌雄の抱き合っている姿態を何ものかに見附けられた場合、相手がいかなるものであれ、襲いかかり、咬《か》み殺してしまうまで追跡の手をゆるめないと言う。私たちは他の何ものになると言うのだろう。私たちは狼になる以外仕方がないのだ。既に心は狼になっているのだから」

女は言った。その夜、女は夜の明けないうちに、陸沈康の傍を離れて、已が穴蔵へ帰って行ったが、帰って行く時、明日は自分に声をかけないで出立して行って貰いたいと言った。陸沈康はそれを承諾した。彼も亦、それが一番いいと思った。

翌日、部隊は六日間滞在したカレ族の貧しい穢《きたな》い聚落を離れた。すっかり雪も歇み、風も落ちた静かな日であった。陸沈康は部隊の先頭に立って馬を進めた。騎馬隊と徒歩隊とは交互に配されて、光沢とある固さを持った白い琺瑯《ほうろう》質のような雪の原野の只《ただ》中《なか》に置かれた。

カレ族の聚落を離れて二十支里程進んだ時、突然部隊は進軍を停止した。雪の原野に異変が起っていた。隊列の右方遥《はる》かかなたで、雪は大きな柱となって空に吹き上げられ、いったん空高く吹き上げられた雪は雪崩《なだれ》のように落下し、それらは隊列の上へも降り落ちて来た。馬は跳ね上がり、いななき、駈《か》け出そうとした。

陸沈康の傍に侍していた幕僚の李《り》が、己が乗る馬の体を陸沈康の馬のところへ寄せて来ると、降りかかる雪の粉を浴びながら、

「狼の遠吠《とおぼ》えが聞こえる」

とそんなことを叫んだ。李には旋風より、狼群《ろうぐん》の襲撃の方が重大関心事であったのである。

二人の馬はすぐ間隔を離してそれぞれ勝手な駈け方をしたが、陸も亦部隊の混乱を目に収めながら、聞耳をたてて狼の咆哮《ほうこう》を確かめようとした。短い時間ではあったが、何本かの旋風は次々に雪を空に吹き上げ、またそれを滝のように吹きおろしていた。

全身に雪をかぶりながら馬を乗り廻《まわ》していた陸沈康は、その時、ああ、聞こえると思った。陸の耳にはいって来たものは、狼の咆哮ではなくて、カレ族の女の烈しく慟《どう》哭《こく》している声であった。

「狼だ！　狼の咆哮が聞こえる」

明らかに李ではない他の幕僚の呶《ど》鳴《な》る声が近いところで聞こえた。陸はまた聞耳をたてた。雪の降り落ちる灰色の空間のどこからか彼の耳にはいって来るものは、やはり女の悲痛な慟哭の声であった。

異変が収まると、部隊は再び隊列を調えて進発したが、陸沈康はその日一日中、女

の泣き声を耳にしていた。どうしてもそれが耳について離れなかった。

陸沈康はその日、午後になるとすぐ部隊をとある聚落へ入れて、そこに宿営させた。そして、幕僚の一人に気分が悪いので寝に就くから誰も訪ねて来ないようにと命じた。

夜が来ると、陸は馬を曳《ひ》き出して、それに跨《また》がって、今朝進発して来たカレ族の聚落を目指した。月光が青く雪の広野に降り注いでいる中を、陸は休みなく馬を急がせた。カレ族の女のことが気になって堪《たま》らなかったので、彼はもう一度女を訪ね、そして夜が明けないうちに再び部隊の宿営地へ引き返して来るつもりだった。宿営地をカレ族の聚落から余り隔たっていないところに取ってあるので、充分それができる筈であった。

陸沈康は深夜、寝静まっているカレ族の聚落にはいった。彼は六日間過ごした土屋の前で馬を停めると、馬を背戸の立木に繋《つな》いでおいて、すぐその家の戸口に立った。燈火が洩《も》れていた。陸沈康が過ごした六夜の間は、燈火がなかったので、その家のたずまいは前と違った家のそれのように感じられた。

戸口を押すと、直《す》ぐ炉端に蹲《うずくま》っている女の背後《うしろ》姿が眼にはいって来た。陸沈康は声をかけた。すると女はぎょっとしたように振り返って暫《しば》らく陸の姿を見守っていたが、やがて落ち着いた声で、

「私は汝が戻ってこないことを望んでいた。そのことばかりを天に祈っていた。併し、いま汝は再びここにやって来てしまった」

そう感深い口調で言った。そして彼女は立ち上がって陸沈康の胸にすがりつくと、その胸を平手で叩く愛撫《あいぶ》の仕方を取りながら、

「私は夫のために死んだ筈だったが、業《ごう》の深い生れ合せで、いまは汝のために生きたいと思っている。けだものとなってもなお生きたいと思っている」

そう言うと、女は陸沈康を初めて自分の方から寝所に誘った。

陸沈康は昨夜までいつもそうであったように刀を抜くと、それを枕許の床に突き刺した。女の体には依然として死臭がたち込めていた。併しいまの陸にはそれが少しも気にならなかった。自分に愛情を持った女がひたすらに愛《いと》しく、陸はにぶい燈火の光の中に初めて顔を見せている女の体を烈《はげ》しく抱きしめた。

暁方、陸は眼覚めた。燈火は消えていたが、暁方の白い光の中で枕許の刀身が冷たく光っているのが見えた。陸は寝過ごしてしまったことを知ると、部隊のことを思い出し、いきなり半身を起そうとした。そして何となく自分の体の動きにいつもと変わったもののあるのを感じた。彼は起き上がると、刀を摑もうとした。手は伸びないで、顔がそれに近付いて行ったと思うと、次の瞬間、彼は自分の口が刀身を横ぐわえにし

ているのに気付いた。

陸沈康は己《おの》が体に眼をやった。手も脚も胴体も黒褐色《こつかつしょく》の毛で覆われていた。陸沈康は狼になっている自分をこの時初めて知ったのである。彼は自分の横に横たわっている女の方へも眼をやった。女もまた昨夜までの女の姿ではなかった。それは紛れもない一匹の雌狼の姿に変じていた。

女は前肢《ぜんし》と後肢を揃《そろ》えて突き伸ばすようにすると、やがて眼を開いて、むっくりと体を起した。姿こそ狼に変わっていたが、陸にはやはりその雌狼の姿態の持っているものは、ゆうべまでの女の持っているものと変わらないで感じられた。

「汝は汝が狼の姿に変じたことを知っているか」

陸沈康は言った。

「知っている。私は深夜眼覚めてそれを知ったのだ。その時は驚いたが、いまはもう歎きも悲しみも私からは去ってしまった。幾ら歎いても悲しんでも取返しはつかないのだ」

女は言った。陸沈康にとっては女のようにそう簡単に解決できる問題ではなかったが、さりとて狼になってしまった以上、女の言うようにどうすることもできない問題だった。

陸沈康は土屋を出た。何のために家を出たか判《わか》らなかったが、やがてそれは自分が食物を漁《あさ》ろうとしているのであることを知った。女もついて来た。陸沈康は戸外の雪の上に出た時、自分のあとに続いて出て来た一匹の雌狼に眼を当て、初めて彼は狼の心を以《もつ》て女を愛しいと思った。自分の愛するものをいたわり、それを外敵から護衛するために、陸沈康はらんらんと光り輝いた烈しい眼を見はるかす雪の平原の果てに向け続けた。

高祖の七年（紀元前二〇〇年）のことである。秦《しん》が亡《ほろ》びてから六年、陸沈康が部隊より姿を消してから十年の歳月が経っていた。時代は秦から漢へと変わっていたが、曾《かつ》て陸沈康に獣皮と羊肉を贈った張安良は依然として境外にあって長城守備の一枝隊の長を勤めていた。秦末の内乱で、国内は四分五裂となり、長城守備の戍卒《じゆそつ》も多く散じたが、その中にあって張安良は己が部署を捨てずにいたので、高祖の天下となっても、何となく秦から送りつがれたような形で同じ部署に据《す》え置かれていたのであった。

この日張安良は、新しくこの地区の長城守備の隊長として赴任して来た武将に謁《えつ》するために、三名の兵を連れて三泊四日の行程で己が任地を離れた。二、三年前より匈《きよう》奴《ど》の幕営は遠く北に移っていたので、この地方は匈奴に依る脅威からは救われていた。

最初の泊りは荒蕪地《こうぶち》の中の小さい沼沢の畔《ほと》りを選んだ。夏の初めで、昼は炎熱が大地を灼《や》いたが、夜になると真冬のように気温は下った。それでもこの地方ではこの季節が一番恵まれた時期であった。

幕舎の中で張安良が寝に就こうとした時、幕舎の外から帰って来た部下の一人が、近くの丘の上で狼が二匹戯《たわむ》れていることを告げた。張安良と他の二人の兵はすぐ幕舎を出た。月光がこうこうと地表を青く染めていた。なるほど右手のさほど遠くない丘の上に二匹の狼の戯れている姿が見えた。二匹の狼は歓びを交しているに違いなかったが、遮《さえぎ》るもののない原野のただ中で、しかも月光に照らされての行為のせいか、その姿態は言いようなく凄《すご》くすさまじく見えた。兵の一人が矢を番《つが》えて狼を狙《ねら》った。矢が丘の上に落ちると同時に、二匹の狼は左右に飛んだ。

その翌日の暁方、張安良はただならぬ叫び声に幕舎の眠りを破られた。彼はすぐ幕舎を出た。炊事の役を受け持っている兵が幕舎の前に倒れていた。喉《のど》と脇腹《わきばら》に無慚《むざん》な咬傷《かみきず》があり、肉は喰《く》い千切《ちぎ》られて息絶えていた。ひと眼で狼に襲われたためであることは明らかであった。

張安良は三人の部下のうち一人を失ったので、その日は乗手を失った馬一頭を連れて近くの聚落《しゅうらく》に入り、その部落の者に狼に襲撃された兵の屍体《したい》の置かれてある地点を示して、それの埋葬を頼んだ。そして張安良と二人の兵はすぐその聚落を発した。

併し、その夜、やはり丘陵の宿営地でこの一行は同じような災禍に見舞われた。こんどは深夜であった。兵の一人は尿意を催して幕舎の外へ出たが、そのまま帰って来なかった。張安良が兵の姿の見えないことに気付いたのは翌朝のことであった。幕舎の附近を探してみたが兵の姿はついに見当たらず、叢《くさむら》に人間の肉片が散らばっているのを見ただけだった。

この二回目の事件で張安良と残っている兵は自分たちが狼に追跡されていることを知って、初めて不気味なものを感じた。この場合も二人は半日行程の距離にある聚落に立ち寄り、兵の捜索を依頼して、そこを発した。

三日目は幕営をやめて部落へ宿舎を取ることにして、二人は一日中馬を走らせた。午《ひる》に一回、暮れ方に一回、彼等は狼の咆哮《ほうこう》を遠くに聞いた。その夜部落にはいると、兵は狼を怖れてか高熱を発して床に就いた。

四日目は張安良一人で馬を走らせた。夜半には目的地である長城線の一聚落へ身を投じることができる筈であった。張安良は剛胆な男だったので、狼に対してはいささかの恐怖心も抱かなかったが、部下一人をも連れずに本隊に赴くことの首尾に、さすがに頭を悩ませていた。

暮れ方、張安良は岩石に覆われた丘陵の裾《すそ》で馬を停めた。一日中走らせ続けて来た馬に休養を与えるためであった。馬から降りて地面に腰をおろした時、彼は程遠からぬところに狼の咆哮するのを聞いた。張は事件が続いて起った後なので、すぐ立ち上がると低い丘がどこまでも波状型に起伏している原野を眺《なが》め渡した。丁度血のように赤い陽《ひ》が西に沈もうとしている時で、眼にはいる限りのものは、丘も野も草もみな赤くただれて見えた。

張安良は再び腰をおろした。その時こんどは先刻よりもっと身近いところで再び狼の咆哮するのを聞いた。尾をいつまでも長くひく吠《ほ》え方《かた》で、陰々たるものがあった。張が立ち上がると同時だった。彼は自分が立っている台地の上に、突然一匹の狼が躍り出たのを見た。狼は尾を全く垂れて、それを地上にひくようにして台地を斜めに横切ると、岩の一つに半身を匿《かく》すようにして張安良の方へ顔を向けた。口は大きくあけられ長い舌は細かく揺れ動いている。

張は抜刀した。相手が近寄って来たら一刀の許《もと》に斬《き》り棄《す》てるつもりだった。張は獰《どう》猛《もう》な生き物の顔に眼を当てたまま、そこから逸《そ》らさないでいた。相手に弱味を見せないためだった。

どれだけの時が経ったか、張は不意に相手が岩陰から全身を現わすと、そこに前さを揃えて蹲るような姿勢をとるのを見た。

「張安良か」

張は己が名を呼んだ声が、どこから起ったか判らなかった。

「久しぶりだったな」

張安良は生まれてからこれ程胆《きも》を潰《つぶ》したことはなかった。その声が狼の口から出たのを、その時知ったからである。張は余りの驚きにすぐには口から言葉を出すことはできなかったが、やがて、

「汝《なんじ》は何者か」

と呶鳴《どな》った。すると狼は相変らず舌を動かして大きい息遣いをしていたが、

「こう言うと汝は驚くだろうが、俺《おれ》は陸沈康だ。故《ゆえ》あってこのようなあさましい姿になり果ててしまったが、汝の昔の友である陸沈康だ」

張は黙っていた。そんなことを言われても信じられるものではなかった。すると相手はそうした張に気付いた風で、

「友よ、俺の声を聞いてくれ。この声には覚えがあるだろう。一緒に何回も酒を酌《く》み、夜を徹して語り合った仲ではないか。よもやこの声だけは忘れないだろう」

そう言われてみると、狼の口から出る声は、聞き憶《おぼ》えのある昔の親しかった同僚の

声に違いなかった。

「一体、どうして汝はそのような姿になったのか」

張は訊《き》いた。

「そのことについては訊いて貰《もら》いたくない。自分はどんなことがあっても話すことはできないだろう。何もかも天地の縁《えにし》というものである。このような姿になって、俺はどんなに死を望んだことか。併《しか》し、命数というものがあっていくら死にたくても死ねなかった。そして今日までこのような姿で生き永らえて来た。併し、今日は自分が死なないで生きて来てよかったと思う。汝とこのように話をすることができたのだから」

その言葉の調子の持つ哀切な響は、張の心にも伝わった。張も友の稀有《けう》な運命に同情せざるを得なかった。

「陸よ」

張が旧友の名を呼んだ丁度その時、遠くでまた狼の咆哮が聞こえた。すると陸沈康の狼は二本の前肢をぐっと伸ばして身を起すと、

「久しぶりで人間の心になったが、もう駄目《だめ》だ。あの仲間の吠え声を聞くと、また俺の心は狼の心になってしまう。いまこう言っている間にも、俺の心は狼になりつつあ

る。やがて間もなく俺は狼になるだろう。狼になって汝を襲うだろう」

張は陸沈康の狼の眼が徐々に兇暴《きょうぼう》な光を帯びて来るのを見た。

「俺は狼になる。狼になりつつある。張よ、俺は汝を襲わねばならぬのだ。汝は俺と妻の誰にも見られてはならぬ行為を見てしまったのだ。狼の血はそれを許すことはできないのだ。張よ、俺は狼になって汝を襲うだろう。汝は俺を斬《き》れ。身を低くする勿《なか》れ。身を低くしたら俺たちの勝になる」

陸沈康の狼は最後の言葉を口から出し終わった時、頭部を天に向けて大きく咆哮した。すると、これに続いて他の狼の咆哮するのが聞こえた。先刻よりずっと近いところからだった。

張は既に完全に兇暴なもので鎧《よろ》った陸沈康の狼を見た。そこに居るものは、もはや昔の友とは何の関係もない一匹の野獣であった。張は切先を陸沈康の狼に向けて構えた。眼の前の獰猛《どうもう》な野獣を斬らねばならなかった。それ程相手に切迫したものを感じた。

張は見た。自分の立っている丘と小さい低地一つ隔てて対《むか》い合っている丘の斜面を、一匹の狼が矢の如《ごと》くまっしぐらに駈《か》けて来るのを。狼は低地に消えたと思うとすぐ、殆《ほとん》ど信じられぬ速さで彼の立っている丘へ駈け上がって来た。

あとから来た狼は台地へ駈け上がると同時に大きく跳躍した。恰《あたか》もその時を待っていたかのように陸沈康の狼もまた体を躍らせた。張は一匹が頭上から、一匹が横手から襲いかかって来るのを感じた。張は襲撃者を避けて右に左に刀を払った。その切先をかいくぐるようにして、二匹の狼は跳躍し、落下し、駈け上がり、ぶつかって来た。

死闘は何程も続かなかった。二匹の狼は同時に大きく跳《おど》り上がった。張は岩に躓《つまず》いて片膝《かたひざ》を地面についた。次の瞬間、二匹の狼は同時に大きく跳り上がった。一匹は張安良の喉笛《のどぶえ》に、一匹はその太股《ふともも》に喰らいついた。死んでも離れない喰らいつき方だった。

落日が赤く染めている台地の地面に、一層赤い張安良の夥《おびただ》しい血が流れ、それはまたたく間にそこに染み込んで行った。

この事件から半歳を経た頃《ころ》、漢室が長城守備の軍に布告を出した——近時狼災《ろうさい》のこと頻々《ひんぴん》たり。境外にある将兵は宜《よろ》しく腹帯を締める労を怠る勿《なか》れ、と。

腹帯というものがいかなるものであるか、そしてそれが狼の襲撃に対してどれだけの防禦《ぼうぎょ》力を持つものであったかは、時代の降《くだ》った現在《いま》はたれにも判っていない。

羅刹女国
らせつにょこく

昔宝州*に属する小島に一大鉄城があり、そこに五百の羅刹女《らせつにょ》が棲《す》んでいたという記述でこの説話*は始まっている。宝州というのはどこかよく判《わか》らないが、まだ天竺《てんじく》と呼んでいた頃《ころ》の古代印度の州県の名に宝州というのが見えており、それは現在の印度の逆三角形の最突端部、つまり最南端附近の一地域を指していたかに思われるので、この物語の舞台となっている羅刹島は当時の獅子国《ししこく》、現在のセイロン島附近に散在している小島の一つと考えていいであろう。

鉄城は島の北端に迫っている低い丘陵の背にあった。鉄城と称《よ》ばれていたが、鉄の城ではなく赤銹色《あかさびいろ》をした硬質の石で造られており、晴れた日は天日に赤く灼《かがや》き、曇った日は同じ城とは思われぬ程不機嫌《ふきげん》に黒っぽく黙した。月明の夜は青色の中に微《かす》かに金粉を振り撒《ま》いたように見え、遠隔の地からも容易にこれを望むことが出来た。

城楼の上には一年中二つの高幢《こうとう》*が立てられてあり、羅刹女たちはそれで吉凶を卜《ぼく》した。吉事あれば吉幢《きっとう》動き、凶事あれば凶幢が動いた。羅刹女たちは船が島に漂着する度に、変じて美女となり、香華《こうげ》を持し、音楽を奏して、渚《なぎさ》に難破人たちを出迎え、誘って鉄城に入り、大いに款待《かんたい》して情を結んだ。そして男と同棲《どうせい》しているうちに男の心に已れを疎《うと》んずる心の動くのを見ると、忽《たちま》ちにして男を鉄牢《てつろう》中に繋《つな》ぎ、これを啖《くら》うのを常とした。

とある年のとある日、城楼の吉幢大いに動いた。動くことしきりで、曾《かつ》てこのように烈《はげ》しく吉幢の動くのを羅刹女たちは見たことがなかった。城楼から望むと大型の帆船が渚に打ち上げられており、その周囲に夥《おびただ》しい数の船夫たちが群がっていた。船は明らかに難破船で、何本かの大小の檣柱《ほばしら》は孰《いず》れもへし折られ、帆布がそれに海草のように纏《まと》いついて海風にはためいていた。

羅刹女たちは次々に鉄城の階段上に姿を現わし、海浜の方を望み、そして次々に階段を降りて行った。階段の中途七段目から羅刹女たちは美女に変じた。最初の三十人が香華を持し、それに続く三十人が音楽を鼓奏し、あとに随《したが》う者は妖眉《ようび》を描き、艶脣《えんしん》を塗った面《おもて》を伏せて、嬌惑《きょうわく》の姿態で静かに浜に向かった。女たちの先頭が渚に到《いた》った時もまだ鉄城の階段を羅刹女たちは次々に降りており、その長い列はいつ果てるともなく続いていた。

女たちは一人ずつ男を誘って来ると、大きく開かれてある鉄城の表門からはいった。五百の羅刹女の最後の一人である羅刹の女王が渚に到り着いた時、難破人の方もソウカラと呼ぶ船の若い首長一人になっていた。五百の羅刹女の尽《ことごと》くが城を出たのは、悪鬼がこの地に城を構えてから初めてのことであった。

その日からソウカラは羅刹の女王と鉄城内の館《やかた》に住み、その他の船員たちは尽く丘の中腹や、その麓《ふもと》や、はては渚近いところにまで仮屋を造り、そこに住んだ。ために島の北端部一帯は聚落《しゅうらく》を形成し、都邑《とゆう》のような賑《にぎ》わいを呈するに到った。

島の生活は難破人たちには充分楽しかった。食べものは尽く女たちが調えてくれた。海には魚類が豊富にあり、丘には強烈な芳香を放つ漿果《しょうか》が取りきれない程沢山あった。夢のような愉楽に充《み》ちた一カ月程が過ぎた頃から、男たちは毎日のように渚に集まり、若い首長の指揮のもとに難破船修復の仕事に当たった。船体の破損は甚《はなは》だしく、どのように修理しても、何百里かの海洋を隔てている郷国までの航海に耐える船が、果してできるかどうか誰にも判らなかった。

島の生活が始まってから三月目に、ソウカラはついに自分たちをこの島に運んで来た船を棄《す》て、新しい船を新たに建造することを提案し、部下の者たちの同意を得た。この頃から少しずつ男たちの毎日は忙しくなった。密林に分け入って大木を伐採し、それを運搬し、船材にし、船を組み立てる労働が彼等に課せられた。併《しか》し、男たちは労働から解かれ己《おの》が住居に帰ると、女たちから充分慰められた。女たちは男たちがこれまで知っているいかなる女たちよりも優しく奉仕的であった。男が指一本怪我《けが》しても、その男の配偶者は己が全身の傷つくのも厭《いと》わず、一枚の薬草の葉を求めるために密林の中に分け入って行った。

こうしたことは羅刹女たち総《すべ》てに見られることで一人の例外もなかった。羅刹女たちがこのように愛情深く優しくあることには、一つの理由があった。羅刹女たちは一名速疾鬼《そくしつき》と言われるくらいで天空を飛翔《ひしょう》することができ、それと人間に変ずることの二つの力を与えられていたが、その他にもう一つ人間の女の姿に変じ、それを千日変えないでいると、そのまま人間界の女になり了《おお》せてしまうという宿命を背負わされていた。併し、羅刹の女たちでこれまでに人間の女になり了せることができた者はいなかった。千日もの長い間、人間の女の心を持ち人間の女の姿で居続けることは至難のことであった。人間の女に変じていても、彼女等本来のものである羅刹の心はいつでも頭を擡《もた》げようとしていた。いったん羅刹の心が頭を擡げたが最後、忽ちにして、彼女等は本来の夜叉《やしゃ》の姿に立ち戻《もど》り、男たちを鉄牢の中に繋ぎ、それを喰わずにはいられなかった。

男たちは自分と同棲している女が、これ以上優しい眼《め》はないといった眼眸《まなざし》をして、次のように言うのを何回となく聞いた。自分はあなたのためなら、どんな苦しいことにも耐えるだろう。あなたの生命を救うことが出来るというのなら、いつでも悦《よろこ》んで自分の生命を棄てることができる。が、ただ一つお願いしたいことは、決して他の女に心を移すようなことはしないで貰《もら》いたい。他の女に心を移したり、他の女に通じたりすると、自分はあなたに対していまのように優しい女ではあり得なくなるだろう。

男たちはみんな自分の女の口からそうした言葉がいつどのような時発せられるかをよく承知していた。従って、女たちが限りなく優しく愛情深い眼眸をすると、男たちは女たちが言おうとする言葉を、代わって自分の口から出したりした。

一年は瞬《またた》く間《ま》に過ぎた。女たちは次々に女児を儲《もう》けた。鉄城の聚落には到るところで嬰児《えいじ》の泣き声が聞こえた。羅刹の生んだ子であったが、人間の子と少しも違わなかった。異とするに足ることは生まれる子供たちが全部女児であって、男児がひとりもないことであった。男たちの間では、これが話題になることがあったが、併し、この島が女許《ばか》りの国であるということで、もともと荒くれた魂以外何の持合せもない難破人たちの間では、特に怪しむところとはならなかった。

ソウカラも亦《また》女児を儲けた。ソウカラは毎日のように部落を巡回し、自分の部下である男たちの働きぶりを見たり、彼等の間にひっきりなしに起る悶着《もんちゃく》を処理したりした。ソウカラは子供が生まれるまでいつも一人で部落を巡回していたが、子供が生まれてからは、子供を抱いた己が同棲者を伴うことが多くなった。脣《くちびる》が紫色で、決して笑うことのない女児であったが、ソウカラはやはり可愛《かわい》かった。脣が紫色で、笑うことのないのは、ソウカラの子供に限ったことではなく、他の子供たちも全く同じであった。

女たちは、難破人たちがこの島に居着いて一年程経《た》った頃から一年半の間にかけて次々に出産した。そして五百人の女たちの殆《ほと》ど総ての者が母親になった頃から、ソウカラは自分の見廻《みまわ》る部落に、多少首をかしげずにはいられぬようなことが起っているのに気付いた。それは自分の部下のある者が同棲者もろとも突然姿を消していることがあることであった。きのうまでは確かにそこで生活していた筈《はず》なのに、今日行ってみると家はもぬけの殼《から》となり、男の姿も女の姿も掻《か》き消すように見えなくなっている、そのようなことがあった。初めは仲間と喧嘩《けんか》でもして他処《よそ》へ家を移したぐらいに思っていたが、少し注意してみると、姿を消している男は二人や三人ではなかった。ソウカラはそのことを自分の同棲者に話すと、この鉄城のある島の南海岸には賑やかな都邑があるので、男たちはここの生活を嫌《きら》って、女を連れて、その地方に移って行ったのであろうと言った。そして、ただそこへ行き着くには猛蛇《もうじゃ》が棲息する大沼池を越えなければならぬので、逃亡者たちの総ては途中で死んでしまったと見るほかはない。

従って追手を出すのは無駄《むだ》であろうということであった。

そう言われてみると、そうかも知れないと、ソウカラは思った。この大きな鉄城のある聚落の生活も、食べるには不自由ないと言っても、ただそれだけのことで、必ずしも満足できるものではなかった。帰国のための船の建造はその完成までにはまだ一年以上の日子《にっし》を必要としていたし、たとえ船が竣工《しゅんこう》しても、果してそれで大海を乗り切れるものかどうか判らなかった。そうしたことに思いを致すと、帰国を諦《あきら》めて、この島に住みついてしまおうという考えを持つようになるのは自然であったし、ひと度そう決心してしまうと、何もこの鉄城のある聚落に留まっていなければならぬということはなかった。もっと他に人間らしい生活のできるところがあるなら、そこへ移り住みたいと思うのは極めて自然なことであった。

島の生活が二年になった時、逃亡者の数は半数になり、二年半になった時は三分の二を越え、聚落の渚で毎日決まりきった船造りの仕事に携わっているのは僅《わず》か百人余りとなった。聚落はめっきり淋《さび》しくなったが、ソウカラは逃亡者のことを余り気にかけなかった。本当に心から郷里へ帰ることを望んでいる者たちだけで、船ができ上がった日、この渚を船出しようと考えていた。併し、逃亡者は絶えることなく毎月のように何人かずつあった。聚落に留まっている者たちの総数が少なくなっているので、逃亡者があるとすぐ目立った。一日のうちに二人も三人も姿を消すこともあれば、反対に十日も二十日も一人の逃亡者のないこともあった。

聚落の男たちが七十人程になった時、一つの事件が起った。現在残っている男たちの中で一番若い二十二歳の舵手《だしゅ》の若者の身辺に起った事件であった。この若者は自分より二、三歳若いまだ稚《おさな》さの脱《ぬ》けない女と同棲していたが、女が二人目の子供を妊《みご》もっていて長く臥床《がしょう》を共にしないこともあって、ある夜予《かね》てから思いを寄せていた仲間の女を仲間の留守に襲った。女は初め悲鳴を上げて抵抗したが、すぐ言うなりになった。若者は相手を自由にすると慌《あわただ》しくその家を出た。真昼のように明るい月光が聚落の路上に降っていた。若者は女が悲鳴を上げたことが気にならないこともなかったが、戸外に立ち出てみると家々は寝静まっていて、誰も事件に気付いている風には思えなかった。

若者は自分の仮屋の戸を明けた。と、その瞬間若者は女の白い華奢《きやしゃ》な腕が戸の隙間《すきま》から出て来たと思うと、それがいきなり自分の手を摑《つか》むのを感じた。男はいきなり戸の内側に引き入れられた。信じられぬ程の強い力であった。女は大きな腹部を前に突き出すようにして男を睨《にら》みつけていたが、さあ、行こう、とただそれだけ言った。男はこんどは戸外に引っ張り出された。男は女に腕を摑まれたままいま歩いて来た許りれとか言ったが、女は一言も返事しなかった。男はどこへ行くんだとか、手を放してくれとか言ったが、女は一言も返事しなかった。男は全く無抵抗に引き立てられて行った。どうすることもできない恐ろしい力であった。途中から男は半ば駈《か》け出すようにし、やがて膝《ひざ》を折ったが、あとはそのまま地面を引き摺《ず》られて行った。男は自分が引き立てられて行く行手に、昼間とは違って月光の中に青く光っている鉄城が聳《そび》えているのを見ると、言い知れぬ恐怖に襲われ、助けてくれとか、自分が悪かったとか、そんな言葉をきれぎれに口から出した。その頃から空中でも舞って行くように、運ばれて行く速度は早くなって、あっという間に、鉄城の楼台への上り口の階段の下まで行った。

さあ、お登り、食べて上げる。女は初めて口を開いた。男は地面に仰向けに横たわったままで女を見上げた。その時男は女の口がふいに耳まで裂けるのを見た。顔のあらゆる部分がそれと一緒に見る見るうちにその形を革《あらた》めて行った。夜叉《やしゃ》の顔であった。男は自分の襟髪《えりがみ》を摑んでいる手をもぎ取ろうとした。その手ももはや女の手ではなく茶褐色《ちゃかっしょく》の節くれ立った不気味な棒であった。男は階段の下の手摺《てすり》にしがみついた。衣類だけがすっぽりと男の体から離れた。男はその時、自分たちとは違うもう一組の男女が天からでも舞い降りるようにそこにふいに立ち現われたのを見た。その方は女が男の足を摑んで引き摺っており、女はそのままの状態を階段を登るということで少しも変えなかった。男は頭を下にした逆《さか》しまの恰好《かっこう》で、階段を引き摺られて上って行った。男の頭部は一段ごとに大きく揺れてはにぶい音を立てた。男は階段の上部でそれが最後の抵抗であるつんざくような悲鳴を上げたが、それと一緒にふいに鉄牢の中へと姿を消した。いつか夜叉の姿になっている女も亦そのあとから消えた。衣類をはぎ取られた若者は頭髪を摑まれて、階段の中途まで持って行かれたが、そこで夜叉と揉《も》み合った。全裸の姿になっていることが若者に幸いした。夜叉と若者は手を握り合ったまま階段の上と下とで引っ張り合った。二本の腕は一本の棒のようにぴんと張って、やがてそれが離れた時、若者の体はもんどり打って階段の下へ落下した。

若者は無我夢中だった。必死になって駈けた。夜叉は若者の前や背後に立ち現われた。全裸の若者はありったけの声をふりしぼって叫び、喚《わめ》き、悲鳴を上げて駈けた。そして聚落の入口まで辿《たど》り着くと、そこで気を喪《うしな》って倒れた。

その翌日からソウカラは聚落を見廻る度に気が触れた舵手の若者に纏《まと》いつかれた。若者は気が触れた許《ばか》りでなく言語も喪っていたので、彼が何のために自分に纏いつくか、狂った若者の心の内側を窺《うかが》い知ることはできなかった。狂人はいつもソウカラに纏いつき、鉄城のある丘の方へ彼を引っ張って行こうとした。ソウカラは何回か言うなりになって引っ張って行かれてみたが、いつも若者は途中で立ち停《ど》まり、恐怖の表情で鉄城の方を両手を上げて示すと、何か訳の判らぬことを喚き散らして、そこからどんなことをしても一歩も先へ進もうとはしなかった。

帆船が竣工した日、ソウカラは部下を竣工した船の前へ集めた。三十数名になっていた。いつの間にこんなに逃亡したかと思われる程、部下の数は減っていた。何百人か乗れる大帆船は漸《ようや》くにしてでき上がったが、それを操作する船夫の数は甚《はなは》だ心細いと言わねばならなかった。その夜、浜で祝いの酒宴が開かれた。果実酒に酩酊《めいてい》した男たちは郷里の唄《うた》を歌い、踊り、騒いだ。女たちもそれに混じった。男たちは喧嘩したり、淫《みだ》らになって女を追い廻したりした。翌日、十数名の男たちの姿が消えていた。男たちと一緒に女たちの姿も消えるので、聚落はひどく閑散たるものになった。

帆船竣工の酒宴の張られた翌夜、聚落の女たちだけが集まった。船出して行く日も近くなったので、女たちは女たちで相談しなければならぬことは沢山あったのである。ソウカラの同棲者の要請で男たちはこの集会には一人も顔を出していなかった。二十人余りの女たちは渚の一箇処に膝をつき合わせるようにして円陣を作った。みんな一人ずつ幼児を抱いていた。

ソウカラの同棲者である夜叉の女王は一同に謀《はか》って言った。もう十日程で人間の男たちと同棲してから千日という日を算《かぞ》えることになる。このままでいると、自分たちはこのまま人間界の女となり、再び羅刹《らせつ》には戻れなくなる。空も飛べなくなるし、男たちが他の女に心を奪われても取って啖《くら》うことはできなくなる。人間界の女になって、男たちと一緒に男たちの郷国へ赴き、そこで男たちが他の女と通じても、じっと悲しさに耐え忍んで生きて行く方がいいか、それとも今まで通り羅刹でいた方がいいかどちらであろうか。それからもう一つ問題がある。人間界の女となると、いまみんなが抱いている子供とも別れなければならない。子供はみんな大きくなると羅刹女になるので、男たちの郷国へ一緒に連れて行くことはできない。

すると一座の女たちは口を揃《そろ》えて言った。子供と別れるのも辛《つら》いし、他の女と通じた男を取って啖えなくなるのも悲しいが、併《しか》し、自分たちはやはり今同棲している男と別れることはできない。男たちと一緒に男たちの郷国へ行く方を選ぶだろう。みんな同じ意見で一人の異論を唱える者も現われなかった。羅刹の女王も亦《また》全く同じ考えであった。

郷国へ向けての船出の日も決まり、女たちが同行することも決まって、聚落は人数こそ少なかったが、何となく活気を呈した。男たちは毎日のように、食糧を船に積み込む作業に携わり、女たちもそれを手伝った。やがてこの島へ置いて行かれなければならぬ不幸な子供たちは、両親が働いている間、それぞれ縄《なわ》で互いに括《くく》りつけられて、浜の一角に円陣を作って置かれた。子供たちは一箇処に置いてみると区別はつかなかった。みな同じような紫色の脣を持ち、同じような顔をして、笑うことを知らなかった。

出帆をあと二、三日に控えた夜、ソウカラは夜更《よふ》けてから聚落を見廻った。以前は夜巡回することはなかったが、出帆の日が決まってからは、夜も見廻ることにしていた。これ以上の逃亡者が出られては船を操ることができなくなるので、もはや一人の逃亡者をも許すことはできなくなっていた。

ソウカラは聚落を一巡して帰途に就こうとした時、ふいに立ち現われた気の触れた舵手の若者にまた纏いつかれた。若者は真剣な表情で、しきりに鉄城の楼台の方を指し示して、何か喚き立てた。ソウカラはこの時、若い狂人の態度にただならぬものを感じて、初めて鉄城の楼台へ上がってみようという気を起した。彼自身、この三年間鉄城内の館《やかた》に住んでいたが、楼台へ上がったことはなかった。彼の同棲者から楼台はこの島では不吉なところとされていて決して登らないように言われていたので、生来物にこだわらぬ素直な性格のソウカラは、今までその言葉を守っていたのであった。

何も不吉だと言われている場所に、わざわざ行ってみる必要はないという気持であった。

併し、この夜、ソウカラは初めてそこへ登ってみようという気持を起した。昼は赤く、月光が当たると青く見える鉄城の前に立つと、ソウカラはいつも出入する表門の前を通り抜けて、楼台の上がり口の方へ歩いて行った。あたりには不気味な静寂が立ちこめていたが、ソウカラは大胆な若者だったので、いささかの恐怖心も感じなかった。ソウカラは階段を一段一段上がって行った。五、六段上がった時、助けてくれ、という低い声を耳にした。その声は階段の上部から落ちて来た。ソウカラは立ち停まって耳を澄ました。助けてくれ、また声は聞こえた。しかも一つや二つの声ではなかった。ソウカラは更に何段か上って行った。すると、こんどは自分でもよく知っている特徴のある逃亡者の一人の嗄《しわが》れた声が聞こえて来た。

ソウカラよ。俺《おれ》たちはみんなここに閉じ込められている。女たちはみんな怖《おそ》ろしい羅刹だ。お前は何も知るまいが、仲間は毎晩のように三人ずつ引き出されては食われている。併し、まだ食われ残りが六十人程詰まっている。助けてくれ。お前の女も、他の仲間の女もみんな羅刹だ。お前たちもやがて食われる。助けてくれ。

ソウカラは助けるにはどうしたらいいかと訊《たず》ねた。すると、自分は曾《かつ》て聞いたことがある。海上より上る日の出に対して至誠祈請すれば必ず悪鬼を払って済度するを得ると。それをやってみてくれ。そして助けてくれ。そういう声が落ちて来た。ソウカラはそれ以上上へ登って行くことはやめて、すぐ階段から降りた。ソウカラは己が館へ帰ると、三年近く同棲《どうせい》した女に、汝《なんじ》は人間の女か、羅刹女かと、いきなり訊ねた。女は瞬間顔色を変えたが、忽《たちま》ちにして悲歎の情を面《おもて》に現わすと、判《わか》ってしまったとあるなら、匿《かく》しても始まらないから正直に打ち明けるが、私たちはあなたが言うように羅刹女である、と言った。羅刹女ではあるが、もう僅《わず》か二日程で羅刹ではなくなって人間界の女になることができる。どうか私たちを人間界の女にしてあなたの国に伴って貰いたい。あなたが他の女と通じても、その悲しみにじっと耐えるようなそんな生き方をする女になるだろう。それが自分にとって仕合せかどうか判らないが、いまの自分の気持はそうする以外仕方ないと考えている。だから、あと二日、どうか私を羅刹の心に立ち還《かえ》らさないで貰いたい。他の女に心を動かしたり、他の女と通じたりしないで貰いたい。そう言って、女はさめざめと泣いた。

ソウカラは女の言うことに心を動かされたが、併し、鉄牢《てつろう》に入れられている男たちの方も見殺しにすることはできなかった。鉄牢から男たちを出せば、まだ六十人程生きているということであるから、船を動かす大きな力になることは必定《ひつじょう》である。今のままでは船出はしても、長期の航海を続けるには甚《はなは》だ心細い状態と言わねばならない。

ソウカラはその晩女を抱いた。女は一晩中ソウカラの愛撫《あいぶ》を求めた。愛撫されていないと心を落ち着けていることができないかのようであった。そうした羅刹女の心がソウカラには哀れに思われた。併し、ソウカラは日の出の時刻が近付くと、床を離れ、女の泣いている声を背にしながら館を出た。そして浜に出ると、水平線から上って来る日の出に向って、羅刹の呪《のろ》いを解いて鉄牢の中の男たちを救ってくれるように祈った。

ソウカラが浜から戻って来ると、鉄城の方から、一団の男たちが走って来るのが見えた。訊《き》いてみると、突然鉄牢の扉《とびら》が音もなく開いたので、そこから逃れ出て来たということであった。ソウカラはすぐ船出することを男たちに告げた。一刻も猶予《ゆうよ》すべきではないと思ったのである。

館へ帰ってみると、女の姿も子供の姿も消えていた。ソウカラはすぐ浜へ引き返した。船夫たちは蟻《あり》のように大きな帆船にたかっていた。

やがて船は海上に浮かんだが、その時ソウカラは一種異様な美しい楽の音がどこからともなく流れて来るのを聞いた。三年前この島へ漂着した時、聞いた楽の音であった。ソウカラも他の船夫たちも、渚《なぎさ》に立ったまま、その楽の音に聞き惚《ほ》れていた。すると、突然、渚へ一人の女が姿を現わした。あっと言う間もなく、女たちは次々にそこここに立ち現われた。いずれも女児を抱いていた。忽ちにして渚は混乱した。船夫たちは自分の女を探すのに忙しかった。

ソウカラは声を嗄《か》らして男たちを引き留めにかかったが、半数の男たちは女の方へ、恰《あたか》も糸ででも操られているように引き寄せられて行った。つい先刻《さっき》まで鉄牢の中に繫《つな》がれていた船夫たちも、その半数はまた女たちの方に引き寄せられて行った。また食われるかも判らないが、まあ仕方ない、そんな諦《あきら》めが、歩いて行く時、ちょっとソウカラの方へ頭を下げて挨拶《あいさつ》するその表情の中にあった。

ソウカラの帆船はそうした騒擾《そうじょう》の中に渚を離れた。ソウカラは自分の同棲者であった羅刹の女王の四辺《あたり》をつんざくような悲痛な叫び声をはっきりと耳にし、殆《ほと》ど信じられぬ力で身も心もその方へ持って行かれそうになっていたが、神呪《しんじゅ》を口に唱えて、渚の方へ眼を遣《や》ることに必死に耐えていた。

説話はこれで終わっている。羅刹女国を脱出したソウカラのその後についても、島に居残った船夫たちのその後についても説話は何も語っていない。

僧《そう》伽《か》羅《ら》国《こく》縁《えん》起《ぎ》

往古南印度に小さい王国があった。その国の王の女《むすめ》が隣国へ嫁《とつ》ぐことになり、吉日に花嫁の行列は三十名程の侍衛《じえい》の徒に護《まも》られて王宮を出た。国は小さかったので、二日目の日没時には花嫁の輿《こし》は国境に近い高山の麓《ふもと》の村に達した。三日目、四日目の両夜は山中で野宿し、五日目に隣国へはいる予定であった。その山には屢々《しばしば》盗賊や妖怪《ようかい》が出て旅人を悩ますことがあったので、従者にはいずれも屈強な若者たちが選ばれていた。

一行は麓の村に一泊した翌日、未明にその村を出て山中にはいったが、その日もその夜も何事もなく済んで予定の行程を進むことができた。翌日も昼の間は何事も起らなかった。併《しか》し、その夜、やはり災難は、山の背から少し降《くだ》ったところの猫《ねこ》の額ほどの平坦地《へいたんち》に大きな幕を張って仮営している花嫁の一行を襲ったのであった。

深夜人々は異様な生物の咆哮《ほうこう》に依《よ》って眼覚《めざ》めた。若者たちはいっせいに飛び起きて耳をすませた。咆哮は再び聞こえて来た。谷を越え峯《みね》を渡って来る不気味な吼《ほ》え声であった。虎《とら》だと若者たちは思った。一人残らず息をひそめていた。三度目に聞こえて来た咆哮はさらに近くなった。若者たちはいちように足の竦《すく》むのを感じた。盗賊にも妖怪にも動じなかったが、この地方にめったに虎は出没しなかったので、たれも虎に対していかなる措置をとっていいか知らなかった。人間の臭《におい》を嗅《か》ぎつけて近寄りつつある猛獣の姿が眼に見えるようであった。

四回目の咆哮は更に一層近くなった。堪《たま》りかねて若者の一人は幕舎の幕をめくって外へ出た。それに倣《なら》って他の者も幕舎から外へ飛び出した。外は煌々《こうこう》たる月夜で、青い月光が地面を真昼のように明るくし、山々の肌《はだ》を反対に黒く見せていた。若者たちは虎が今にも路上へ躍り出て来るような気がした。咆哮は更に何回も聞こえ、一回一回その声は近くなったが、それがどの方角から聞こえて来るか確《しか》とは判《わか》らなかった。幕舎の背後に迫っている山の斜面を埋めている雑木が風でいっせいにざわざわと鳴った時、若者たちは反対側の山裾《やますそ》の黒い陰影の捺《お》されているところへ駈《か》け込み、あとは月光に体を曝《さら》すことを避けて、陰影になっているところだけを伝って山下の方へ駈けた。

侍衛の者たちが逃げ去ってしまってから、一段と大きくなった咆哮は更に何回も聞こえたが、何回目かにその咆哮と共に、咆哮の主は花嫁の輿だけが置かれてある平坦地の一角に姿を現わした。巨大な体軀《たいく》を持った一匹の虎であった。

虎は月光を全身に浴びながら天幕の周囲をゆっくりと廻《まわ》った。すると天幕の垂幕の一箇所が揚がって、ふいに女が姿を現わした。丁度虎はその女の出て来る前を歩いていたところだったので本能的に何間か跳躍して飛び退ると、地面に体を低くして身構えた。女は青白い月光の中を数歩蹣跚《よろ》めき歩き、吸い寄せられでもするように虎の方に近寄って行くかに見えたが、間もなく枯木でも倒れるような唐突な倒れ方で倒れた。花嫁は失神したのであった。

それから十数年経過した。曾《かつ》ての花嫁は虎と一緒に山中に棲《す》み、虎との間に一男一女を儲《もう》けていた。虎は毎日のように深山幽谷にわけ入り、鹿《しか》を捕えたり、果物を採ったりして、女と子供たちを養っていた。女は自分を見舞った奇《く》しき運命を歎き悲しみはしたが、何事も宿世《すくせ》の因縁と諦《あきら》めて、自分は畜生の妻として一生を送ろうと思い定めていた。二人の子供は、兄の方も妹の方も、その形貌《けいぼう》は人間と同じであったが、心は畜生であり、その性は荒く猛々《たけだけ》しかった。殊《こと》に兄の方は体も大きく、力は猛獣と争って敗《ひ》けをとらなかった。併しある年の月蝕《げっしょく》の夜、二人の子供は突如として人智《じんち》を発し、人語を解するに到《いた》った。女は夢ではないかと驚き悦《よろこ》んだが、その悦びは束《つか》の間のことであった。

兄妹《きょうだい》は母に詰めより、どうして自分たちは人間であるのに、虎を父として持っているのであるかと訊《たず》ねた。母は子供たちの出生の秘密に触れることを好まなかったが、子供たちはそれを知ることに執拗《しつよう》だった。そこで母は已《や》むなく十数年前に自分を見舞った自分の奇しき運命について物語った。すると兄は、虎と人間とは異種である。われわれは畜生である父の許《もと》から速やかに逃れ去って、人間の群れに投ずべきではないかと言った。妹もそれに賛成した。それに対して母は、汝等《なんじら》二人は逃げ去りたかったら逃げ去るがよかろう。ただ母は自分自身については少し別の考えを持っている。自分も亦《また》以前に夫である虎の許から逃亡することを考えたこともあったが、そんなことをしても結局は自分を済《す》くうことはできないと知って、その思いを捨てたのである。それにまた女の私には到底虎の許から逃げ了《おお》すことは覚束《おぼつか》ない。虎はよく千里を走る足と、千里を見透す眼とを持っている。が、汝等二人は幸いに父に劣らぬ脚力を持っているので逃げようと思えば逃げ去ることができるだろう。機会を見てここを離れ、人間の住む街へ行って、そこで人間らしい生活をするがいい。それを母も亦望んでいると言った。

それから半年程して、虎が谷を渉《わた》り嶺《みね》を踰《こ》えて遠隔の地に獲物を索《さが》しに行った留守に、兄妹は今なら逃げ出すことができるとして、そのことを母に説いた。が、母は肯《き》かなかった。そこで兄は厭《いや》がる母を無理やりに背負い、妹を連れて、父の虎の許から失踪した。そしてかねて調べておいた間道を通って麓を目差し、二日目に人里へ降ることができた。

部落が見えて来た時、母は漸《ようや》くにして山中の夫の許へ帰ることを諦めて、斯《か》くなる上は致し方ない。母の生まれた国へ帰ることにしよう。ただいかなることがあっても、私の夫であり、汝等の父である虎について語ってはいけない。人間が若《も》しこのことを知ったら、私たちは蔑《さげす》まれて生きて行けなくなるだろう。どんなことがあっても、このことだけは秘密にしておくようにと、そう母は二人の子供に諭《さと》した。

その翌日の暮方、母は二人の子供を連れて己《おの》が生まれた街へはいった。併し、母の生まれた王家はすでに亡《ほろ》び、家族には一人の生存者もなく、国は他の王に依って支配されていた。それを知った母子三人は途方にくれて町の一角に佇《たたず》んでいた。町の人たちは半裸の異様な風体《ふうてい》の母子三人のまわりに集まって来て、口々にお前らは一体どこの国から来たかと訊《き》いた。母は、私たちはもとはこの国の者である、悪者にかどわかされ、長く異域に流離し、今母子相携えて故里《ふるさと》へ帰って来たのだと言った。すると町の人は哀れに思い、食物をくれたり、着るものをくれたりした。翌日から母子三人は町の人の情けで、町外れに小さな小屋を建てて貰《もら》いそこに住んだ。母子三人はそれぞれ他家の手伝いなどをして、どうにか口を糊《のり》するだけのものを得ることができた。

一カ月程経《た》った頃《ころ》から、この国には虎災《こさい》が頻々《ひんぴん》と起った。妻子に去られた虎は妻を恋い、子を慕う余り、憤恚《ふんい》の焔《ほのお》をもやし、山谷を出て、村邑《そんゆう》を往来し、咆哮震吼《しんく》し、次々に人々を襲い、生きものを屠《ほふ》った。今日村に姿を現わしたかと思うと、明日は峠の道を横切り、既に山谷に逃れたかと思うと、忽《たちま》ちにして街に近い農地や街道に躍り出た。虎に襲われる者数を知らず、国人みな虎への畏怖《いふ》におののき、安らかに眠ることさえ出来なくなった。まして旅人が山越えするような場合は小人数では危ないので、何十人かが集まって隊伍《たいご》を組み、鼓を打ち、貝を吹き、弩《いしゆみ》を負い、矛《ほこ》を持って進まなければならなかった。

これを知って王は仁化の洽《あまね》からざることを懼《おそ》れ、虎を退治することに躍起になった。国中の猟師は集められ、虎の住む国境の山に放された。併し、虎の襲撃は神出鬼没であり、徒《いたずら》に猟師の方に死者が出るだけで、虎を仕留めることはできなかった。猟師の手に負えないことが判ると、王は自ら兵を率いて進発し、山を囲んだ。兵の数は万を算《かぞ》え、彼等は無数の小集団となって、毎日のように林藪《りんそう》に分け入り、峯に登り、谷を越えた。虎の吼え声は終日殷々《いんいん》と山谷にこだまし、これまた徒に人畜の死傷を増すのみであった。虎の吼え声は虎の咆哮が聞こえると、いっせいに浮足立ち、尻込《しりご》みし、喊声《かんせい》を挙げて、麓に駈け降りる者が多かった。

また猟師が招募された。他国からの応募者もあった。こんどは兵と猟師が一体になり、深山幽谷に分け入った。虎は昼間は姿を見せず、夜間出没して幕舎を襲った。毎夜の如《ごと》く兵は傷つき、猟師は殪《たお》れた。

王はついに国中に布令を出して、虎災を除く勇者を募った。虎を退治して国患を除くことあるものは当《まさ》に重賞を以《もっ》て酬《むく》いるべしと。併し、一人の応募者もなかった。

母子三人の貧しい住居にも、この王の布令のことは伝わった。兄は母に、このように貧しくてはこれから先のことが思いやられる。冬を眼の先に控えて、食物もなければ着る物もない。よろしく王の募りに応ずべきであると言った。母はそれを聞くと、顔を悲しみで歪《ゆが》めて、かりそめにもそのようなことを口にしてはいけない。彼は畜生であっても、なお汝等の父である。自分たちの貧苦のために父を逆害するような恐ろしい気持を持つべきではないと言った。すると、こんどは妹も兄に荷担し、二人は口を揃《そろ》えて、虎は異類である。順逆の理は当てはまらぬ。それに既に父を捨ててしまったわれわれが、今更父と子の道をとやかく言っても始まらぬことである。自分たちは自分の思うようにするほかはない。もう明日の米はないのだと言った。母は子供たちの考えを到底翻《ひるがえ》すことのできないのを知ると、その場に伏して、ただはさめざめと泣く許《ばか》りであった。

若者は小刀を懐《ふところ》に入れて家を出ると、招募に応じるために、曾て自分が住んでいた国境の山を目指して行った。虎の棲む山近くなると、部落部落には屯所《とんしょ》が置かれてあった。若者はその最初の屯所に於《お》いて募りに応じて来たことを告げ、そのあとは屯所から屯所へと順々に送られて行った。どの屯所でもそこへはいって行く度に、若者は兵たちから虎の怖《おそ》ろしさを知らぬ愚か者として罵《ののし》られた。中にはその不心得を説いて即刻帰郷することを勧める者もあった。若者はそうした言葉には耳を藉《か》さなかった。

若者は幾つかの屯所を廻された果てに、山麓《さんろく》の王の幕舎の前に立った。若者は王に謁《えつ》した。王はただ一人の応募者である若者に、汝は猛獣に対していかなる策略を持っているかと質《ただ》した。虎が現われたらその前に進み出て、虎を刺す許りであると若者は答えた。そこに居合わせた何人かの兵の長たちは笑った。併し、王一人は笑わないで、若者にそのようになせと言った。

若者は山麓の屯所で何日かを無為に過した。千衆万騎山を囲み谷を埋めていたが、どういうものか虎はこのところ何日か姿を見せないということであった。

ところが、ある夜、若者は山野にこだまする喊声と軍鼓の音で床の上に起き上がった。一人の兵がやって来て、虎がいま林中に姿を現わしたと、若者に告げた。

若者は小刀を懐中にして直《す》ぐ幕舎を出た。昼をも欺《あざむ》くような月明の夜であった。幕舎から何程も行かないうちに、若者は到るところに散らばっている兵たちの姿を見た。兵たちは小川の岸にも、丘陵の裾《すそ》にも、断崖《だんがい》の上にも、木立の中にも配されていて、虎がひそんでいるという鬱蒼《うっそう》たる原始林を遠くから大きく囲むようにしていた。抜刀している者、弓や弩《いしゆみ》を構えている者、祈っている者、いまにも逃げ出そうと身構えている者、雑多な兵たちの姿があった。そうした地帯を若者は歩いて行った。

若者は最後の警戒線を越えて原野に出ると、丈高い雑草の中を虎の居る林を目指して進んだ。若者が原野に出た時から、それまで聞こえていた喊声も鼓や貝の音もぴたりと歇《や》んだ。若者は林に差しかかるところまで行って、そこで足を停《と》めた。林中奥深いところに虎はひそみ匿《かく》れているものと許り思っていたが、そうではなかった。若者は、林のほんの入口の巨大な扁平《へんぺい》な石の上に、猛《たけ》き生きものが身を蹲《かが》めているのを見た。まさしく自分の父である虎に違いなかった。

虎は真向から月光を浴びて、一箇の置物のように動かないで坐《すわ》っていた。眼だけがらんらんとかがやいている。若者は暫《しばら》く虎の方を窺《うかが》っていた。父親という気持はなかった。倒すか倒されるかの敵であり、一匹の猛獣であった。虎は大きく見開いた眼を若者の方へ向けていたが、見ているのかいないのか、依然として動かないでいた。が、軈《やが》て、虎は徐《おもむ》ろに体を上げると、前足で突っ張るようにして背を大きく反らせ、ひと声高く咆哮した。風が木々を揺すぶっている。虎は石の上を小さく半円を描いて廻ると、尾を垂れ、自分に近寄って来た不敵な若者を襲うべく、身を屈《かが》め、頭部を低くして身構えた。

若者も亦《また》虎に眼を当てたまま身構えていた。と、次の瞬間、虎はふいに体の緊張を解くと、襲うことを忘れたように再び前脚を折り、ひどくたわいない感じで、その場に身を伏せた。若者は相手がはっきりと自分が何ものであるかを認めたことを知った。

若者は近付いて行った。虎は動かないでじっとしていた。若者は猛獣の眼の中に懐《なつか》しさと優しさ以外のいかなるものもないのを見てとった。若者が石の上に登って行くと、虎はゆっくりと若者の方へ頭部を廻した。若者は虎の前へ行って、そこに身を屈めた。すると、虎は体を横倒しにし、眼を細め、何とも言えない慈愛に満ちた眼眸《まなざし》で若者を見守った。若者はさすがに父である虎のこのような態度に胸を衝《つ》かれたが、そうした思いを突き離すようにして、懐中の小刀を索《さぐ》ると、いきなりそれを虎の腹部深く突き刺した。血が滴《したた》り流れて、巌《いわ》の上に黒い飛沫《しぶき》が飛んだ。虎は身を大きくもがいたが、なお怒りを忘れている風で、優しく若者を見守り続けていた。若者は満身の力を籠《こ》めて、虎の腹部に突き刺してある小刀を上に引いて、その腹部を大きく裂いた。この時初めて、虎の顔には苦悶《くもん》の表情が走った。虎は月光を呑《の》み込みでもするように口を大きく開け、陰気な吼《ほ》え声を、二、三回高く低く引くと、そのままそこに身を投げ出して息絶えた。

翌日若者は王の前に引き出された。王は汝はどこの国の者であるか、どうしてこのような不思議なことが起ったのかと訊いた。若者は自分はこの国の者であり、幼時山中に育ったので、猛獣の心を知っているのみであると答えたが、王はその答では満足しなかった。何か特別な理由があるに違いない、それを包み匿さず話せ。それを話せばこんどの虎退治の恩賞とは別に、更に重く用いようと言った。若者は答えなかった。すると、王はどうしても話さぬと言うのであれば、国外に追放する以外仕方ない。この国に住む者は王の命令に背《そむ》くことはできないと言った。それでも若者は答えなかった。併し、王は諦めなかった。毎日毎日若者を引き出し、ある時は誘うに福利を以《もっ》てし、ある時は威《おど》すに禍《わざわい》を以てした。何日かして若者もついに匿しきれなくなり、己《おの》が出生の秘密を王に話した。父の虎の許を逃れ、故国に帰り、貧苦に耐え難《がた》くなってこんどの招募に応じた経緯を語った。

それを聞いて、王は言った。逆なるかな、父にしてしかも尚《なお》害す。況《いわ》んや親に非《あらざ》るものをや。畜種は馴《な》れ難く凶情は動き易《やす》し。民の害を除くはその功大なれども、父の命を断つはその心逆なり、重賞を以てその功を酬《むく》い、遠放を以てその逆を誅《ちゅう》せん。則《すなわ》ち国典は虧《か》かずして王言は弐《に》ならずと。

若者は家へ帰されて王からの沙汰《さた》を待った。やがてこの国では二艘《そう》の大船が建造された。そしてその双方に山のように多量な糧食や衣類が積み込まれた。そして用意ができると、兄と妹とは引き出され、それぞれ別々の船に乗せられた。兄妹の乗った二艘の大船が海岸から押し出される日は、それを見物するために国中の民が海岸に集まった。

王は兄と妹とをこのように重く賞し、重く罰したが、母の方は国に留《とど》まらせ、妻としての道を踏み外さなかったことを賞して、住む家を与え、生涯《しょうがい》その食を給することにした。

南の濃い潮に漂蕩《ひょうとう》せしめられた二船のうち、若者の乗った船は何十日かの後にとある島の渚《なぎさ》に着いた。若者は島に樹木が茂り果物が豊かに稔《みの》っているのを見て、そこに住むことにした。若者が漂着してから何年かして、その島に難破船が漂い流れて来た。

息絶え絶えになった商人の一家が乗っていた。若者はその商主を殺して、一緒に居た何人かの子女を島に留めた。そして若者と子女たちの間に大勢の子供が生まれた。子供たちはそれぞれ逞《たくま》しく生い育って行った。その後漂着者がある度に、次第に子孫は多くなって行った。そして何百年かの後には島民は君臣の別をつけ、上下の階級を作った。そして都を建て、邑《むら》を営み、幾つかの城を築くに到った。

若者が虎を殺した話は、この島の祖先の話として長く伝えられた。長い年月の間に虎はいつか獅子《しし》に変わり、祖先が獅子を屠《ほふ》ったということで、獅子を以て国号とし、獅子国と称するに到った。

妹の乗った船はこれまた幸運にも難破せず、ペルシアの西に流れ着き、女は神鬼に魅せられて群女を産育し、西大女国の祖となるに到った。

以上の話は玄奘三蔵《げんじょうさんぞう》*の『大唐西域記』*に紹介されている。玄奘は獅子国へは渡らなかったので土地の人から聞いた話を書き記したものと思われる。〝獅子国の人は形貌卑黒にして、方頤《ほうい》、大顙《たいそう》、情性は獷烈《こうれつ》*にして、安んじて鴆毒《ちんどく》*を忍ぶ。これ亦猛獣の遺種なる故《ゆえ》に、その人は多く勇健なり〟――『大唐西域記』はこの説話の紹介を、このような文章で結んでいる。因《ちなみ》に玄奘三蔵が印度へ行った七世紀前半には、獅子国の名は廃され、僧伽羅国《そうからこく》という名で称《よ》ばれていた。現在の錫蘭《せいろん》島がこれである。妹がその祖となった西大女国の方は、それが現在のどの島にあたるか判っていない。

宦《かん》者《じゃ》中《ちゅう》行《こう》説《えつ》

漢が公主《こうしゅ》(内親王)を匈奴《きようど》に嫁《か》せしめた最初の例は高祖＊の時である。高祖が秦《しん》末の内乱の中より起って漸《ようや》くにして海内を統一し得た建国の当初に於《お》いては、国内にはなお強大な諸侯王が分立していて、それぞれ広大な土地と強力な兵馬を有し、高祖としては後顧の憂《うれい》なく意を国外に用いることができなかった。それに加えて厄介《やっかい》なことは、それまで屢々《しばしば》断続的に北方の辺境に寇《こう》していた匈奴が、冒頓《ぼくとつ》単于《ぜんう》に依《よ》って部族を統一され、今までにない大勢力となり、その侵寇が年々大規模なものになりつつあることであった。それまでは侵寇程度であったものが、急に南進という組織的な兵団の移動の形を取り始めていた。漢北の地は瘦《や》せていて生活の資に豊かでなく、匈奴は是が非でも南へ下らなければならないわけで、これを阻止するには武力に依るほかはなかった。併《しか》し、漢としてはそのために大部隊を割《さ》くことはできず、結局和親の政策に依って解決しなければならなかった。策を奉ったのは劉敬《りゆうけい》である。漢の公主を匈奴に嫁せしめよ。その生んだ子が後に単于となることに依って、漢と匈奴とは親子の関係となるだろう。それに加えて時折漢の方から使者を遣わし、幣物を贈り、その感情の融和を図るなら、匈奴は武力を以《もっ》て北境を侵すことはなくなるだろう。

高祖はこの意見を容《い》れ、即位の年（紀元前二〇二年）に家人の子を公主に仕立て、それを匈奴に贈った。その時劉敬は公主の一行と共に胡地《こち》に赴き、和親の条約を結んで帰った。それ以後、漢は毎年のように絹・綿・酒・食を匈奴に贈った。このためか暫《しばら》く匈奴は大挙して入寇することはなかった。

それから七年後の恵帝*の元年（紀元前一九五年）に、匈奴は不逞不遜《ふていふそん》な文字を連ねた書を漢へ送って来た。恵帝は年若く、実権は呂太后《りよたいごう》*にあったので、呂太后が匈奴の書に対して、謙遜《けんそん》な辞を以て答え、再び宗室の女《むすめ》を胡地に送った。ために二、三年の和が保たれたが、その後小規模の侵寇が再び繰り返されるようになり、呂太后の六年（紀元前一八三年）になって、匈奴は突如大部隊を以て、狄道《てきどう》（甘粛《かんしゆく》省狄道県）に寇した。

この匈奴の入寇後四年にして、漢では文帝*が即位したが、文帝の三年（紀元前一七七年）には、匈奴は又もや大挙して北地（甘粛省慶陽県）、河南（綏遠《すいえん》省オルドス地方）を侵した。二十九歳の若き天子は防禦《ぼうぎよ》に意を用いたが、この場合も大兵を動かすことはできなかった。依然として、国内の事情は建国当初と変わっていなかった。

続いてその六年（紀元前一七四年）に、匈奴は書を文帝の許《もと》に送って来た。わが匈奴帝国は今や近隣の諸族を平定し、国力は未曾有《みぞう》の充実振りを見せている。併し、なお和を保つ心を失っているわけではない。そういった示威とも恐喝《きようかつ》ともつかぬ文書であった。匈奴は実際に胡地に於《お》ける永年の対抗勢力であった月氏《げっし》を再度に亙《わた》って破り、その勢い当たるべからざるものがあった。文帝は直ちに公卿《こうけい》、大夫《たいふ》をして和戦の得失について議せしめた。匈奴を討つことは至難であり、たとえこれを破ってもその地を保つことはできないという非戦論が大部分であった。文帝は已《や》むなく辞を低くした書を匈奴に送り、幣物を与え、和親の継続を図ることにした。

その使節が胡地より帰って来て、冒頓単于《ぼくとつぜんう》の死と、その子の稽粥《けいいく》が老上単于《ろうじょうぜんう》として新しく匈奴の権力者の地位に就いたことを報《しら》せた。文帝は新しい匈奴の単于に直ちに公主を贈ることにした。老上単于がいかなる政策を執るいかなる性格の人物か判《わか》らなかったが、ともあれ、漢としてはこれから長く関係を持たねばならぬ北方の遊牧民族国家の首長に、その最初に於て親近の情を表わしておくことは無駄《むだ》なことではなかった。公主を匈奴へ贈ることは漢としては三回目のことである。

匈奴に嫁せしめられるために十六歳の宗室の女が選ばれた。そしてその公主の附添いとして胡地へ赴く人物が物色され、その選に当たったのが宦者中行説《かんじゃちゅうこうえつ》であった。中行が姓、説が名前である。文帝の前に呼び出され、その命を受けた時、中行説は笑っているとも泣いているとも判らぬ宦者特有の深く皺《しわ》の刻まれた顔をまっすぐに上げて、

若い天子を見ると、

「この老いた体を漠地《ばくち》に於て果てしめよとお言いでございますか」

と言った。文帝は自分の幼時から自分に仕えている宦者が、いかなる年齢であるか知らなかったし、またそのことに思いを致したこともなかった。若いとは思っていなかったが、さして老齢であるという気もしていなかった。深い皺の刻まれた顔の表情や、ものを言う時の弛緩《しかん》した口辺の筋肉の動かし方は緩慢で老人のそれのようであったが、脣《くちびる》は微《かす》かに赤みをさし、その声は低く嗄《しわが》れていたが、どこかに重みのある一種の張りと言えるようなものがあった。中行説の年齢については誰も知らなかった。年齢許《ばか》りでなく、漢の宮廷にはいる以前の彼についても知るものはなかった。燕《えん》の人であるという以外、彼は自分について語ったことはなかった。

文帝は歴とした宗室の女を胡地に送る以上、それを政略的に効果あるものにしなければならなかった。決してそのために逆の効果を招いてはならなかった。漢の公主は胡地にあって、夫である単于の心も摑《つか》まなければならなかったし、その一族の者とも折合よくやって行かなければならなかった。当然予想される後宮の女たちとの争いもうまく処理しなければならない。そうしたことについて公主に適切な助言を与え得る人物としては中行説の右に出る者はないと思われた。学識もあり、事に当たっての判断も凡庸ではなく、そして何よりも若《も》し必要とあれば自分の生命を投げ出す忠誠心に貫かれている人物である。

文帝は中行説に言った。

「汝《なんじ》はわが宝である。宝を長く手離しておこうとは思わぬ。老上単于の閼氏《あつし》（妃）としての公主の立場が固まったら、すぐにも呼び返すように取り計らうだろう」

それから文帝はその期間をいまここではっきりしたものにしておこうといった風に、

「十年」

と、それだけ言った。文帝は中行説の顔に眼《め》を当てていたが、やがて、

「七年」

と言い直し、少しの時間を置いて更に「五年」と訂正した。文帝はこの時ほど長年一日として自分から離れたことのなかった宦者の顔を不気味なものに感じたことはなかった。口はだらしなく半開きになり、落ち窪《くぼ》んだ眼は焦点を喪《うしな》ったように虚空《こくう》に見開かれている。文帝はよほど「三年」と更に相手の胡地に於ける滞在期間を縮めようかとさえ思った程である。と、その時、中行説の口から嗄れた、併し表情には似合わぬはっきりした声が出た。

「三年でも、一年でも同じことでございます。若し私を匈奴にお遣わしになるならば、

必ずや漢のおためにはならぬようになりましょう」

そう言うと、中行説は鄭重《ていちょう》に一礼して、背を曲げて、いつも見せる持前の妙に頼りない歩き方で文帝の前を退出して行った。中行説は文帝に厭《いや》がらせを言ったのではなかった。何となくそのようになりそうな予感を覚え、それを口に出してしまわなければ面倒なことになりそうな不安を感じたのである。中行説を不気味なものに眺《なが》めたのは文帝許《ばか》りではなかった。中行説自身が自分に対して妙に信頼のおけぬ厭なものを感じたのであった。

それから半年程経《た》って、文帝の七年（紀元前一七三年）の春、中行説は公主の一行と共に、長安の都を発して、漠北の匈奴の王庭に赴いた。中行説は幕舎を賜って、十数人の侍者と共にそこに住んだ。匈奴の王庭は流れというものの全く感じられぬどんよりした大河の岸にあって、そこには何千という幕舎が立ち並び、幕舎と幕舎の間が自《おのずか》ら道ともなり、広場ともなって、夢にも考えられぬような大きな聚落《しゅうらく》を形成していた。街外れには異民族の幕舎が立ち並んでおり、それらは一夜にして現われたり、一夜にして失《な》くなったりしていた。異民族の集団は絶えず進発したり、到着したりしていた。

老上単于は四十歳を少し越えた色の浅黒い眼の鋭い精悍《せいかん》な風貌《ふうぼう》を持った人物であっ

た。中行説は公主の附添いとして漢から派せられて来ていたが、王庭に着いた日から公主とは顔を合わせなかった。漢の公主を妃《きさき》に迎えたことを祝う盛大な祝宴が三日三晩にわたって行なわれたが、その時も中行説は公主の姿を垣間見《かいまみ》ることすらできなかった。何千という焚火《たきび》の火の海と、その果てが天の星の冷たい灼《かがや》きに連なる異様な夜、その中で何百カ処かに於て行なわれている酒宴と、その騒擾《そうじょう》、見慣れぬ群舞、聞き慣れぬ楽器の旋律。中行説は供の者を連れて、そうした昂奮《こうふん》の街を歩いた。中行説には見るもの、聞くものが珍しかった。

中行説は祝宴の夜が自由であったように、その後も自由に振舞うことができた。いかなる集会をも覗《のぞ》けたし、いかなる行事をも見物できた。

匈奴の兵力は三十万と号されていた。その官号には左右賢王、左右谷蠡《ろくり》王、左右大将、左右大都尉《とい》、左右大当戸《とうこ》、左右骨都侯《こっとこう》等があった。左賢王には常に太子がなり、それより以下当戸に到《いた》るまで、大なるものは万騎、小なるものは数千騎を有していた。尽《ことごと》く一族同姓の者がこれに任じ、その官を世襲にし、おのおの分地を持って、その間で水草を逐《お》うて自由に移動していた。左右賢王、左右谷蠡王が最も大国であった。そして左方の将は東方の地域に、右方の将は西方の地域に住していた。

中行説が胡地へはいってから幾許《いくばく》もなくして、匈奴が祖先と崇《あが》める天地神霊を祀《まつ》る祭礼が行なわれた。これも亦《また》、厳粛な儀式のあとに、三日三晩にわたる盛大な祝宴が続いた。

中行説は単于とは毎日顔を合わせた。単于は毎朝営を出て日の出を拝し、夕には月に祈った。あらゆることを為《な》すに当たって、月や星が引合いに出された。軍事に於ても、月盛んなれば攻撃し、月虧《か》くれば兵を退《ひ》くという有様であった。

中行説は毎日のように王宮に伺候していたが、これといった仕事は与えられなかった。集会の時も、そこに顔を出したが、末座で傍聴しているだけで、それに口をさし挟《はさ》むことは禁じられていた。中行説は、併し、何も為すことのない自分の奇妙な役に、さして退屈は感じなかった。匈奴人の物の考え方を知ることも、匈奴人の習俗を知ることも、匈奴の武将たちの作戦がいかなるものかを知ることも、みな興味を持つに足ることであった。また匈奴の貴族である呼衍《こえん》、蘭氏《らんし》、須卜《しゅぼく》の三姓を持つ者たちの、漢国に対する認識がいかなる程度であるかを知ることも興味深かった。あることには精通していたが、あることには全く無知であった。老上単于を初め支配層の貴族たちが、毎日のように議していることは黄河以北の地をいかにして己《おの》が支配下に置くかということであった。そしてその計画は明日にも軍を進めそうな性急なものであったが、いつも何十種類かにわたる慎重極まる月や星の占いに依って、柔軟に併し強靱《きょうじん》に矯《た》められていた。従って漢土への侵寇はいつも小規模な惰性的なものに留《とど》まっていた。大々的な進軍は明日に行なわれてもいっこうに不思議でないと共に、またそれは永遠に行なわれることのないもののようにも見えた。

中行説が匈奴の地へ着いた翌々年に、漢使がやって来た。大量の絹を献ずるために来た一行であった。漢使の一行が老上単于に謁《えつ》した時、中行説も亦その席に侍《はべ》っていた。漢使は中行説の識《し》らない人物で、物を献じに来ているにも拘《かかわ》らず、その態度には、大国漢の威信を傷つけまいとするかのように強《し》いて尊大に装っているものが感じられた。酒食を賜ったあとで、漢使は底に針を含んだ言い方で、

「匈奴には老人を蔑《さげす》む慣《なら》わしがあると聞いていますが、そうしたことは漢国では夢にも考えられぬことであります」

と言った。匈奴側ではすぐに口を開く者はなかった。すると漢使は続けて言った。

「うまいものは若者が食べ、若者が食べた残りを老人が食べる。若《も》し、貴国でそのようなことが実際に行なわれているなら、それは即刻改めるべきであると信じます」

その時、末座の方に坐《すわ》っていた中行説が口を開いた。自分でも知らないうちに、ふいに言葉が口から飛び出したといったような、そんな自分でも抑えることのできぬも

のに支えられての発言であった。

「漢使よ。そなたの国である漢の慣わしでも、若者が軍に従う場合、親たちは暖かい衣類とうまい食物を若者に与えないであろうか。匈奴は漢とは違って常に戦闘を忘れぬ日々を持っている。親たちは日頃《ひごろ》でも若く壮《さか》んな者には栄養のあるうまいものを与えるのだ。このようにして国を守ればこそ、父も子もお互いに自分を保つことができるのである。どうして、これが老人を軽んじていると言えようか」

中行説は言った。漢使は中行説が漢人であるのを知ると、口調を烈《はげ》しくして、

「匈奴では、父と子が同じ幕舎に寝ている。父が死ねば、子はその継母を妻とし、兄弟が死ねば、その妻を己が妻とするという。実際にそのようなことが行なわれているか」

と言った。それに対して中行説は答えた。

「匈奴の風俗では、人は家畜の肉を食べ、その乳を呑《の》み、その皮を着て、家畜と共に水草を逐《お》って移動して行く。戦時には人は馬上の弓術を修練し、平時に於ては家庭の平和を楽しむ。その掟《おきて》は簡単にして実行し易《やす》い。君臣の間も隔りがなく、一国の政治も一身のことのように行なわれる。父子兄弟が死んだ時、その妻を自分の妻とするのは、個人より家というものを重く考えるためである。それ故《ゆえ》、たとえ国乱れることあ

っても、必ず同族の血統の者が首長の地位に立つことができるのだ」

「衣冠束帯の服飾もないし、朝廷における儀礼も定められていない」

漢使が言うと、

「漢では体面を飾って父や兄の妻を自分の妻とこそしないが、その代り親族間は疎遠となり、互いに血を流す争いを繰り返している。気の毒な土の家に住んでいる国からやって来た使者よ。くだらぬお喋《しゃべ》りはせぬがいい。一体、貴公は変梃《へんてこ》な冠などつけているが、それは何のつもりであるか」

中行説は言った。漢使は色をなし、なおも匈奴についてその短所を疑問をただすような言い方で指摘したが、みな中行説にやり込められた。

こうしたことがあってから間もなく、中行説は初めて老上単于に招かれ、親しく単于から声をかけられた。

「匈奴の単于としてわれはいま何を為すべきであるか。何なりとも言ってみよ」

老上単于は言った。それについて、中行説は詳しく自分の考えを述べた。

「匈奴の人口は漢の一郡にも及ばない。にも拘《かかわ》らず闘って漢兵を奔《はし》らすのは、衣食を漢に仰ぐことがないからである。いま単于が漢の風俗を真似《まね》、漢の物産を愛好するなら、匈奴はやがて漢に靡《なび》いてしまうだろう。漢の絹布や綿布を着て草原に馬を奔らせることはできない。到底匈奴古来の皮衣には及ばないのだ。漢の食物を得たら、直ちにそれを棄《す》て、それが到底匈奴の獣乳や乳製品に及ばぬことを、単于は万民に知らせるべきである」

これを聞いて、老上単于はいますぐ自分はそのようにするであろうと言った。

この頃から、中行説は少しずつ忙しくなった。何人かの人を使って、匈奴の人口を調べたり、家畜の数を調べたりした。そしてそれを箇条書にして、老上単于のもとに差し出した。こうしたことに依《よ》って初めて諸王の兵力や財物を知ることができ、兵制を改革する上に大いに役立った。

中行説は毎日のように老上単于と二人だけの時間を持つようになった。中行説はやがて、曾《かつ》て漢の若い天子に対したと同じ忠誠心を以《もつ》て、老上単于に仕えている自分を発見した。中行説にはいつか漢の文帝が遠く小さい存在になっており、老上単于が自分が神から生命を捧《ささ》げて仕えるように命じられた人物のように思われ、またそのように見えた。自分を匈奴に遣わすならば、必ずや他日漢の禍《わざわい》となるであろうと、ある不安な思いをもって言ったことが、今や現実のこととなって現われようとしていた。

中行説は機会あるごとに、自分の持っている漢土に関する知識のすべてを老上単于に注ぎ込んで行った。漢軍の組織や戦闘法の長所も挙げれば弱点も挙げ、老上単于をして、それに対する対策を考えしめた。中行説は老上単于と話している時が一番生き生きとしていた。黄河以北の地を収めようとする夢を、中行説は何とかして老上単于の手で実現させたかった。それは必ずしも不可能なことではなかった。中行説は、漢がよく用いる夷《い》を以て夷を制する方法を、匈奴の権力者にも用いさせようと思った。匈奴の精鋭は一兵たりとも無駄に損じないようにし、それに替わって月氏の兵を用うべきであることを説いた。それには漢と事を構える前に月氏の大々的な討伐を遂行しなければならなかった。匈奴は月氏を再度に亙《わた》って破っていたが、それを完全に属国化するまでにはなお大きな作戦を必要としていた。漢の方は依然として国内に弱点を持っていて、兵を国境に動かすことはできなかったので、匈奴としては対漢作戦の遂行を急ぐ必要はなかった。せいぜい公主と幣物を取り立て、農作物の収穫期に、半ば兵馬の訓練を兼ねて、北境一帯の地に寇《こう》していればよかった。

漢と匈奴の間では年に一、二回の割で使者に依る文書の交換が行なわれていたが、漢はいつも一尺一寸の書板を用い、「皇帝は謹《つつし》んで匈奴の大単于のご消息をうかがう。つつがなきや」といった文章でその書信を始めていた。中行説は単于が漢に書面を送る時は、漢のそれより縦横共に少し大きい一尺二寸の書板を用いさせ、その文章も尊大なものに改めさせた。――「天地が生み、日月が位につけた匈奴の大単于は、謹んで漢の皇帝の消息をうかがう。つつがなきや」

匈奴《きょうど》が月氏討伐の大作戦を遂行したのは老上単于《ろうじょうぜんう》の七年（紀元前一六八年）のことで、中行説が匈奴の土を踏んでから六年目の秋であった。匈奴は大部隊を進発させ、伊犂《いり》河流域に屯していた月氏の幕営地を次々に襲った。月氏の主力は南に奔《はし》ったが、その幾つかの支隊は南山に逃れたので、匈奴の騎馬隊はこれを囲んで降伏するものは捕虜とし、逆《さか》う者は男女の別なくこれを殺した。また冒頓単于《ぼくとつぜんう》当時にいったん制圧下に置いた南方の楼煩《ろうはん》、*白羊《はくよう》の異族たちの中に漢に通ずるものがあったので、これを討った。この作戦は翌紀元前一六七年の夏にまで続いた。

そしてこの月氏討伐戦から引き揚げて、兵馬を休養させると、翌紀元前一六六年、つまり文帝の十四年に匈奴は十四万の大軍を動かして、漢の北境に侵入した。老上単于が多年持ち続けて来た黄河以北一帯の地を収める夢を実現するための作戦であった。中行説は月氏討伐に成功して士気昂《あが》っているうちに、兵を動かすべきことを老上単于に説き、匈奴の大騎馬隊を次々に南に送る策を献じたのであった。漢の国情とは異なって、匈奴には今やいささかの後顧の憂《うれ》いもなかった。ただ月氏の兵が弱くて、夷を以て夷を制する中行説の持論は実際には採用することはできなかったが、匈奴の精鋭は実戦に依って見違えるほどの強兵になっており、戦闘方法も進んだものとなっていた。匈奴軍の一兵団は朝那《ちょうな》(甘粛省)、粛関(甘粛省)地方にはいって行き、その地一帯を掠奪《りゃくだつ》し、北地郡都尉《とい》の孫卬《そんごう》を斬《き》り、夥《おびただ》しい数の住民、家畜、農作物を収めた。また他の一兵団は彭陽《ほうよう》(甘粛省)にまで迫り、陝西《せんせい》省の隴州《ろうしゅう》、雍州《ようしゅう》にまで侵入した。これに対して漢は戦車千輛《りょう》、騎兵十万を動かし、長安の近くに陣を張り、更に上郡将軍、北地将軍、隴西《ろうせい》将軍をそれぞれ任命して、本格的な対匈奴戦に乗り出して来る気配を見せた。中行説はこの作戦では老上単于の本隊にはいっていたが、単于に説いて、軍を班《かえ》させた。漢兵は長城線を越えて追撃して来たが、匈奴はために一兵をも損することなく、漠北《ばくほく》の王庭へ引き揚げることができた。

これを契機として、匈奴軍は毎年のように漢の北境に侵入した。漢土に寇する毎《ごと》に一万の住民を収めて帰った。住民を収めることは中行説が単于に勧めたことで、匈奴の若者を一人のこらず兵とするためには、漢人を遊牧の仕事に使わなければならなかった。

文帝の十八年(紀元前一六二年)に、漢使がやって来て書を呈した。

——皇帝は謹んで匈奴の大単于のご消息をうかがう。つつがなきや。貴下の部下に依って朕《ちん》に馬二頭を贈られたが、確かに拝受した。さて、わが先帝の詔《みことのり》には次のように記されている。長城以北の弓をもって立つ国は単于の命に従う。長城以内の衣冠束帯の家は、漢皇帝が支配し、万民を農業や機織《はたおり》や狩猟で衣食させる、と。いま聞くところに依れば邪悪の民前進して利益を貪《むさぼ》り、信義に反き、誓約を破り、万民の生命を脅し、双方の君主の親善を離間したという。ゆゆしき大事である。併し、それも過ぎ去ったことである。

そう言った書出しで始まり、両国の親善の必要を説いたあとで、

――匈奴は北にあって寒さ厳しい。朕は詔を下して、単于に餅《もち》、粟《あわ》、麴《こうじ》、黄金、絹布、糸、綿など、年に一定額をお贈りしたいと思う。いま天下は太平で、万民は安らかである。朕も単于も、ともに万民の父であり、母である。

こういったことが書かれてあり、さらにその文面はどこが終りとも判《わか》らぬくらい長々と続いていた。漢の朝廷がいかに匈奴の侵寇に悩まされているかが手にとるように判る文面であった。

中行説は単于に勧めて、文帝の提出して来た和親の契約を受諾させた。匈奴も亦《また》こ暫《しばら》く兵馬を休養させねばならなかったのである。それから暫くして、中行説は漢朝が匈奴の捕虜や漢土へ紛れ込んだ匈奴人たちを帰して寄越《よこ》し、更に辺境一帯の住民に長城線を越えることを禁じ、それを犯す者は死刑にするという布令を出したことを知

った。漢朝が匈奴を刺戟《しげき》させまいといかに意を用いているかは、こうしたことにも窺《うかが》えた。併し、中行説の方はそう簡単にはすまされなかった。老上単于の夢を実現させるためには、このようなことで兵を収めるわけには行かなかった。

翌紀元前一六一年に、突如として老上単于は歿《ぼっ》した。そしてその子軍臣が即位して単于となった。すると、文帝は匈奴と和親の礼を厚くするために、老上単于の死を悼《いた》み、新単于の即位を祝う使者を送って寄越した。そして使者と共に夥しい量の幣物が馬で運ばれて来た。使者の一行の中に、中行説は顔を見知っている廷臣の一人を見出《みいだ》した。彼は中行説を召還するための、文帝からの命令を携えて来ていた。

中行説は自分の幕舎に、その使者の一人を招じ入れて、

「ごらんの如《ごと》く、私はこの国で何不自由なく暮らしている。この国へ足を踏み入れた時は思いもかけないことであったが、いまはこのように重く用いられている。この国の新単于が漢国へ帰ることが匈奴のために必要だというのならば、私は悦《よろこ》んで再び漢土を踏むだろう。併し、そうでない限り、私はここに踏み留まり、新しい単于に仕えねばならない」

と言った。

「汝《なんじ》は長安の都を恋しいとは思わぬか。都には知人多く、都の風は甘く、都の水は美しい」

使者が言うと、

「いかにも長安の都も見たいし、都の水も飲みたい。都の空気も吸いたい。旧知の人とも会って語りたい。恐らく文帝陛下がお考えになるより、もっと烈《はげ》しく、自分は長安の都を死ぬまでに一目でも見たいと思っている。が、単于の命がなければ、私は帰ることができない。いまはこの漠地が私の故国であり、骨を埋める地である」

中行説は答えた。文帝に対する厭味《いやみ》でもなければ、意地でもなく、また感情を誇張した言葉でもなかった。漢の都長安の土を踏みたい気持は烈しかったが、併し、匈奴の地にある限り、それはただ一つの方法でしか果たされないものであった。匈奴の大軍が長安を囲み、長安を陥《おと》すことであった。必ずしも夢ではなかった。中行説が策した紀元前一六六年の大作戦に於ては、実際に匈奴軍は長安の都を劫《おびや》かしたのである。その時はもう一歩のところで已《や》むなく軍を引き、老上単于をして、その夢を実現せしめ得なかったが、今やその夢は軍臣単于の手で果たされねばならぬものであった。

軍臣単于が即位した翌年、中行説は単于に漢との和親の条約を破って、漢土への進攻を献言した。漢は匈奴の条約の履行を固く信じて、曾《かつ》てない程国境の兵力を少なくしていた。国境地帯は都から遠く離れており、都から大軍が来るには数カ月の日子《にっし》を要する筈《はず》であった。中行説は匈奴軍が長安に迫ることは望めないにしても、長城線に沿った地帯を広汎《こうはん》な範囲にわたって略取できると信じた。

この献言は単于の地位に就いた許《ばか》りの匈奴の権力者の容《い》れるところとならなかった。軍臣単于にはやはり漢との盟約にこだわっているところがあった。中行説は若《も》し老上単于が生きていたならばと思った。結局軍臣単于は妥協して、軍を三万と限って漢の北境に寇することに同意した。

中行説は甚《はなは》だ不本意ではあったが、三万の兵力をして上郡、雲中郡を侵さしめた。部隊は無人の野を行くように漢土を馬蹄《ばてい》下《か》に踏み躙《にじ》り、夥しい掠奪品を携えて引き揚げて来た。中行説が考えた通り、辺境の烽火《ほうか》が甘泉、長安に伝達されたのは数カ月の先であった。漢では再び国境守備軍を三カ所に駐屯《ちゆうとん》せしめ、別に都長安の西の細柳《さいりゆう》と、渭水《いすい》の北の棘門《きよくもん》と、覇上《はじよう》に、三兵団を置いて匈奴に対する備えとした。

中行説はこの作戦を最後にして、単于に兵を動かすことの不利を諭《さと》した。漢の大軍が辺境に屯している限り兵を用いるべきでなかった。そしていつも軍臣単于に、熱っぽい眼をして、この二、三年急にせき込んで話すようになった嗄《しわが》れた声で話した。

「大軍を動かす機会はここ数年間にあると思う。それは漢に対して、呉《ご》、楚《そ》、趙《ちよう》の王たちの誰かが叛旗《はんき》を翻《ひるがえ》す時である。その時こそ単于は匈奴の全軍を漢土へ投入すべきであろう」

紀元前一五六年に文帝は崩じた。侍者がその報《しら》せを伝えた時、中行説は何回も侍者の口の方へ耳を持って行った。中行説は何歳か不明であったが、兎《と》も角《かく》も老齢のために、視力も衰え、耳も殆《ほとん》どその用をなさなくなっていた。中行説は文帝の死を知ると、大きく頷《うなず》いたが、それでなくてさえ皺《しわ》の深く刻まれた顔は老いのためふた目とは見られぬような皺だらけの顔になっていて、そこからは彼がいかなる感情を持っているかは判らなかった。

中行説は極《ご》く時たましか単于の前には出なくなった。単于の前に出ると、彼の言うことは決まっていた。全匈奴軍を投入すべき時期は必ず近くやって来る。それまでは兵を動かしてはならぬ。そういうことであった。耳の聞こえぬ老宦者《かんじゃ》は、自分が言いたいことだけを、はっきりとは聞き取れぬ声で言って、相手には構わず、すぐ自分の幕舎へ引き揚げて行った。体は瘦《や》せ縮んで、侏儒《こびと》のようになっていた。

中行説が予言したように、果して文帝のあとを継いだ景帝の三年（紀元前一五四年）に呉、楚七国の乱*が起り、趙王の使者は匈奴にやって来て、援兵を求めた。軍臣単于は趙と謀《はか》って漢の辺境への侵入を策したが、それを果たさないうちに次々に乱は平定され、趙も亦僅《またわず》か十カ月にして漢軍に囲まれて破れた。この当時中行説は既に亡《な》かった。中行説がいつ歿したかは不明であるが、文帝の死の年か、その翌年ではないかと言われている。若し中行説が生きていて敏速に兵を動かす策を樹《た》てたら、この乱はまた違った展開を見せていたかも知れない。

褒姒《ほうじ》の笑い

明君の誉《ほまれ》高かった宣王*が逝《ゆ》くと、そのあとを承《う》けて幽王*が位に即《つ》いた。幽王の二年、周では都鎬京《こうけい》*に大きい地震があった。ために涇水《けいすい》、渭水《いすい》、洛水《らくすい》*の三川大いに震い、水溢《あふ》れ、水竭《つ》き、山は崩れた。

太史伯陽父《はくようほ》*は言った。

――周まさに亡《ほろ》びんとす。それ天地の気は一定の序を失わず、その序破るるは人これを乱すなり*。いま天地の気その序を失い、陽伏して出ずる能《あた》わず、陰迫って上る能わず、ついに三川震うに到《いた》る。これ陽その所を失い、陰に抑えらるるためなり。陽失いて陰に在る時は川源必ず塞《ふさ》がる。川源塞がれば国必ず亡ぶ。水土湿《うる》おうことなくして、民いかにして生きようや。往時渭水、洛水の二川の水竭きて夏亡《か》び、黄河竭きて商亡びたり。いま三川尽《ことごと》く枯れて山崩るるを見る。天の国を棄《す》てる十年を過ぎざるべし*。

この伯陽父の予言は忽《たちま》ちにして国中にひろまった。ある者はこれを信じ、ある者は国を乱す者の言として、これを非難した。先王宣王の在位は四十六年に及び、北の匈《きょう》奴《ど》、南の淮《わい》を討って外敵侵寇《しんこう》の憂《うれ》いを除き、国内の小部族国家群を直接支配下に置いて、それまで絶えることなかった内乱を封じ、国庫を豊かにするなど、その国家経営には見るべきものがあったが、その治世は必ずしも民意を得ているものとは言えなかった。徳によって民を治めるという古代からの政《まつりごと》の本質的な面は薄れ、特に晩年は国内に不平不満の絶えることはなかった。従って、伯陽父の予言は、こうした時勢への痛憤の叫びとも、また宣王のあとを継いだ新王幽王に対する警《いまし》めの言葉とも受け取れた。併《しか》し、伯陽父の真意がいかなるものであるにせよ、それは多くの者には、不吉な国家滅亡の予言以外のものとしては聞かれなかった。

褒姒《ほうじ》が幽王の後宮に上がることになったのは、伯陽父が不吉な予言をした同じ年の暮であった。褒姒の「褒」は彼女がそこに住んでいる小部族国家の名前であり、「姒」は彼女がそこに生い育った貧しい家の姓であった。褒姒の父は山桑で弓を、箕草《みのぐさ》で箙《えびら》を作り、それを鬻《ひさ》いで生計の資としていた。弓も箙も雑兵《ぞうひょう》の使う粗末なもので、朝から晩まで手を休めないで武具作りに励んでも、収入の高は知れたもので、褒姒が物心がついてから家の生計は一日としてらくなことはなかった。母は弓の材料である山桑を得るために、毎日のように深山に分け入っていた。褒姒も亦《また》幼い時から母と共に山にはいったが、娘時代になって、その天性の美貌《びぼう》が人の噂《うわさ》になるようになると、母は娘に家事を受け持たせ、手の荒れることを恐れて、山へ連れて行くことはなかった。

褒姒は幼い時から自分が拾い子であり、両親の情けでいま生きていられるのだということを言い聞かされて生い育って来た。他国の道端に棄てられて夜泣きしていたのを、憐《あわ》れに思った両親に拾われ、一緒にこの褒（陝西省《せんせい》）の国に連れて来られたということであった。両親は拾い子だ、拾い子だと言い含めることに依《よ》って、娘に恩を着せているわけであったが、褒姒の方はそんなことでいっこうに心を動かされなかった。拾い子であろうとなかろうと褒姒にとっては他に父も母もなかった。両親の方も、拾い子だ、拾い子だと言いながらも、そのために別段邪慳《じゃけん》にするわけでも、愛を薄くするわけでもなかった。

十五、六歳になると、褒姒の美貌は輝き出し、国内で誰一人知らぬ者はない程になったが、どういうものか、褒姒は決して笑うことのない娘として生育していた。どんな可笑《おか》しいことがあっても笑わなかった。笑わないことも亦、その美貌と共に国中に知られた。笑うことを忘れた娘をまん中にして、両親は言い争うことがあった。拾い子だ、拾い子だと言って育てたことが、褒姒から笑いというものを取り上げてしまった原因であるに違いないとして、二人はその罪を互いになすり合った。

褒姒が幽王の後宮に上がるという話は突然持ち上がった。国の王が罪を犯し、それを贖《あがな》うために美女を幽王に納《い》れることになって、貧しい武具作りの家の娘に白羽の矢が立ったというわけであった。白羽の矢が立ったと言っても、幽王の後宮にはいることは、田舎の貧家の娘にとっては、殆《ほとん》ど考えられぬような幸運であった。

褒姒は両親と別れ、都鎬京に赴いて後宮に上がった。褒姒の美貌は忽ちにして幽王の心を捉《とら》え、翌年の幽王三年の年に、王子伯服を生んだ。褒姒は後宮にはいった時も、王子伯服を生んだ時も、嬉《うれ》しいのか、悲しいのか、その表情を動かすことはなかった。

幽王の褒姒に対する寵《ちょう》は深まる一方で、ついに正妃申后《しんこう》*と、申后との間にできた皇太子宜臼《ぎきゅう》を廃し、代えるに褒姒とその子伯服を以《もっ》てした。褒姒は自分が正妃となり、自分が生んだ伯服が皇太子になっても、やはり感情というものは顔に現わさなかった。幽王は褒姒の顔にたとえ僅《わず》かでも笑みというものの現われるのを期待したが、褒姒は笑うことはなかった。

周国滅亡の予言者である伯陽父は、この時また言った。禍《わざわい》は既に成れり、いかんともすべきなし、と。

伯陽父の言の如《ごと》く禍は既に成ってしまったのであった。正妃を廃された申后は、周の有力諸侯の一人である申侯の女《むすめ》であった。申侯が幽王の仕打ちを快く思っていないことは誰の眼《め》にも明らかなことであった。申侯が西夷《せいい》、犬戎《けんじゅう》の異民族と通じて幽王に叛旗《はんき》を翻《ひるがえ》そうとしているとか、他の有力諸侯の中の誰と誰とが申侯と結んで兵を動かそうとしているとか、そうした不穏な風評が流れた。真偽の程は判《わか》らなかったが、どの一つをとっても、充分にありそうなことであり、いつ叛乱が起っても少しも不思議ではなかった。幽王はこのような事態に備えるために王宮のある驪山《りざん》の頂に城壁を築き、その所々に烽火《ほうか》を上げるための烽台と鼓楼を造った。そして驪山の麓《ふもと》一帯に兵を集め、いつでも敵の襲撃に備えられるように軍備を厳にした。

併し、幽王の四年、五年、六年と、何事もなく過ぎ去って行った。申侯の動静にも変わったところは見られず、西夷、犬戎の動きにも特に警戒すべきものはなかった。

幽王の七年に、虢石父《かくせきほ》が幽王に取り入って、卿《けい》となって政務を司《つかさど》った。虢石父は性狡猾《こうかつ》、収賄《しゅうわい》を事としたので、国人みな怨《うら》んだ。ある時虢石父は幽王に奏して、若《も》し山巓《さんてん》の烽台に火を入れたならば、皇后褒姒の心を慰めることができるのではないか、と言った。幽王は寵妃褒姒の機嫌《きげん》をとるために絶えず心を遣っていたので、その心を慰めることができると聞いて、直ちに虢石父の言を容《い》れ、その日の日没時に烽台に火を入れさせた。夕明りの漂っている間は烽を燃やして煙を上げ、夜の闇《やみ》が迫って来ると燧《すい》に火を点じた。それと同時に山巓の鼓楼からは太鼓が打ち出された。

忽ちにして驪山山麓《さんろく》は上を下への混乱を呈した。家臣たちは一人残らず王宮に馳《は》せ参《さん》じ、武装した兵と馬とは、王宮の周辺に集まって渦《うず》を巻き、やがて幾十かの集団となって、山腹を登って行った。混乱は王宮の周辺許《ばか》りではなかった。鎬京の城内は勿《もち》論《ろん》、その周辺部の屯所《とんしょ》屯所からも兵馬の集団は都を目差して移動し始めていた。

褒姒は王宮の一室から驪山の稜線《りょうせん》に沿って一定の間隔を置いて火の燃えるのを見た。月の欠けた夜だったので、赤い火焔《かえん》の舌が暗い夜空を嘗《な》めるのが、異様な美しさで眺《なが》められた。王宮を取り巻く闇は軍馬の嘶《いなな》きと移動する兵の騒擾《そうじょう》で満たされていた。王宮内も人の出入が烈《はげ》しかった。朝臣も武人も周章《あわ》てふためいて馳せ参じ、烽台に火が揚がったのは敵襲のためでないと知ると、ただ呆然《ぼうぜん》として山巓の火に見入る許りであった。廻廊《かいろう》にも庭にも、そうした人たちが群がっていた。

幽王は褒姒に山巓の火を指し示して、美しいかどうかを訊《たず》ねた。すると、褒姒の顔に初めて笑みが現われ、低い声であったが、笑声がその口から漏れた。幽王は驚いて褒姒の顔に見入ったが、その時はもう褒姒の顔からは笑いは消えていた。併し、このことは幽王を狂喜させた。幽王には微《かす》かな笑みを浮かべた妃の顔が、妖《あや》しく、美しく、この世ならぬものに見えた。

幽王は褒姒の顔に突然現われ、須臾《しゅゆ》にして消えたものを、忘れることはできなかった。何とかしてもう一度褒姒の笑顔を見たいと思った。幽王の八年に再び烽台で火が燃やされた。前の時から丁度一年経《た》っていた。王宮を取り巻いて、この前と同じことが起った。城内は忽ちにして混乱に陥り、兵と馬とは互いに体をぶつけ合いながら幾つかの広場に集まった。そして敵の居ない山頂に向かって、兵鼓は鳴らされ、無数の矢は射込まれた。王宮はまた、血相を変えてやって来て、あとは喪心したように痴呆《ちほう》の表情をする奇妙な訪問者たちで脹《ふく》れ上がった。ただこの夜馳せ参じて来た者は、前に較《くら》べると、幾らか少なくなっていた。この夜、幽王は褒姒が笑うのを期待したが、ついにその笑顔を見ることはできなかった。

幽王の九年に三度烽台には火が点じられた。こんどは王宮に駈《か》けつけて来る者は少なく、王宮を取り巻く闇もずっと静かだった。軍馬の嘶きや兵たちの声は聞こえたが、夜をこめてひそやかに進発して行く隠密部隊のそれに似ていた。この夜も亦《また》王は褒姒に寄り添っていて、片時もその傍から離れなかったが、ついに褒姒の顔に笑いの現われるのを見ることはできなかった。

幽王の十年、四度烽台に火は点じられた。王宮に駈けつけて来た者は極《ご》く僅《わず》かで、もはや兵馬の動きは見られなかった。この場合も亦幽王にとっては烽台に火を入れたことは無駄《むだ》なことであった。幽王はこのようにして一年に一度ずつ烽台に火を入れたが、実際は何回でも火を入れたかった。若《も》し虢石父がそれを禁じなかったら、幽王は一年に何回でも烽台に火を点じることを命じたに違いなかった。幽王は褒姒の笑顔の妖しい美しさを思い出すと、烽台に火を入れる欲求がむらむらと頭を擡《もた》げてくるのを禁ずることはできなかった。併し、こうした事態を引き起すに到った当の責任者であり、煽動者《せんどうしゃ》であった虢石父でさえ、やたらに烽台に火を入れるということだけは幽王の言うままに任せておけなかったのである。

幽王の十一年の首《はじ》めのある夜、王は申侯、西夷、犬戎の聯合軍《れんごうぐん》である大兵団が鎬京《こうけい》を目差して進撃しつつあるという報を受けた。全く寝耳に水の事件であった。この最初の報を受けた時は、叛乱軍《はんらんぐん》の先鋒《せんぽう》は既に城内へはいろうとしていた。幽王は急を国人に告げるために烽台に火を入れることを命じた。幾許《いくばく》もなくして、驪山山巓には火焔の列が敷かれ、敵の襲来を告げる太鼓はものものしく打ち鳴らされた。

併し、王宮には誰もやって来なかった。朝臣や武将たちは、もはや烽台の火や太鼓では驚かなかった。火は徒《いたずら》に夜空を焦《こ》がすのみであった。程なく矢叫びの音が聞こえ始めたかと思うと、早くも矢は王宮内にも射《う》ち込まれて来た。この頃《ころ》になって本当の敵の襲来であることが民にも兵にも判ったが、もはやいかんとも為《な》し難《がた》かった。

王宮の庭に矢が繁《しげ》く落ち出した頃、幽王は褒姒と一緒に寝室の前の石を敷き詰めた露台の、勾欄《こうらん》を廻《めぐ》らしてあるきざはしの上に立っていた。露台の石の面も、勾欄も、幽王の顔も、褒姒の顔も、山巓の烽台の火の照り返しで、夕焼の残照でも浴びたように赤かった。城市の方では何箇所からか煙が上がり始め、どこからともなく聞こえて来る異様などよめきと騒擾は刻一刻高まりつつあった。数人の兵がやって来て、幽王には北門に、褒姒には南門に、それぞれ城から逃れるための輿《こし》と、それを護衛する兵が配せられてあることを告げた。

この時、幽王は褒姒の笑い声を耳にした。玉でも転がすような琅々《ろうろう》とした少し甲高い笑い声であった。幽王は妖しい褒姒の顔に見惚《みと》れていた。褒姒は顔を少し斜めに仰向けて夜空を見入っており、口辺の筋肉がゆるんだと思うと、また笑い声がその口から漏れた。褒姒が笑った！　と幽王は思った。褒姒が笑った、褒姒が笑った、褒姒が笑った！　幽王は褒姒の顔に見入ったまま、褒姒から引き離されて、何人かの兵に囲まれて、慌《あわただ》しく北門の方へ移動させられて行った。

この叛乱で幽王は殺され、褒姒は虜《とりこ》となった。幽王は城を逃れ出て間もなく柘榴《ざくろ》の木の多い部落の入口で敵兵に見付けられ、そこで斬《き》られた。

幽王の亡《な》きあと、諸侯は叛乱の首謀者である申侯につき従ったので、申侯は国内の動乱を収め、人心の安定するのを待って、さきに廃された太子宜臼《ぎきゅう》をして幽王のあとを継がしめた。平王である。叛乱が起ってから宜臼が即位するまで僅か十数日を算《かぞ》えるのみであった。伯陽父が予言した如く、まさに幽王の在位十年にして国は亡んだのであった。平王は位に即くと戎禍《じゅうか》を避けるために都を洛陽《らくよう》に遷《うつ》した。ために長い間周室の都であった鎬京は打ち棄てられ、驪山の麓の王宮も亦長く顧られなかった。

申侯の虜となった褒姒のその後については何も知られていない。史書は幽王を寵妃の愛に溺《おぼ》れて国を亡ぼした暗愚な天子として記し、褒姒は幽王をして国を亡ぼさしめた美貌な悪女として記している。『詩経*』や『周語*』に出て来る褒姒の評判は甚《はなは》だ芳《かんば》しからぬものである。

ただ一つ多少注目するに足るものは、『史記*』が褒姒の出生について神秘的な話を紹介していることである。『史記』に載っている以上、当時褒姒に関してこのような話が世に行なわれていたものと思われる。昔、夏朝が衰え始めた頃、夏帝の住む王宮の庭に二匹の神竜《しんりゅう》が降りた。竜は二匹とも口から白い泡《あわ》を噴き出している。夏帝はこれを見て、殺すべきか、棄てるべきかを、家臣をしてト《うらな》わしめた。どちらも吉《きち》でなかった。そこで夏帝はもう一度、竜が口から出している泡をとってしまっておくことはどうかとトわしめた。こんどは吉と出たので、帝は威儀を正して、恭《うやうや》しく竜にそのことを告げた。すると竜は忽ちにして姿を消して、庭には泡だけが残った。泡は櫃《ひつ》に収められて夏の王室に保存されたが、その後夏が亡んだ時泡のはいった櫃は殷《いん》に伝わり、殷が亡ぶと周に伝わった。周の厲王《れいおう》*の晩年、王は櫃を開いてみた。すると中に詰められてあった泡は次から次へ庭に流れ出して尽きることがなかった。厲王は魔神を払うために多くの裸婦をその泡の中に立たせて祈らせ、漸《ようや》くにして泡を消すことができた。庭いっぱいにひろがった泡はその周辺部から消えて行き、次第に小さくなって、最後に一匹の小さいイモリに化したと思うと、それは後宮の中へ走り去ってしまった。後宮の七歳の童女がこのイモリを捉《とら》えようとして手を触れたが、イモリはそのままどこかへ姿を消してしまった。

イモリに触った童女は長じて十七歳になると処女にして妊《みごも》って、子供を生んだ。人々はイモリの子だと言って忌《い》み嫌《きら》った。女は身を恥じて、父親の判らぬその子を棄てた。その頃国では、〝山桑の弓、箕草《みのぐさ》の箙《えびら》、周のお国は亡ぶでしょう〟という童謡が唄《うた》われていた。誰が唄い始めたか判らなかったが、時の為政者はその童謡を唄うことを禁ずると共に、山桑の弓と箕草の箙を作っている者を探した。すると、そうしたものを作ることを業としている夫婦者が見付かったので、それを捉えて殺そうとした。

夫婦者は国を出て褒の国へ逃れて行く途中、例の不幸な嬰児《えいじ》が棄てられてあるのを見て、憐れに思って、それを拾って褒の国へ伴って行って育てた。これが他ならぬ褒姒であると言うのである。

この話に依《よ》ると、褒姒はイモリの子にされているが、泡の子であると言ってもいいし、神竜の子であると言ってもいいわけである。いずれにしても、国に対して不祥に作用する何ものかを持っているものと言うほかなく、そうした子を育てるように運命づけられた夫婦者の手に依って育てられたのである。こう考えると、この説話は褒姒が幽王の寵妃でも愛妃でもなく、謂《い》うならば幽王の運命そのものであるということを物語っているように思われる。運命であるとすると、褒姒が笑わなかったことは異とするには当たらないようである。それが内部深くに匿《かく》し持っている生命のようなものが動き出した時だけ、運命は妖しい会心の笑みを浮かべたのである。褒姒は笑ったのである。

幽鬼

光秀《みつひで》＊は夜十時に麾下《きか》の将兵一万七百を率いて居城亀山城《かめやまじょう》＊を発した。遠く中国表《おもて》への出陣であるから、朝のうちに隊伍《たいご》を整えて威風堂々と城門から繰り出すのが普通であったが、それをまるで夜討でもかけるように夜陰に紛れて亀山を進発するということが誰にも多少の危惧《きぐ》の念を抱かせた。併《しか》し、それは五、六町の行軍の間に誰の胸からも跡形もなく消えてしまった。

この年天正十年は、五月の声を聞いた時からひどく暑かった。梅雨がなく、炎暑を思わせるような烈《はげ》しい陽光が毎日のように丹波一帯の山野を焼き、下旬にはいると天候は崩れるかに見えたが、曇った空の下に微風もない窒息するような蒸し暑い日々が続いた。この夜も暑かった。重い武具を持った将兵たちは瞬《また》く間に汗と埃《ほこり》に塗《まみ》れた。そしてまだ始まった許《ばか》りで、これからさき何日続くか判《わか》らない備中《びっちゅう》の戦線までの行軍の長さを各自が胸の中で計算していた。

主将光秀は部隊の先頭に立っていた。馬上にはあったが、光秀もまた全身汗に塗れていた。馬の首に手を触れると、馬の首もまた油でも塗ったように汗で濡《ぬ》れている。光秀自身は、併し、余り暑さは感じていなかった。この二、三日、ろくに睡眠もとっていないので、疲労が悪寒《おかん》となって、吹き出す汗はすぐ皮膚に冷たく滲《し》みた。

光秀は進軍を続けながらまだ、三木原へ出るか老《おい》の坂《さか》へ出るか心に決めかねていた。三木原へ出ると中国への順路となるが、老の坂へ出ると否応《いやおう》なしに道は京都へ通ずる。条野の部落を過ぎるまでにそれを決めてしまわなければならない。馬が一歩一歩脚を進めるごとに、光秀は自分が採るべき道の決定を迫られている思いであった。

安土《あづち》の信長《のぶなが》から中国への進軍を命ぜられたのは、半月程前の五月の十七日であった。*光秀は直《す》ぐ居城亀山から本拠の近江《おうみ》の坂本*に帰り、そこで六日間を過ごし、二十三日に再び亀山にとって返し、全軍に出陣の準備を命じた。二十八日に光秀は愛宕山《あたごやま》*に参詣し、その晩はそこに参籠《さんろう》、翌二十九日は愛宕の西坊で連歌師里村紹巴《さとむらじょうは》*らと百韻*を興行した。光秀は「時は今あめが下しる五月哉《かな》」と詠《よ》んだ。光秀の心に主君信長を弑《しい》そうという叛逆心《はんぎゃくしん》が最初に頭を擡《もた》げたのはこの時であった。その時一座に居た者から、信長も、嫡子信忠《ちゃくしのぶただ》も今明日中に京へはいるという噂《うわさ》を耳にしたからである。まさに時は今であった。信長は直接軍勢を持たずに京都へはいるであろう。自分は中国戦線に向かうために誰に憚《はばか》ることもなく一万の軍勢を動かすことができる。信長の生命《いのち》さえ断てば、彼の半生の業績はそっくりそのまま自分の掌《て》の中に転げ込んでくる。こうした好機が、今を措《お》いて再び自分に見舞って来ようとは思われぬ。

「時は今」と光秀は咏んだが、併しそれからずっと光秀の考えはその己《おの》が決心の周囲を徘徊《はいかい》していた。光秀は夜も昼も汗の滲み出している両の掌を固く握りしめていた。信長が二十九日に京の本能寺*にはいったことは判ったが、信長の首級を挙げてからの己が行動がはっきりと納得するようには自分に呑《の》み込めなかったからである。部隊はいつでも進発できるようになっていた。併し光秀は自分の採るべき途《みち》をまだ心の中ではっきり決めてはいなかった。部隊を動かしたくても動かせなかった。

それがこの夜九時に、京都から使者が来たことで一切は決まった。光秀はその使者の口から本能寺に於《お》ける信長が全く無防備な状態にあることと、信忠が室町薬師町の妙覚寺にはいり、これまた人数が手薄であることを知った。ここで初めて光秀の気持は決まり、光秀は直ぐ麾下の全軍に進発の命令を下したのである。

併し、城門を出る時からまた光秀の決心はぐらつき始めていた。信長も信忠も屠《ほふ》ることはできる。併し、それから先のことは依然として読めなかった。主君信長を弑するそのことには何の躊躇《ちゅうちょ》も感じていなかった。この戦国争乱の時代を生き抜いて行くためには、主君であろうと、肉親の者であろうと、必要とあればそれを屠ることは已《や》むを得ないことであった。いま自分が覘《ねら》っている当の信長もそうしたことに依《よ》って現在の地位を築いていたし、多少でも現在の名を知られている部将たちの尽《ことごと》くがそうした過去を持っていた。光秀は自分も亦《また》いまそれが必要であるので信長を屠るまでのことだと思っていた。信長を屠れば天下を奪《と》ることができたが、そうしない限り、天下は愚か自分の将来の見込みさえ立たなかった。ざっと見廻《みまわ》しても信長の部将の中で自分を凌《しの》ごうという勢いを見せている者は何人も数えることができた。家康《いえやす》も居れば柴《しば》田勝家《たかついえ》も居た。滝川一益《たきがわかずます》も居れば丹羽長秀《にわながひで》も居る。それから永年自分の下に居た羽柴《はしば》秀吉《ひでよし》でさえ、目下のところでは信長の寵《ちょう》を受けて何かと自分の先を越している。現に彼は中国戦線の総指揮者であり、去年は因幡《いなば》にはいって鳥取城を陥《おとし》れ、今年は備中に入り、目下毛利輝元《もうりてるもと》の属城である高松城を攻めている。今度の自分の中国表出陣も秀吉を赴援《ふえん》する信長軍の応援が役目であり、自分の立場は秀吉のそれと較《くら》べると遥《はる》かに微弱なものになっている。天下を覘うなら、まさに時は今であり、今を措いては再びないと言うべきであった。

今晩中に信長と信忠を屠る。そして時を移さず京に於ける信長の残党を殲滅《せんめつ》し、直ちに毛利、上杉《うえすぎ》、北条《ほうじょう》、長曾我部《ちょうそかべ》の地方諸将に使者を送って共同戦線を張り、信長の部将たちにも誘降の使者を発する。そして自分は近江に向かい、瀬田城主山岡景隆《やまおかかげたか》を誘降、さらに軍を安土城に進める。留守の蒲生賢秀《がもうかたひで》との間には一戦を免《まぬか》れぬが、これが攻略には一日をも要さぬであろう。伊勢《いせ》、伊賀《いが》は織田信雄《おだのぶかつ》の地盤ではあるが、信長に対する反抗分子も多く、その何分の一かは誘降に応ずる筈《はず》である。

上野《こうずけ》の滝川一益、甲斐《かい》の河尻秀隆《かわじりひでたか》、信濃《しなの》の森長可、毛利秀頼《ひでより》、北陸の柴田勝家等は遠隔の地にあるので、直《す》ぐには手を触れずにでも置ける。その間に自分の方は地盤を強固なものにする。長岡の細川藤孝《ほそかわふじたか》、忠興《ただおき》父子は永年昵懇《じっこん》の間柄《あいだがら》でもあり、忠興の妻は自分の娘である。そうしたことからこの二人は先《ま》ず自分の需《もと》めに応じてくれるであろう。自分の第四子を嗣子《しし》に入れてある筒井順慶《つついじゅんけい》*もまた身を自分の陣営に投じてくれることは間違いあるまい。

どうせ信長の麾下の武将たちとの大々的決戦は避けられぬが、それまでに自分の陣営は相手を凌ぐほど強大になっているであろう。

併し、と光秀は思った。今考えている総《すべ》てのことが仮定の上に立っていた。総てのことが仮定の上に立っているということが光秀を不安にしていた。信頼できる唯《ただ》一本の支柱でも欲しいところであった。併し、今の場合それは望めないことであった。計画は今のところ彼一人のものであり、この地上で他に誰も知っている者はなかった。

相変らずそよとも風のない真暗い山野を部隊は上ったり下ったりしていた。亀山城を出てから半刻《はんとき》程経《た》っているように光秀には思われた。実際は一刻以上の時間が経過していた。

光秀は自分の前を行く先駆けの小集団の徒歩部隊に従《つ》いていた。光秀は平坦《へいたん》な地にはいると馬を小走りに走らせ、先の部隊との開きを少し縮めようとした。

幾度かそれを繰り返しているうちに、光秀はふと訝《いぶか》しい気持に襲われた。自分は先刻から先の一隊との距離を縮めようとして馬を走らせているが、何時《いつ》見ても一向にその距離は縮まっていない。しかも、先の部隊は徒歩の一団である。

光秀は自分一人の苦しい思念からその時初めて離れて、己が前方に眼《め》を凝らした。十数人の一隊が駈《か》けるような早足で前進している。光秀は馬の手綱を緊《し》めた。後に続く部隊を引き離さないためである。すると前方の一隊もまた脚を停《と》めた。ひどく静かな停り方であった。

光秀はじっと瞳《ひとみ》を据《す》えて前方の一隊を見守っていた。暫《しばら》くして再び進発した。するとそれに呼応するように前の一隊も前進し出した。光秀はこの時初めて怪しいという思いに捉《とら》われた。考えてみると、自分は最初部隊の先頭に立った筈であり、その後も位置は変えていない筈である。

光秀は馬を停めた。

「あの者たちはたれの組の者か」

光秀はぴたりと自分の馬の横に馬体をくっつけている溝尾《みぞお》勝兵衛《かつべえ》に訊《たず》ねた。

「は!?」

曖昧《あいまい》な返事があっただけで、溝尾勝兵衛はあとの言葉を口から出さなかった。

「先を行く者はたれの組か」

「先を行くと申しますと?」

「あれが見えぬか」

そこまで言うと、光秀はあとの言葉を続けず、

「蒸し暑い夜だのう」

と話題を逸《そ》らせて言った。光秀は溝尾勝兵衛には見えぬものが自分だけに見えているらしいことに気づいたからである。

光秀は改めて前方の闇《やみ》に眼を遣《や》った。一人が立ち、その立っている武士の周囲を固めるようにして他の十二、三人の武士たちが身を屈《かが》め、片膝《かたひざ》を折っている。武士たちは孰《いず》れも武具で固めた背を見せている。が、光秀が見詰めている間中、その一団はまるで一塊の置物ででもあるように微動だにせず闇の中に坐《すわ》っていた。

やがて光秀はあっと短い驚きの声をあげた。武士たちが背負った指物《さしもの》の図柄が、夜目にぼんやりと浮き上がって見えたからである。白地に黒く描き出されているものは身をくねらせた一匹の百足《むかで》であった。丹波の豪族波多野氏の旗印である。

光秀は、いまここに波多野の武士が居る筈がないと思った。波多野の一族は三年前八上城で亡滅し、その領国丹波は現在光秀の所領になっている。

「波多野の武士ではないか」

「は!?」

先刻と同じ曖昧な答が、溝尾勝兵衛の口から発せられた。光秀はやはり自分の眼にだけしか映っていないことを知ると、自分はひどく疲れているなと思った。

「少し休むぞ」

光秀はそう言うと馬から降り、道端の熊笹《くまざさ》の繁《しげ》みの上に坐った。そして、他の者には見えず、自分だけに映る幻の正体を考えた。ただの武士ではなく、波多野の武士たちであるということが、やはり不気味であった。恐らく前方の幻の武士たちも、いま休息をとっているに違いない。そして、こちらが前進すればまた彼等も動き出すであろう。

光秀は幻の一隊を自分の眼から消すために眼を瞑《つむ》った。

光秀が丹波の八上城に波多野一族を亡《ほろ》ぼしたのは天正七年の六月初めであった。光秀は天正三年に信長から丹波地方の経略を命ぜられたが、この仕事は光秀にとってはひどく骨の折れる仕事であった。丹波一帯が険峻《けんしゅん》な山地である上に、長くこの地方を領していた豪族波多野一族が、精悍《せいかん》な地方武士を率いて最後まで新勢力の侵入を拒んだからである。光秀は幾度も本拠坂本城から出て丹波にはいり、波多野の軍勢と丹波各地に転戦し、一度は丹波全土を制圧したが、光秀が去ると同時に再び波多野氏の跳《ちょう》梁《りょう》するところとなった。

その為《ため》、再び大々的な丹波進攻となり、漸《よう》やくにして波多野一族を八上一城に閉じ込めてしまうことができたのは丁度三年前の天正七年のことである。

八上城は摺鉢《すりばち》を逆《さか》しまにしたような急斜面を東西南の三方に持ち、文字通り守るに易《やす》く攻めるに難《かた》い城であった。光秀は城を幾重にも取り巻いたが、そのまま兵糧《ひょうろう》攻《ぜ》めにして城の落ちるのを待つより手の下しようがなかった。

光秀が使者をたて、城内へ和議を申し込んだのは五月の中頃《なかごろ》であった。光秀は自分の母を人質として城内に送ることを条件とし、若《も》し城を明けるならば三千の城兵の生命を助け、主将秀治《ひではる》以下の本領を安堵《あんど》することを申し送った。

二日経って、城内からは和議に応ずる旨《むね》の返事があった。更に二日経って、主将秀治と、その弟秀尚の二人は近侍の者八十余名を連れ、途中まで武装した武士一千に送られて山を降《くだ》って来た。

光秀は豪勇無双の永年の敵を手厚く遇し、酒宴を張った。が、宴半ばに光秀が秀治等に安土に行って信長に謁《えつ》することを勧めたことから話はこじれ、宴席は忽《たちま》ちにして修羅場《しゅらば》と化した。秀治の近侍八十余名はその場で斬死《きりじに》したが、光秀は辛《かろ》うじて秀治、秀尚等十三人を捕虜にすることができた。

光秀は秀治等を搦《から》めとったが、和議の条件まで反古《ほご》にする気持はなかった。約束通り秀治、秀尚等の本領安堵を実現するつもりであった。併し、安土へ護送する途中に於て、秀治は捕縛される時負った手疵《てきず》が重くなって遂に息を引き取り、そして安土へ送られた秀尚等十二人の武士たちは、信長の命により慈恩寺で尽く首を刎《は》ねられて終わった。

この事件のために、八上城内では光秀の母を初めとする十数人の人質が、怒れる城兵たちによって磔《はりつけ》に処せられたのであった。

光秀にとって決して気持のいい事件ではなかった。殊《こと》に、安土で首を刎ねられた十二人の最期《さいご》の場に立ち会ったことは厭《いや》なことであった。秀尚等はいずれも恨みの形相凄《すさ》まじく、一人残らず復讐《ふくしゅう》を誓って首を刎ねられた。そしてそれらの首の中に、秀治の首も一緒に並べられたが、その時秀治の首はどういうものか、地面を転がって行って、一族の首の中へはいると、そのまま眼をむいた顔を地面の上に立てた。

光秀は幾度も眼を瞑っては、眼を開けた。そして熊笹の葉を払って立ち上がると再び馬上の人となった。波多野の武士たちの一隊は彼の眼から消えていた。夜の闇は先刻より一層深くなっていた。光秀を再び苦しい思念が捉《とら》え始めた。二つの道の一つを選ばなければならぬ時は眼の先に迫っていた。

暫くして光秀は傍の者に訊《き》いた。

「ここはどこかの？」

「間もなく老の坂でございましょう」

「何!?」

光秀は己《おの》が耳を疑った。何時《いつ》の間に、どのようにして老の坂迄《まで》来たのであろう。

光秀は部隊に小休止を命じると、初めて大事を打ち明ける為に、幾人かの武士たちを自分の周りに召集した。老の坂まで来てしまった以上、最早あとには退《ひ》けぬといった気持だった。自分の採るべき行動は今や好むと好まないに拘《かかわ》らず、はっきり決まっていた。

左馬助光春、次右衛門、藤田伝五、斎藤利三等が集まっていた。小休止はすぐ打ち切られた。

やがて部隊は行進を開始したが、今度は休みなしにひた歩きに歩いた。老の坂を上り切ると、前方に田の水が白く光って見えた。沓掛《くつかけ》の部落を過ぎたところで光秀は全員に食事を摂《と》らせ、それからなお軍を進めた。桂川《かつらがわ》を渡った時、光秀は初めて全軍に、これから本能寺の敵信長を攻撃することを命じた。

京へはいったのは夜明前であり、本能寺を囲んだ時は、夏の暁方《あけがた》の光が辺りに漂い始める時刻であった。

その月の十三日に、光秀は本能寺の変を聞いて急遽《きゅうきょ》備中から引き揚げて来た秀吉の大軍と山崎に戦った。光秀は信長、信忠の首級を挙げるまでは予定通り事を運んだが、それ以後のことは尽く事志《ことこころざし》と違っていた。細川藤孝、忠興父子も光秀の招きに応じなかったし、筒井順慶もまた日和見《ひよりみ》の態度をとって光秀軍に投じなかった。

合戦の勝敗は十三日一日で決まった。この日長く降らなかった雨が降った。夕方には光秀の主力は秀吉軍に包囲され、光秀軍に投じた武将たちは次々に討死し、総敗北となった。光秀が平原の中にある勝竜寺城に逃げ込んだ時は夜になっていた。併し、間もなく、この城も敵軍の包囲するところとなろうとした。光秀は近江坂本に落ちて再挙を図るために、近臣の者たち数名と共に闇に紛れて勝竜寺城を出た。溝尾勝兵衛、進士貞連、村越三十郎、堀毛与次郎、山本山人、三宅孫十郎等が光秀と行を共にした。

新戦場を雨は叩《たた》き、敗走する味方と、それを追う敵の鬨《とき》の声、そして銃声とが、真暗い平原の到るところから不気味に湧《わ》き起っていた。そうした中を光秀の一団はいずれも馬で城の北方を東へと進み、伏見へ出て、大亀谷から山地へ入り、小栗栖《おぐるす》への道を取った。

光秀は自分の現在の立場が如何《いか》なるものか、自分自身でも判断がつかなかった。それ程、今の光秀は心身共に疲労していた。信長を弑逆《しいぎゃく》してから僅《わず》か十三日目であったが、その間の不眠不休の行動と八方への配慮が、光秀の相貌《そうぼう》を全く別人のものにしていた。光秀はただ黙々と馬上に揺られ続けていた。

勝竜寺城を出てから一刻ほど経った頃、突然、光秀は従者の一人に制せられて馬を停めた。

「あの跫音《あしおと》は追手でしょうか。それとも味方でしょうか」

耳をすませてみると、雨脚の烈《はげ》しい音の合間に、徒歩部隊の跫音が間近に聞こえていた。

「前か」

「さように思われますが」

従者はいったんそう答えたが、再び、

「後のようでもございますな」

と言った。言われてみると、それは成程後の方から進んで来る跫音のようでもあった。跫音ばかりではなく、人々のざわめきの声も伝わって来る。

一同は路傍の竹藪《たけやぶ》に身を潜めて、その背後からやって来るかも知れぬ一隊をやり過ごすことにした。併し、相変らず跫音も話声も聞こえているのに、それは一向に近づいて来る気配はなかった。何時迄も雨が地面を叩く音と共に一同の耳に同じように聞こえていた。

「おかしゅうございますな」

堀毛与次郎が言った。おかしいと言えばおかしなことであった。

「空耳かも知れませぬ。とにかく歩き出してみましょう」

主従の一団は再び、いつか登りになっている細い道を歩き出した。人声と跫音は依然彼等と共に動いているようであった。光秀は途中でぎょっとして闇の中で眼を見開いた。行手に二、三十人と思われる一団の武士たちが歩いているのを発見したからである。しかも、彼等はやはり此《こ》の間光秀が闇の中に見た一隊と同じように、波多野の百足の指物を背に指しているではないか。光秀は尚《なお》も前方の闇に瞳を凝らした。

「前を行く者たちが見えるか」

光秀は言った。

「何でございますか」

「ほら、ずっと先の闇の中だ。あれが見えぬか」

傍の従者は前方を見詰めているようであったが、従者の眼には何もはいってはいない様子であった。光秀はそれに気づくと一行を振り返り、

「ここで暫く休息しよう」

と言った。

「休んでいる暇などありませぬ。すぐ追手が迫って居ります」

憤《いきどお》ったように言ったのは溝尾勝兵衛であった。

「いや休もう。休まないと道を踏み迷って坂本へ着けぬとも限らぬ」

光秀はいきなり路上に飛び降りた。兎《と》に角《かく》少しでも休まなければならぬと思った。老の坂へ自分を引っ張って行った幻の武士たちが、再び自分を捉えている。自分ばかりではない。今ここにいる総ての者にその幻の音が聞こえている。跫音や、話声を、皆の者の耳から消してしまわなければならぬ。そして自分は更に己が眼から波多野の武士たちの幻影を取り払ってしまわなければならぬ。

光秀は立っていた。雨は相変らず烈しく降り続け、坐りたくても坐ることはできなかった。それに、立っていてさえ睡魔は激しい勢いで光秀の全身を押し包もうとしていた。

光秀は再び馬に跨《また》がり、前方を睨《にら》んだ。矢張り光秀の眼には波多野の武士たちの姿がそこだけに漂っている異様な明るさの中に、はっきり映っていた。光秀はやがて彼等を照らし出している明りが篝火《かがりび》であることに気づいた。武士たちは思い思いの姿勢で、篝火の明りに照らされていた。或者《あるもの》は立ち、或者は腰を下ろしていた。一様に身を焦《こ》がすほど赤く染まって見えている。

光秀が馬を進ませると、波多野の武士たちも前進し出した。指物が火の粉を浴びて揺れ動いている。

「やはり波多野だな」

「何がでございます」

「あれを見よ。先を行く者の旗を」

「何と仰せでございます？　何も見えませぬが」

「跫音は聞こえるか」

「跫音は確かに聞こえて居ります」

「あいつらが歩いている音だ」

光秀はまた自分が喋《しゃべ》っている言葉に気づいて、やはり自分には休息が必要だと思った。併し、今は休むことはできなかった。光秀は馬上で目を瞑った。幾度か眼を開いたり瞑ったりしてみたが、どうしても波多野の武士の幻影を追いやることはできなかった。

「うぬ！」

疲労が呼んだに相違ない幻は、さすがに不気味ではあったが、光秀はこれを怨霊《おんりょう》だと思いたくはなかった。またそのようなことが起るとは信じなかった。自分が疲れている為に、そしてみんなが疲れている為に、この闇の中で変異が起っている。

「うぬ！」

二度目に叫ぶと同時に、光秀は波多野の武士たちに向かって突進しようと試みた。その瞬間、突如、光秀は脇腹《わきばら》に火のような疼痛《とうつう》が走るのを覚えた。光秀は自分の胴丸の横に何か突き刺さっているのを知った。光秀は自分でそれを右手で摑《つか》むと一旦《いったん》引き抜き、そしてそれを満身の力をこめて手許《てもと》に手繰り寄せた。光秀の摑んだものは竹槍《たけやり》であった。手繰り寄せられた竹槍の先端にそれを握っている人間の顔があった。

「波多野秀治！」

光秀は声にならぬ叫びをあげた。それは、口をきつく結び、半眼をあけて宙を睨《にら》んでいる、いつか慈恩寺の庭を転がった秀治の首であった。

光秀は竹槍を押し遣るようにして手を離した。次の瞬間、新しい疼痛が再び全身を貫いた。こんどは竹槍が脇腹から背の方へ突き通っているのを光秀は思考の失せかけている頭の中で感じた。

光秀は田楽刺《でんがくざ》しのまま、相手を見据《みす》えた。

「幽鬼！」

併し、そこにはもう秀治の凄まじい形相はなく、獰猛《どうもう》な一人の野武士が、品のない顔の中でその小さい野卑な眼をらんらんと光らせていた。

光秀は誰かの叫び声を聞いたように思った。光秀は自分の体がいつか馬上にはなく、竹槍に突き刺されたまま、地上で右に左に蹣跚《よろめ》いているのを知った。光秀は最期の眼を見張った。波多野の武士も、その指物も、それらを照らす篝火も消え失せていた。そこには暗い闇があるばかりで、辺りを車軸の雨が叩いている。

光秀は幻が消えたことで吻《ほっ》とした。自分はひどく疲れているのだと思った。そして二度と覚めることのない休息にはいるために、幽鬼というものを決して信じようとしなかった光秀は前にのめった。

補陀落《ふだらく》渡海記

熊野《くまの》の浜ノ宮海岸にある補陀落寺《ふだらくじ》*の住職金光坊《こんこうぼう》が、補陀落渡海した上人《しょうにん》たちのことを真剣に考えるようになったのは、彼自身が渡海しなければならぬ年である永禄《えいろく》八年の春を迎えてからである。それまでも自分の先輩であり、自分が実際にその渡海を眼《め》に収めた何人かの渡海上人たちのことを考えたことがないわけではなかったが、同じ考えるにしても、その考え方はまるで違ったものであったのである。

　と言うのも、金光坊自身、自分が渡海するかしないかといった問題は、実際のところそれまではそれほど切実に自分の身に結びつけて考えてはいなかったのである。なるほど補陀落寺の彼の前の住職である清信上人は六十一歳で永禄三年に渡海しており、その前の日誉上人も天文十四年十一月、六十一歳で渡海している。それからその前の正慶上人は天文十年の十一月の渡海で、やはり六十一歳の時である。こうして補陀落寺の住職の前任者を並べてみると、三代続いて、六十一歳の年の十一月に、補陀落の浄土を目指して、浜ノ宮の海岸から船出していることになる。併《しか》し、だからと言って、補陀落寺の住職がすべて六十一歳の十一月に渡海しなければならぬというような掟《おきて》はどこにもないのである。

補陀落寺は確かにその寺名が示す通り補陀落信仰*の根本道場である。往古からこの寺は観音浄土《かんのんじょうど》である南方の無垢《むく》世界補陀落山《ふだらくせん》に相対すと謂《い》われ、そのために補陀落山に生身の観音菩薩《かんのんぼさつ》を拝し、その浄土に往生せんと願う者が、この熊野の南端の海岸を選んで生きながら舟に乗って海に出るようになったのである。浜ノ宮はその解纜《かいらん》場所、補陀落寺はいつかその儀式を司《つかさど》る寺となったが、併し、補陀落寺の住職が自ら渡海しなければならぬといった掟はそもそも初めからどこにもないのであった。ただそうした補陀落信仰と関係深い寺であるので、創建以来長い歴史を通じて、渡海者の多くは補陀落寺に一時期身を寄せ、そしてこの寺から出て船出しているし、住職の中からも何人かの渡海者を出しているのである。寺記に残っている渡海上人たちの名は十人近くあろうか。いずれも渡海した年齢はまちまちであり、十八歳の上人も居れば、八十歳の高齢の渡海者も居る。

それが、たまたま近年になって、三代続いて補陀落寺の住職が六十一歳で渡海することがあって、そのために何となく補陀落寺の住職は六十一歳になると、その年の十一月に渡海するものだといった見方が世間に於《お》いて行なわれるようになり、またそうした見方が、この寺の歴史からするとさして不自然でなく成立するようなところもあって、六十一歳になった金光坊もそうした世間の見方から逃れられぬ羽目に立ち到《いた》ったわけであった。

世間のこうした見方というものに、これまで彼自身さして深い関心を示さなかったというのは、あるいはまた、そうした見方に気付いていてもそれほどそれが決定的な強い力を持つものであるということに思い到らなかったというのは、何と言っても若年から僧籍にはいった金光坊の世間知らずの迂闊《うかつ》さと言うほかはなかった。

金光坊とて補陀落寺の住職である以上、いつか自分もそうした心境に立ち到れば渡海上人としてここから船出しないものでもないぐらいのことは考えていたし、また僧侶《そうりよ》としてそうしたいつか自分のところへやって来るかも知れない日を、必ずしも期待しないわけのものでもなかった。金光坊にしても僧侶として多少の自負もあったし、渡海ということへの仏へ仕える身としての一種の憧憬《しようけい》に似た陶酔もあった。自分の師である三代前の正慶上人の渡海の立派さは、今もありありと眼に残っていて、自分もできるならそうなりたいとかねがね思っていたのである。ただそうした高い信仰の境地へ、正慶上人は六十一歳で到達できたが、鈍根の自分は更に何年かの修行の年月を必要とすると思っていたのである。渡海する心境に到達することが、補陀落寺で一生を過した僧としての金光坊のやはりそれは一つの悲願でなかろう筈《はず》はなかった。

そうした金光坊に対して、永禄八年という年は、思いがけずひどく意地悪い年としてやって来たのであった。金光坊は年の初め早々から、寺を訪ねて来る人々から、渡海は十一月の何日であるかとか、いよいよ渡海の年になったが、せめてものお役に立ちたいので、自分にやれることなら何なり申し付けてくれないかとか、そんな言葉をかけられた。渡海するその年になるまでは、さすがに口から出さないでいたが、もうその年が来てしまったのだから、これ以上黙っていてそのことに触れぬのは却《かえ》ってお上人さまに対して失礼であろうからといったそんなものが、いささかの悪意もなしにどの人の顔にも、その言葉にも感ぜられた。

意地悪い考えからそのようなことを言う者はなかった。金光坊は若い時から身を処するには一応厳しい方だったし、ずっと目立たない存在ではあったが、どこかに素朴《そぼく》な人柄のよさもあって、そうしたところが中年を過ぎてから地方の檀徒《だんと》の間では想像以上の信望をかち得ていた。もうここ何年も金光坊は自分に対する人々の眼に、自分に対する崇敬と親愛の念が籠《こ》められているのを見ないことはなかった。こうしたことは里人の間でも、寺関係の人々の間でも、熊野三社関係の、いわゆる那智《なち》の滝衆の間でも同様だった。金光坊は誰からも充分尊敬され親しまれていたのである。

金光坊は正月から春まで、そうした自分が渡海するという世間の見方に迷惑を感じ、近い機会にそれを訂正して、自分の渡海の時期は、自分がその心境になるまで何年か先に延ばさねばならぬし、またそうしなければ折角渡海の船出をしても、補陀落山へ行き着くことはできないであろうということを諒解《りようかい》して貰《もら》うつもりだった。併し、春になると、金光坊はそうすることに絶望を感じた。一人や二人なら理解して貰えたし、理解させることもできたが、彼の渡海を信じている者は十人や二十人や百人や二百人ではなく、それは広い世間全部と言ってよかった。

　金光坊が巷《ちまた》へ一歩足を踏み出すと、渡海上人であるということで、彼の足許《あしもと》には賽《さい》銭《せん》が降り注いだ。子供までが追いかけて来て賽銭を投げた。そのために街を歩く金光坊のあとには、いつも賽銭を拾う乞食《こじき》が何人も付き纏《まと》う程だった。それからまた観音の浄土まで携行してくれと故人の位牌《いはい》が届けられて来たり、生きている者までわざわざ己《おの》が位牌を作って、それを金光坊の許に持参して来たりした。

　こうなると、金光坊は好むと好まざるに拘《かかわ》らず、渡海しなければならぬもののようであった。若《も》し自分に目下渡海する考えのないことなどを口走ったり、それが何年か先のことであるなどと言おうものなら、世間というものは承知しないに違いなかった。どのような騒ぎが起り、どのような危害が身に及ぶか見当が付かなかった。

　金光坊はそのために自分がいかに世の中から葬《ほうむ》り去られようと、それはそれで耐えられぬこともなかったが、そのために観音信仰というものに汚点のつくことを考えると、それには耐えられなかった。若し小さい自分というものの言動一つで観音に対する信仰に瑕《きず》でもつこうものなら、それこそ僧として仏に対して詫《わ》びのしようはなかった。死んでもその罪は消えないものと思われた。

金光坊が正式に自分がこの十一月に渡海するということを発表したのは、三月の彼岸の中日だった。発表の折は熊野本社で古儀に則《のっと》って儀式が行なわれた。金光坊はこれまでこの儀式に侍僧として七回出席していたので、そのことについては誰よりも詳しかった。金光坊はその日に先立って多くの関係者に対して、その儀式の順序次第や、供花や楽器のことなどを教えた。金光坊が諳《そら》んじているものを口から出すと、清源という十七歳の弟子の僧侶がそれを傍で記録した。

この清源の姿を見た時、金光坊には多少の感慨があった。金光坊は二十七歳の時、いまの清源と同じように、やはり渡海して行く祐信《ゆうしん》上人の前に坐《すわ》って、彼の口から出る儀式の次第を聞いて書き写したものであった。清源も亦《また》、この補陀落寺に居る限りは何十年か先には渡海するような運命に見舞われぬものでもなく、何となくわが身に引き較《くら》べた痛ましい気持で、金光坊は稚《おさな》い僧侶の剃《そ》られた青い頭を見守っていた。

補陀落渡海がいつ頃《ごろ》から行なわれるようになったか詳しいことは勿論《もちろん》判《わか》らないが、

金光坊が繙《ひもと》いた寺の古い記録*によれば、貞観《じようがん》十一年十一月三日に熊野の海岸から渡海した慶竜《けいりゆう》上人が最初ということになっている。貞観と言うと、金光坊の生きている永禄から七百年程昔のことになる。その次が五十年程の間隔をおいて、延喜《えんぎ》十九年二月の祐真上人。この人は奥州《おうしゆう》の人だと但書《ただしがき》がついているから渡海の希望を持って奥州からやって来て、補陀落寺に渡海前の何年か何カ月かを過した僧侶なのであろう。三番目は天承元年十一月の高厳上人。祐真上人との間には二百年以上の歳月が置かれている。それから更に三百年を経た嘉吉《かきつ》三年十一月に四番目の祐尊上人が渡海している。それから更に五十余年を経て、明応七年十一月の盛祐上人の渡海となるわけだが、その盛祐上人の渡海は金光坊の生れる七年前のことであり、この僧侶の学徳の誉《ほまれ》高かったことについては、金光坊も補陀落寺にはいった当座からいろいろと聞かされていた。それから金光坊もよく知っている足駄許《あしだばか》り履いていて足駄上人と謂《い》われ、奇行の多かった祐信上人の渡海までには三十三年の隔りがある。

いまこそ補陀落寺は補陀落渡海あっての寺のように言われ、昔から少し気の利《き》いた僧侶は尽《ことごと》くこの寺へやって来て渡海の儀式を終え、さっさと渡海して行ったように思われているが、金光坊の知る限りでは決してそのようなものではなかった。この寺の古い記録にある上述の慶竜、祐真、高厳、祐尊の四上人以外に、この寺の住職以外でこの寺から渡海した者は、信ずるに足るものだけを拾えばほんの二、三の例しかない。下河辺《しもこうべ》行秀《ゆきひで》という武人が貞永《じょうえい》二年に、入道儀《ぎ》同三司《どうさんし》房冬が文明七年に、それぞれ渡海したというのは、他の寺の記載にもあるので事実として見ていいであろうが、その他は殆《ほとん》ど信ずるに足らぬもの許りであった。

従って、補陀落渡海、補陀落渡海と言うが、七百年程の間に渡海者は十人あるかなしである。また考えてみればそれが当然なことに思われた。普通の人間が寺詣《てらまい》りでもするようにやたらに渡海できる筈のものではなかった。渡海者は僧侶の中でも何千人か何万人かに一人という特殊な人であるに違いなかった。渡海するに相応《ふさわ》しいだけの修行を積み、海上に於ての特殊な生命《いのち》の棄《す》て方を信仰の中に生かすことのできる僧侶は、何十年、何百年に一人しか出るものではない。

それがどういうものか近年やたらに渡海者が多くなり、金光坊の六十年の生涯《しょうがい》の中に足駄上人を初めとして五年前に渡海した清信上人まで七人の渡海者を算《かぞ》えるに到ったのである。しかもこの中の二人は、二十一歳と十八歳の若者である。信仰のために渡海しようという希望を持った者に対して、それを阻止できる権利を持つ者は寺には勿論のこと、この世には居ないのである。現世の生を棄て、観音浄土に生れ変ろうという熱烈な信仰は、万巻の経典が信仰の窮極の境地として説いているものに他ならなかった。

金光坊は永禄八年になって渡海騒ぎが始まるまで、渡海そのものに対して、そこに一抹《いちまつ》の疑念もさし挟《はさ》んだことはなかった。船底に固く釘《くぎ》で打ちつけられた一扉《いっぴ》すら持たぬ四角な箱にはいり、何日間かの僅《わず》かな食糧と僅かな燈油を用意して、熊野の浦から海上に浮ぶことは、勿論海上に於ての死を約束するものであった。併し、それと同様に息絶えたものの屍《しかばね》は、その者が息絶えると同時に、丁度川瀬を奔《はし》る笹船《ささぶね》のように、それを載せた船と共に南方はるか補陀落山を目指して流されて行く。流れ着くところは観音の浄土であり、死者はそこで新しい生命を得てよみがえり、永遠に観音に奉仕することができるのである。

熊野の浦からの船出は現世の生命の終焉《しゅうえん》を約束されていると同時に、宗教的な生をも亦《また》約束されているものであった。従って、金光坊は未《いま》だ曾《かつ》て一度も、渡海者たちの顔に絶対に帰依《きえ》する者だけの持つ、心の内側から輝き出して来るような一種独特の静けさと落着き以外の何ものも見たことはなかった。死への悲しみや怖《おそ》れなど微塵《みじん》もなく、寧《むし》ろそこには新しい生への悦《よろこ》びが窺《うかが》われた。渡海者は一様にもの静かで晴れ晴れとした顔をしており、そして彼等を見送る者たちも亦、多少の好奇心を除いては、鑽《さん》仰《ぎょう》の念以外のものは、彼等に対して懐《なつ》かなかった。

併し、金光坊がそうした過去の渡海者たちに対して今までとは違った向い方で向うようになったのは、己が渡海を世間に発表してからであった。金光坊の眼には、寝ても覚めても自分の知っている何人かの渡海者たちの顔が、今までとは少しく異なった表情で入れ代り立ち代り現われるようになったのであった。

金光坊は春から夏へかけて補陀落寺の自室から出なかった。外出すると賽銭を投げられたり、生仏《いきぼとけ》のように拝まれたり、あるいは浄土への携行物を託されたり、死にかかっている病人の額に触らせられたり、そうしたいろいろのことも煩《わずら》わしかったが、それより金光坊はあと三、四カ月先に迫っている渡海に対して、曲りなりにもそれに応じられるだけの自分を作らなければならなかったのである。突然渡海ということに立ちはだかられてみると、金光坊は自分がまだ何の心準備もできていないことを知らなければならなかった。金光坊は明けても暮れても読経三昧《どきようざんまい》にふけった。いつ侍僧が居室へ顔を出しても、金光坊はいつも痩《や》せぎすの背を見せ、経を誦《ず》す声だけがそこからは立ちのぼっていた。

たまに経を誦していない時もあったが、そうした時は金光坊は気抜けしたように呆《ぼう》然《ぜん》と室内の一点へ眼を当てていた。侍僧が声をかけても容易なことではその視線を侍僧の方へは向けなかった。侍僧はそうした金光坊の様子をいつも同じ言葉で周囲の者に伝えた。渡海上人たちは海へはいってヨロリになられるそうだが、この頃のお上人の顔ときたら、渡海せんさきからヨロリそっくりじゃ。

実際に渡海上人の霊はヨロリという魚になると言われていた。ヨロリはミキノ岬《みさき》と潮ノ岬の間にしか棲《す》んでいず、土地の人はこの魚は捉《とら》えても直《す》ぐ海に返してやり、決してそれを食用にすることはなかった。

金光坊は生れつき長身で痩《や》せており、それでなくてさえ外見は長細いヨロリに似ていたが、侍僧にヨロリに似ていると言わせたものはそうした体恰好《かっこう》から来るものではなく、その眼であった。金光坊の放心したように焦点を持たぬ、それでいて冷たい小さい眼は、確かにヨロリという魚のそれに似ていた。

金光坊は瞑目《めいもく》して読経しているか、でない時はヨロリの眼をどこを見るというでもなく見開いていた。ヨロリの眼をしている時は、金光坊はいつも自分の先輩である渡海上人たちの誰かのことを考えていたのである。

金光坊も一日に何回か、ほんの僅かの時間だが、ヨロリの眼から人間の眼に返ることがあった。それは自分がもう長いこと渡海上人の誰かのことを考えていたことに気付き、ああ、こんなことをしていてはいけない、こんなことを考えていてはいけない、そんな暇があったら経を誦すことだ。経さえ誦していればいいのだ、と自分を叱《しか》りつける時であった。この時だけ金光坊は本来の自分の眼に立ち返り、それから再び憑《つ》かれたように経を誦し始めるのであった。
併し、経を誦し終ると、いつか、金光坊はまたヨロリの眼になってしまった。渡海した上人たちの誰かのことが彼の心を捉えてしまうのである。謂《い》ってみれば、この時期の金光坊の毎日は、ともすればヨロリになり勝ちな自分の眼を、読経に依《よ》ってそうした状態から救うことであった。つまり、執拗《しつよう》に彼の眼の前へ入れ代り立ち代り立ち現われて来る渡海した上人たちの顔を自分の眼から追い払うことであった。それに精根を費していたと言っていいのである。

金光坊が補陀落渡海に立ち合った最初は享禄《きょうろく》四年の祐信上人の場合で、祐信はその時四十三歳であった。金光坊は郷里の田辺の寺から補陀落寺へ移って来てから半歳経った許《ばか》りの時で二十七歳であった。祐信はいつも足駄許り履いていて奇行が多く、寺でも何となく変り者として特別扱いにされていたが、突然物にでも憑かれたような恰好で補陀落渡海を宣言して周囲のものを驚かせ、宣言してから三カ月目に実際に渡海を実行したのであった。この祐信の渡海はその前の渡海者盛祐上人の時から三十三年の開きがあったので世間の視聴を集めるに充分だった。渡海の日は近郷近在は勿論、遠くは伊勢、津あたりからも渡海を拝もうという人たちが集まって、浜ノ宮の海岸は大変な人出だった。

祐信も亦《また》田辺出身の僧で、金光坊は郷里が同じだということで、短い期間ではあったが、祐信とは他の者より多少親しく話す機会を持った。祐信は金光坊によく自分には補陀落が見えるというようなことを言った。どこに見えるかと訊《き》くと、海の果てに天気のいい日ははっきりと浮んで見えると言った。そして、自分の心を空《むな》しくして仏の心に帰依した者には誰にも補陀落は見える筈だ。お前もその気になって信仰生活に徹すれば必ず自分と同じように補陀落が見えて来るだろうと言った。補陀落という所はどのようなところか、貴方《あなた》の眼《め》にはどのようなところとして映っているかと訊くと、そこは大きな巌《いわお》でき上っている台地で、烈《はげ》しい波濤《はとう》に取り巻かれている。その波の砕け散る音まで自分のところには聞えてくる。併《しか》し、その波濤に取り巻かれた巌の台地は、どこまで行っても尽きない程の広さを持ち、限りなく静かで美しいところで、永遠に枯れぬ植物が茂り、尽きることのない泉が到《いた》るところから湧《わ》き出していて、朱《あか》い色をした長い尾の鳥が群がり棲み、永久に年齢《とし》を取らぬ人間たちが仏に仕えて嬉々《きき》として遊びたわむれている。祐信はそんなことを言った。

祐信は渡海の日、滞りなく渡海の儀式をすませると、浜ノ宮の一の鳥居のところから舟に乗ったが、その附近一帯を埋めている見送りの群衆には全く無関心であった。そして舟へ乗り移るまで付き添って世話をしていた金光坊に、今日は取り分けよく補陀落山が見える。お前もいつかやって来るがいいと言って、それから低く声を出して笑った。その笑い顔を見た時金光坊は何となくはっとした。それでなくてさえ、平生《へいぜい》でも、坐って見えている祐信の眼が、この時は青い光でも発しているかのように鋭く見えた。

祐信の舟は海上三里の綱切島まで同行者の乗り込んだ数隻《せき》の舟に付き従われて行き、そこでこんどは同行者と別れて沖合へと一隻だけ押し出されて行った。

綱切島まで送った人々の話では、祐信の舟は一隻だけになると、まっすぐに南へ向けて黒い波濤の中を揺れ動いて行ったが、それは一本の綱にでも引っ張られて行くような速い進み方だったということだった。絶えず彼の眼に映っていた補陀落浄土へと仏の力に導かれて進んで行ったのかも知れなかった。

祐信は渡海後祐信上人と称《よ》ばれたり、足駄上人と称ばれたりした。渡海前後、彼を変人扱いにしていた寺の人たちも、誰ももう足駄上人の悪口を言うものはなかった。足駄を履いた僧侶の奇行は、いろいろな意味をもって考えられるようになり、そのどれもが鑽仰の念を以《もっ》て語り継がれるようになった。

金光坊は祐信からお前もやって来いと言われたが、それから三十四年後本当に金光坊は祐信の行った補陀落へ行くことになったのである。現在の金光坊には祐信が舟に乗り移る時見せた青い光を放った憑かれたような眼が、祐信のことを思うと思い出された。祐信が海の果てに補陀落浄土を見ていたことは疑うことは出来ないが、それを見ていた祐信の眼は常人の眼とは違っていたのではなかったか。彼の渡海には死の約束はなかったのだ。彼は死など一度も考えてはいなかったに違いない。死も考えなかったし、同時に、また生も考えなかったのだ。彼の青い光の眼は、実際補陀落を見、そしてそこへ憑かれて歩いて行っただけのことなのであろう。

それから十年経って、正慶上人の渡海があった。正慶上人が渡海を発表した時、世間の人は誰もそのことに少しも異様な感じは持たなかった。渡海などのことは口に出さないで一生寺で過しても、正慶上人は世間の人々から充分尊ばれたに違いなかったが、渡海を発表すればしたで、それはそれでまた、正慶上人らしいことに思われた。そうしたところは何と言っても正慶上人の豪《えら》さであった。ひと摑《つか》みにできそうな小柄《こがら》な体、年齢より十歳以上も多く見える皺《しわ》だらけの顔、その中の慈愛深い二つの眼。

金光坊は正慶上人が渡海すると決った時、心は悲しみで閉ざされたが、これは全く上人と別れなければならぬということから来る悲しみであった。もう上人の優しい労《いたわ》りの籠《こも》った言葉にも、心の底に滲《し》み通る嚙《か》んで含めるような訓戒にも、もう接することができなくなると思うと、堪《たま》らなく悲しかったのである。自分を産んでくれた親と別れても、これほど深い悲しみはないだろうと思われた。

渡海する年の夏、上人の部屋へはいって行った金光坊に、正慶上人は何かの話のはずみで、広い青海原で死ぬのはいいものじゃろうよと言った。死ぬんでございますかと金光坊は訊いた。この時まで金光坊は補陀落渡海が海上での死を意味すると考えたことはなかった。死ぬには違いなかったが、補陀落へ渡り、永遠の生を得ることが目的である筈《はず》であった。そりゃ、死ぬ。死んで海の広さと同じだけある広々とした海の底へ沈んで行く。いろんなうろくずの友達になる。そう言って上人はいかにもそのことが楽しそうに屈託なく笑った。

正慶上人はこの時許《ばか》りでなく、渡海の舟へ乗り込む時も、また綱切島から船出して行く時も、いつもにこにこしており、平生と少しも違わなかった。大抵の渡海者は四角な箱にはいり、その箱を船底に打ちつけて貰《もら》ったが、上人だけはそんなことはしなかった。箱は置かれてあったが、箱から出て艫端《ろばた》にきちんと坐り、手を挙げて一同と別れを惜しんだ。上人は泣かなかったが、送る側は老若男女を問わずみな泣いた。

上人は屍が補陀落へと流れて行くことを考えず、海底へ沈むことを考えていたが、それではなぜ補陀落渡海したのであろうか。

それに対して、いまの金光坊に考えられることは一つしかなかった。正慶上人はそうすることが、観音信仰への自分の為《な》すべき最上のことだと思っていたのに違いなかったのだ。天文の初めから上人の渡海した十年へかけて、熊野《くまの》地方には天災地異がたて続けに起っていた。七年正月の大地震、同じく八月の山崩れ、この時は本宮の垂木《たるき》柱《ばしら》が悉《ことごと》く割れ砕けるという鎮座以来の不思議があった。また九年八月の大風雨には七人衆の川舟はみな流れ、在々浦々で多くの死者を出した。それからまた正慶上人の渡海の年の八月にも大洪水《こうずい》があった。こうしたことに加えて、京方面は争乱続きで、その余波を受けてこの地方にも殺伐な事許りが起っていた。夜盗の群れが横行し、やたらに殺人や傷害沙汰《ざた》が多く、信仰心といったようなものは全く地を払っていた。正慶上人はそれが悲しかったのだ。そして信仰というものへ世間の心を惹《ひ》くために、補陀落渡海を思い立ったのである。

併し、それにしても、いまの金光坊に気になることは、あれだけの上人が、海上に於《お》ける往生以外、補陀落への渡海ということになると、それを少しも信じていなかったのではないかということであった。上人の場合はそれはそれでいいが、金光坊の場合は、それでは心に納得できぬものがあった。上人のような高い信仰の境地に到達すれば、補陀落へ着こうと着くまいと、それはそれでいいわけであったが、金光坊としては自分の死体がただ海の底へ沈んで行くだけでは、それだけのための渡海であるとしたら、死んでも死にきれぬ気持であった。

正慶上人の渡海から四年目に日誉上人が渡海した。この上人は正慶上人のあとを継いで補陀落寺を預かった人であるが、正慶上人とは異なって病弱で気難かしい僧侶《そうりよ》であった。金光坊はこの人物に仕えた四年間は、気持の休まる時はない思いだった。寺の人からもみな怖《おそ》れられていた。だから日誉上人の渡海が発表された時、そのことの意外さは兎《と》も角《かく》として、吻《ほっ》とした思いを持ったのは金光坊一人ではなかった筈である。日誉上人は生に執着の強い人で、平生でも風邪一つひいたら大変な騒ぎであった。それが渡海の年の正月から持病の喘息《ぜんそく》がひどくなり医者にかかっても少しも効果はなく、自分でも自分の生命がこのままで行ったら幾らもないことを悟ったのである。そして突然どうせ六十一歳で病歿《びょうぼつ》するくらいならいっそ補陀落渡海をと思いたったものらしかった。

併し、この日誉上人の場合は、補陀落渡海に依って、現身《うつしみ》のまま補陀落浄土へ行き着けぬものでもあるまいという考えが強く働いていたことは疑えない。渡海前年の秋あたりから、日誉上人は康治元年の一月どこかの国の僧侶が土佐の国から渡海して現身のまま補陀落浄土へ行って、そこを見物して帰って来たという話や、どこのたれそれが文明年間に渡海して、これまた補陀落浄土へ詣《もう》で無事に帰国した話などを何かの書物で読んだらしく、そうしたことを誰彼の見境なく話すことが多くなった。日誉上人の渡海にはこうした伝説か物語か判《わか》らぬものが、大きい力をもって働いていたことは否《いな》めないようであった。併し、渡海を決意してから渡海の日までの日誉上人は兎も角立派であった。渡海上人の称号を貰ってから急に気持がしゃんと立ち直った感じで、渡海の年の夏から秋へかけては別人のように穏やかになった。他処目《よそめ》から見ている限りでは、上人の心の内部にはもはや生とか死とかそうした観念はいささかもないようであった。

日誉上人は渡海の前日、自分の乗る舟を浜辺まで見に行った。その時金光坊は供をして一緒に行ったが、上人は舟を見た時だけ、少し不機嫌《ふきげん》な顔をして、正慶上人の時もこのように小さな舟だったかと言った。金光坊は前の上人の場合はもっと小さかったと答えた。

渡海の日、日誉上人は舟へ乗り移る際、水際《みずぎわ》から舟縁《ふなべ》りへ渡してある板の橋を踏み外して、片脚を海水に浸した。この時日誉上人は誰にもそれと判る顔色の変え方をして、何とも言えず厭《いや》な顔をした。金光坊はこの時の上人の顔ほど絶望的な顔を見たこ

と傍に居る者に訊《たず》ね、返事を聞く度にそんなことがあろうかと思った。金光坊は相変らず読経三昧に日を送っていた。立秋からあとは一日の時間が信じられぬ早さで飛んで行った。朝も晩も一緒にやって来るように思われた。

金光坊は、はっきり言って、依然として補陀落渡海する心用意が何もできていない自分を感じていた。読経の合間合間に、相変らず自分の知っている渡海者たちの顔は次々に立ち現われて来たが、現在の金光坊には、それらの顔は、それぞれに親しみも懐《なつか》しさも感じはしたが、併《しか》し、例外なく補陀落渡海とは何の関係もない人間の顔に見えた。自分の渡海など考えてもいない長い間、金光坊が彼等に対して懐いていた崇高なものはすっかりその顔からは消えていた。

口癖のように補陀落山が見えると言った足駄上人と梵鶏上人の二人の顔は、いま考えてみると、常人のそれではなかった。世を厭い人を厭う老人の厭世からの行為としか解されぬ清信上人の渡海に到《いた》っては、どう考えても信仰とも観音とも補陀落浄土とも無縁であった。清信上人の眼《め》はそんなものは何も見ていなかった。彼の見ていたものは熊野の海の黒い潮のぶつかり合いだけなのである。その点は、一番立派な渡海の仕方を見せた師正慶上人の場合でも同じことであった。正慶上人は自分が死ぬということだけをはっきり知っていて、自分の死体を海底へ沈めて行く潮の動きだけを見ていたのである。自分の死体が補陀落山へ運ばれて行こうとも、観音の浄土へ生れ変ろうとも、そんなことは微塵《みじん》も考えていなかったに違いない。それでなくて、あんな落ち着いた静かな眼を、人間は持てるものではない。

まだ何かを見詰めていたというなら、それは日誉上人だろう。日誉上人は舟へ乗り込む時も、乗り込んでからも、そして何日か何十日か経って舟が板子一枚になり、その上に乗っている時も、いつも生きることを見詰めていたに違いない。まだ自分は救われるかもしれない、観音の救いの手が自分に及ぶかも知れない。そういう奇蹟《きせき》を求める心を失わなかったに違いない。併し、彼も亦、本当の意味では信仰とも観音とも補陀落浄土とも無縁であった。結局は、信じると言える信じ方で、そうしたことを一度も信じたことはなかったのである。

二十一歳の光林坊と、十八歳の善光坊の二人は、静かな何とも言えず心の惹かれる渡海の仕方をしたが、併し、これとて信仰とは無縁なのだ。骨と皮だけになった瘦せ衰えた少年たちは、どんな大人たちよりも、自分の生命というものにいさぎよく諦《あきら》めをつけていたのである。

金光坊は自分の眼の前に現われて来るそうした幾つかの顔を、それを見詰めている自分に気付くと、いつも大急ぎでそれを追い払った。みんな惨《みじ》めであった。自分はそのどの一つの顔になるのも厭だと思った。それでいて、ともすればそのどの一つの顔にでもなりそうであった。祐信や梵鶏の顔にも、正慶上人の顔にも、日誉の、清信の、光林の、善光のそれぞれの顔にも、少し心をゆるめれば立ちどころにしてなってしまいそうであった。

金光坊としては、自分の知っている渡海上人たちの誰とも別の顔をして渡海したかった。どのような顔であるか、勿論、自分では見当が付かなかったが、もっと別の、一人の信心深い僧侶としての、補陀落渡海者としての持つべき顔がある筈であった。どうせ渡海するなら、自分だけはせめてそうした顔を持ちたいと思った。

併し、十月の声も聞いて、渡海する日が僅か一カ月あとに迫る頃《ころ》になると、金光坊は、自分の眼に浮んで来る渡海上人たちの顔に対して、また別の考え方をするようになった。これはかなり大きい変り方であった。金光坊は、そのどの一つの顔でもいいから、それに自分がなれるものならなりたいと思うようになったのである。秋の初めまでは、ともすればそうした顔のどれにでも容易になりそうな自分を感じ、それに嫌《けん》厭《えん》を感じていたが、いまは反対にそのどの一つにでも、なれるものならなりたかった。なりたいと思ってから、容易になれると思ったことがいかに甘い考えで、簡単なことではそれらのどの一つの顔にもなれるものではないということが判ったのであった。

金光坊は、自分の眼にも補陀落の浄土が見えて来たら、どんなにいいだろうと思った。祐信や梵鶏の、常人のそれとは思われぬ青い光を発している眼も羨《うらや》ましかった。清信上人のこれで漸く一人になれたという顔も羨ましかったし、日誉上人の何ものかと闘っているような不機嫌な、足一つ海水に浸したことでさっと変るような顔も羨ましかった。正慶上人の静かで立派な顔は望んでも及ばないことだったが、年若い二人の少年の顔さえも、自分などの到底求めて及ばぬ遠いものに思えた。それにしても年稚《わか》いのに、どうしてあのように静かな、併し、諦めきった顔が持てたのであろうか。

金光坊は今や急に増えて来た訪問者たちと会わなければならなかった。金光坊は誰がいかなる用件で来たか、そのことを考えることはできなかった。考えるゆとりもなければ考える力も持っていなかった。金光坊は侍僧に本堂の千手観音《せんじゆかんのん》の前に連れて行かれ、午前中だけを毎日のようにそこに坐《すわ》っていた。訪問者たちはあとからあとから入れ代り立ち代り現われた。金光坊は訪問者に対して一言も発しなかった。訪問者の方も、結局は別れにやって来たのであるから、金光坊から話しかけられぬ方が寧《むし》ろ好都合であったし、またこうした別れというようなものは、このようにして行なわれるものだという気がして、何も口から出さぬ金光坊の態度をいささかも異様には感じなかった。

金光坊は自分の眼の前の訪問者が何を話そうと、一切受け付けないで、口の中で低く読経《どきよう》しているか、さもない時はヨロリの眼をして暗い堂宇の一隅《いちぐう》に視線を当てていた。

十一月へはいってからは、金光坊には全く日時の観念はなかった。朝眼覚めると、いつも若い僧の清源を招《よ》んで、渡海の日は今日ではないかと、そんな風に訊《き》いた。そして今日が渡海の日でないことを知ると、吻《ほっ》としたように顔を上げて白い砂地で出来ている庭の雑木へ眼を当てた。雑木の青さが眼に滲《し》み、庭続きと言っていい浜ノ宮の海岸の静かな波の音が耳にはいって来た。金光坊はこの頃になって初めて、雑木に眼を当てたり、波の音を聞いたりした。長い間金光坊の眼や耳は、そうしたものを受け付けていなかったのである。

秋晴れの気持よく空の澄んだ日、金光坊は例に依《よ》って、清源を招んで、渡海の日は今日ではなかったかと訊いた。すると若い僧は、今日申《さる》ノ刻に寺をお出ましになりますと答えた。金光坊は一度立ち上ったが、すぐまた坐った。そしてあとは急に体軀から力という力がすべて抜けてしまった感じで、身動きしないでいた。身動きしないと言うよりできなかったのである。

侍僧の一人が顔を出して、見送りの那智《なち》の滝衆がやって来たことを告げた。それから続いてもう一人の侍僧が顔を出して、禅家の導師が到着したことを告げた。

この頃から金光坊にも寺内の騒然として来るのが感じられた。金光坊は何人かに手伝われて、着衣を改め、それから何人かの人に導かれて、自分がこの寺へはいって以来一日も欠かさず毎朝のように勤行《ごんぎょう》した本堂へはいって行った。本堂の千手観音も、右脇侍の帝釈天《たいしゃくてん》、左脇侍の梵天《ぼんてん》像、それから神将《しんしょう》像、天部形《てんぶぎょう》像、そうした仏たちに、金光坊はその時だけは静かな視線を当て、そしてやがて、それをねめ廻すようにいつまでも見守っていた。

金光坊はすべて侍僧の指図に依って動いていた。本尊の前へ行って読経したり、また自分の席に戻って、仏像たちを見守ったりした。香煙は狭い堂内に立ち込め、僧侶たちはそこに這《は》い入り切れないで、廻廊から庭先へと流れていた。本堂で読経が行なわれているというより、読経の声に依って本堂はすっかり包まれていた。

午刻《ひる》過ぎに金光坊は本堂を出た。そして居間で何人かの僧侶たちと茶を喫《の》んだ。百八個の小石に経文の文字を一つずつ書き込んだものが、袋に入れられて縁側に運ばれて来た。何巻かの経典類、小さな仏像、衣類、手廻り品、そうした金光坊と共に舟に乗せられる物も次々と運ばれて来、それらが僧侶たちの手に依って改められると、最後にそれらを海岸まで運ぶ板輿《いたごし》がいやにひらべったい感じで担《かつ》ぎ込まれて来た。金光坊の眼には僧侶や人夫たちの物の取扱いがすべて粗暴に荒々しく見えて腹立たしかったが、それを口に出す気持にはならなかった。

定刻の申ノ刻少し前に寺を出た。晩秋とも思えぬ強い陽《ひ》が眩《まぶ》しく金光坊の眼を射た。境内から海岸へかけては人で埋っていた。観衆のどよめきの中を、金光坊をまん中にした一団は一ノ鳥居をくぐって浜の白い砂の上へ出た。見物人は金光坊たちの一団と共に移動して行った。

金光坊は自分の乗る舟が曾《かつ》ての日誉上人のように今までのいかなる上人の渡海の場合より小さく感じられた。どうしてこんな小さい舟を作ったのかと思った。しかも乗船場も作られてなく、船は同行人の乗る三艘《そう》の舟と一緒に恰《あたか》も波打ち際《ぎわ》に打ち上げられでもしたように置かれてあった。同行人の乗る舟の方がずっと大きかった。

金光坊は直《す》ぐ乗船させられた。金光坊が乗船してから、人夫たちに依って、大きな木の箱が運ばれて来て、それがすっぽりと頭の上からかぶせられた。金光坊はまたこのことにも怒りを覚えた。屋形舟というものは初めから屋形が舟に設けられてあって、そこへあとから人間がはいって行くものである。それなのに、これでは反対ではないかと思った。

舟に屋形を取りつける釘《くぎ》打《う》ちの音が聞え出したが、それは暫《しばら》くすると止《や》んだ。屋形の内部は全くの四角の箱で薄暗かったが、やがて一方の扉《とびら》が外部から開けられて、そこからいろいろの物が運び込まれて来た。そしてそうしたことが総《すべ》て終ってから、金光坊は侍僧に依って屋形の外に立って見送り人に挨拶《あいさつ》することを求められた。金光坊は言われるままに屋形を出て舟縁《ふなべ》りの上に立った。群衆の間にどよめきが湧《わ》き起り、賽銭《さいせん》が雨のように舟縁りや波打ち際に投げつけられた。子供たちが争ってそれを拾った。金光坊は直ぐ屋形の中へ逃げ込んだ。それからまた金光坊は帆柱が立てられ、それに南無阿弥陀仏《なむあみだぶつ》と書かれた帆がつけられるまで、長いこと暗い屋形の中に坐っていなければならなかった。すべては不手際に、のろのろと行なわれているようであった。かれこれ乗船してから一刻《とき》近い時刻が経過した時、金光坊は舟が何の前触れもなく動き出すのを感じた。舟底が波打ち際の小石の上をぎしぎしした音をたてて滑って、やがて海へ押し出されるのを感じた。金光坊は外を見ようと思った。併し、どこを押してても屋形の板は動かなかった。先刻出入りした出入口も固く閉ざされていて、押しても突いてもことりとも言わなかった。

併し、やがて、船頭の漕ぐ艪《ろ》の音が耳にはいって来た時金光坊は吻とした。まだ一人ではないと思った。綱切島まで船頭の手で船を操られて行き、そこへ行って初めて、一人きりになって潮の流れの中へ押し出されるのである。

波の音の間から鉦《かね》の音が聞えて来た。耳を澄ますと、鉦の音と一緒に何人かが和する読経の声も聞えている。併し、読経の声の方は絶えず波の音に妨げられていて、時々、ふいにそれは祭礼の日の囃子《はやし》か何かのように賑《にぎ》やかに聞えて来たり、すぐまた消えたりした。

綱切島へ着いた時、金光坊は屋形の板の合せ目に小さい隙間《すきま》のあることを発見して、そこへ顔を押しつけて船外を覗《のぞ》いて見た。大きな波のうねりを見せている暮れかかった暗い海面だけがどこまでも果しなく拡《ひろ》がって見えている。

お上人さん、おさらばですじゃ。そんな船頭の声が屋形の天井板の方から突然降って来た。金光坊にはおさらばという意味が判《わか》らなかった。これまで渡海する場合は、舟は綱切島で一夜を明かし、そこで同行者とも別れを惜しんで、翌朝早くそこを出発することになっていた。

金光坊は、自分でも驚くような大声を出して、舟はここで一夜を明かす筈《はず》ではないかと訊《たず》ねた。すると、天候が荒れ模様で同行の衆が帰れなくなる怖《おそ》れがあるので、ここで一夜を明かすことは取りやめて、すぐ艫綱《ともづな》を切るということであった。

金光坊はそれに対して何か呶鳴《どな》ったが、併し、もう船頭は岸へ飛び移ってしまったらしく、それに対する応答は得られなかった。

舟はやがて大きく揺れ始めた。金光坊は板の隙間へ顔をぴったりと当てて舟の外を覗いた。短い時間なのに、先刻より一層黒さを増した海面が、潮をぶさぶさとぶつけ合って拡がっているのが見えるだけであった。

金光坊は今や全く一人になって舟の屋形の中に倒れた。倒れると、一日の疲労がのしかかって来たのか、恐しい力で眠りが彼を捉《とら》えた。

どれだけの時間が経《た》ったか、金光坊は眼を覚ました。自分がいま真暗な闇《やみ》の中に横たわっており、自分を横たえている板が大きく上に下に揺れ動いているのを知った。波濤《はとう》の音が金光坊の体の下で聞えたり、頭上で聞えたりしている。

金光坊は起き上ると、いきなりありったけの力を籠《こ》めて屋形を形造っている板に己が体をぶつけた。金光坊は生れてからこれほど荒っぽく自分の体を取り扱ったことはなかった。

五、六回同じことを必死に繰り返しているうちに、やがて屋形の一方の板が音をたてて外部へ外れるのを感じた。と同時に、物凄《ものすご》い勢いで海風と潮の飛沫《しぶき》が屋形の中へ吹き込んで来た。屋形が風を孕《はら》んだので、舟は大きく一方へ傾いた。次の瞬間、金光坊は自分の体が海中へひどく軽々と放り出されるのを感じた。

金光坊は板子の一枚に掴《つか》まって、一夜海上に浮んでいた。夜が明けると、綱切島がすぐ近くに見えた。幼少時代紀州の海岸で泳いでいたので、それが役にたって溺《おぼ》れることから逸《のが》れることができたのであった。

金光坊はその日の午刻近く綱切島の荒磯《ありそ》へ板子ごと打ち上げられた。死んだようになっている金光坊の体が、昨日同行の者として金光坊をこの島まで送って来た僧侶《そうりょ》の一人に依って発見されたのは夕刻であった。海上が荒れていたので、同行人たちは全部島に留まっていたのである。

金光坊は荒磯で食事を供せられた。その間僧侶たちは互いに顔を寄せ合い、長いこと相談していたが、やがて、漁師に一艘の舟を運ばせて来ると、それに再び金光坊を載せた。その頃は金光坊は多少元気を恢復《かいふく》していたが、舟に移される時、それでも聞き取れるか取れないかの声で、救《たす》けてくれ、と言った。何人かの僧はその金光坊の声を聞いた筈だったが、それは言葉として彼等の耳には届かなかった。

それからどれ程かの時間、舟はそこに打ち棄《す》てて置かれた。人々は黙ってそれを見降ろしていた。

そうしている時、若い僧の清源は師の唇《くちびる》から経文ではない何か他の言葉が洩《も》れているらしいのを見てとり、自分の耳を師の口許《くちもと》に近付けた。併《しか》し、何も聞き出すことは出来なかった。清源は懐中から紙を取り出し、矢立《やたて》の筆と共に師の前に差し出した。

蓬萊身裡十二棲、唯身浄土己心弥陀

金光坊は震えている手でそんな文字を綴《つづ》った。やっと判読できるような字体であった。それから彼はちょっと間を置くと、こんども危なっかしく筆を走らせた。

求観音者　不心補陀　求補陀者　不心海

金光坊は筆を擱《お》くと、直ぐ眼を瞑《つむ》った。清源は師の息が絶えたのではないかと思ったが、まだ脈もあり体温もあった。清源は師の筆跡からそれを書いた師の心境をはっきりと捉えることはできなかった。それは金光坊が漸《ようや》くにして到達することのできた悟りの境地のようでもあり、また反対に烈《はげ》しい怒りと抗議に貫かれたそれのようでもあった。

間もなく急拵《ごしら》えの箱が金光坊の上にかぶせられ、こんどはしっかりとそれは船底に打ちつけられた。その仕事が終ると、まだ生きている金光坊を載せて、舟は再び何人かの人の手で潮の中に押し出された。

金光坊の渡海後、補陀落寺の住職が六十一歳で渡海するということはなくなった。もともとそうした掟《おきて》があったわけではなかったが、金光坊の渡海の始終が伝えられ、そうしたことが補陀落寺の住職の渡海に対する世間の見方を改めさせたものと思われた。そしてその代り、補陀落寺の住職が物故すると、その死体が同じく補陀落渡海と称せられて、浜ノ宮の海岸から流される習慣となった。そうした渡海者は享保《きょうほう》の頃まで七名を算《かぞ》えている。それは渡海者の物故した月に行なわれるので、渡海の行なわれる季節は区々《まちまち》であった。春の時もあれば、秋の時もあった。

金光坊の渡海後、ただ一つの例外として生きながら渡海した例があった。それは金光坊の渡海後十三年を経た天正六年十一月の清源上人の渡海であった。清源は三十歳になっており、補陀落寺の記録に依ると、両親のための渡海となっているが、勿論《もちろん》、金光坊の渡海に同行したこの若い僧のその時の心境がいかなるものであったか、それを知る手懸《てがか》りは何一ついまに残されていない。

小《こ》磐《ばん》梯《だい》

喜多方《きたかた》から檜原《ひばら》まで通常六里の道のりとされております。喜多方を朝八時頃《ごろ》出て遊び遊び歩いても午後の二時か三時頃檜原へ着くことになります。尤《もっと》も途中に大塩部落を過ぎてから大塩峠という峠があり、上り下り何町か岩角の露出した歩きにくい石ころ道に難渋しますが、しかし、それとて毎日のように駄馬《だば》の往復している往還ではあり、働き盛りの男の足にしてみたら物の数ではありません。大体この道は若松方面から喜多方、檜原を通って米沢《よねざわ》へ抜ける米沢街道で、汽車の便の発達した今日こそすっかり廃《すた》れてしまいましたが、明治中期のその頃は、正確に言いますと私たちが喜多方を発《た》ったのは明治二十一年七月十三日のことですが、その当時はなかなか以《もっ》て人馬の往来は繁《しげ》かったものです。檜原附近に木地屋《きじや》が多い関係で、若松に漆器《しっき》の木地を運搬する駄馬だけでも、毎日かなりの数に上っていたと思います。

私たちはこんどの出張には初めから休暇でも取るような暢気《のんき》な気持を持っておりました。私の役目は収税吏ということになっており、収税吏と言うと何となく苛斂誅求《かれんちゅうきゅう》の下端《したつぱ》の悪役人でも想像されそうですが、決してそういったものではなく、現在なら田畑測量調査員とでも称《よ》ぶべき役柄《やくがら》でありましょうか。

当時は郡役所が納税の仕事を受け持っており、管轄下《かんかつか》の農村の耕作面積を一年おきに調べて、増耕の分に対して課税するための調査を行なっておりました。私は喜多方の、そうです、その頃はまだ喜多方の街はできていず、田附川を挟《はさ》んで小田附村と小荒井村に分れておりましたが、その小田附村の方にあった郡役所で私はそうした仕事を、詰まりその頃の言葉で言うと地押《じおし》調査の仕事をさせられており、その時の出張も、檜原村に包括されている磐梯山北麓《ばんだいさんほくろく》、詰まり一般に裏磐梯と呼ばれている地方の山間に散らばっている幾つかの小さな部落の耕作面積を調べるのが目的でありました。

一行は私の他に留吉《とめきち》と金次の二人で、留吉は既に鬢《びん》に白いものを見せ始めている年配で、四十代も終りに近付いている痩《や》せた、しかし、実直な人物でした。尻端折《しりはしょ》りしている着物の裾《すそ》から出ている足がいかにも細く貧弱に見えましたが、山野の跋渉《ばっしょう》にかけては私たちの間では誰もその細い足に敵《かな》わないとされておりました。金次の方は三十歳の無口な、多少陰気なところのある若者でした。この方も尻端折りに草鞋《わらじ》履きの服装で、私だけが多少測量技手らしく、きっちりと脚部を覆《おお》う紺の仕事ズボンにジャンパー風の上着を纏《まと》い、それに草鞋履きといういでたちで、予備の草鞋を腰につけておりました。

頭領格の私が一番若く二十八歳ですが、私は二十歳前後に横浜で外人の測量技師に使われていたことがあり、測量の仕事に多少の経験と知識を持っていましたので、田舎の郡役所に於《お》て若いのに人に命令する立場に立たされたわけであります。留吉は勿論《もちろん》測量の仕事には素人《しろうと》で、初めは日雇人夫として役所にやって来ていたのですが、測量の仕事を手伝わせられている間に、いつか測量班のスタッフのような恰好《かっこう》になり、彼自身もまたそんな気持になっていたのではないかと思います。金次の方は今度新しくこの仕事のために喜多方で雇い入れた筆生《ひっせい》でした。字はかなりきれいに書きました。

出張は大体十日程の予定で、初めから余裕をたっぷり取った贅沢《ぜいたく》な日程の組方でした。第一日の喜多方から檜原までは慣れた道でもあり、余り早くこの日の泊りである檜原に着いてごろごろしていても、村人の眼《め》がいかがかということで、私たちは途中の茶店で時間を潰《つぶ》したり、峠の樹蔭《こかげ》で午睡までとったりして、休み休み行きました。嫁を貰《もら》ってからまだ一カ月にならぬという筆生の金次が、腰を下して休憩する度に居眠りをするので、留吉から絶えず何かとからかわれていました。

陽気は漸《ようや》くこれから暑くなろうという時で、少し歩くと全身から汗を噴き出しましたが、足を停《と》めると乾燥した風が肌《はだ》に冷たく、この地方では一年中で一番いい時候とされている時でした。この年は雨期が遅く七月の初めまでは殆《ほとん》どからりと晴れた日がなく、気候は頗《すこぶ》る不順で、農作物への影響も案じられていましたが、その時はそれが立ち直ったばかりの時で、長い間鬱陶《うっとう》しい空ばかり眺《なが》めて来た私たちの眼には、塵埃《じんあい》の静まっている大気も、山野を埋める燃えるような精力的な緑も、一掃きの雲もなく深く澄み渡った空の蒼《あお》さも、みな特別なものに見え、これからの旅の何日間への予想を明るく楽しいものにしていました。

この日、四時を少し廻った頃に私たちは檜原にはいりましたが、その途中に一つの小さい、事件とも言えないような事件がありました。大塩峠を下って檜原川の崖《がけ》っぷちに沿った道を歩いている時でしたが、私たちとは反対に向うからやって来たひとりの六部《ろくぶ》姿の女が、黙って私たちの前に立ち塞《ふさ》がると、何かしきりに口の中でぶつぶつ言い始めました。何を言っているのか聞き取れませんでしたので、私たちは女に顔を近付け、その口から出て来る言葉を聞いてみました。帰らんせ、帰らんしゃれ、ここから先は行かん方が身のためじゃ。そんなことを、低く呟《つぶや》くように言っています。例の鼠木綿《ねずみもめん》の装束を身に着け、同じ色の手おい、脚絆《きゃはん》、半甲掛をして、手に鈴を持っている四十年配の女で、色が黒い上に年齢から来る細かいしみが一面に顔に現われていて、何となく意地の悪い、情の強《こわ》そうな女に見えました。物を言う時こちらに当ててはなさない眼眸《まなざし》は明らかに常人のそれとは異なっております。

私と金次は女を相手にしないで避けて通りましたが、留吉の方は避けようとする度に女に前に廻られて、二、三回右に避けたり左に避けたりした挙句に、どうにか相手の体の横を擦り抜け、狂人というものはなんと始末に悪いもんだべ、そんなことを言って私と金次のところへ追い付いて来ました。しかし、留吉は何となく女のことが気になる風で、かなり歩いて行ってからも、二、三回六部の方を振り返り振り返りしながら、その度に、まだこっち見てけつかる、縁起くその悪いこんだと、そんなことを口の中で呟いておりました。

まあ、こんなことはありましたが、その旅の最初の一日は、役所のくだらぬ雑務から解放されただけでも、私たちは充分快適であったわけであります。それからその日は軽い地震を数回感じました。一度は橋の上で吊橋《つりばし》でもないのに橋桁《はしげた》が軽い音を立てながら板を並べてある方向に軋《きし》むのを見ました。地震だな、留吉は言いましたが、その前に私もそれがかなり強い地震であることを感じ取っていました。ここ一カ月程、私たちは地震には慣れっこになっておりました。喜多方方面にあっても、日に一回や二回は人体に感じられる程度の地震に見舞われ、地震というものにはさほど驚かなくなっておりました。

あとになって考えてみると、私たちの遇《あ》った狂人の女六部の言ったことは満更根も葉もないことと一笑に付してしまうわけには行かないことであって、その時私たちがその女の言ったように、そこから引き返していたとしましたら、それぞれに今頃は己《おの》が与えられた人生をそれなりに歩いていたわけで、あんな悲惨な結末にはなっていなかったと思うのです。人間の智慧《ちえ》というものは何と言っても浅いもので、一寸先の見透しもできず、その時私たちは正《まさ》しく身を亡《ほろ》ぼすために謂《い》わば己が身を亡ぼす地獄の門へ向って、一歩一歩足を運んでいたのであります。

前に申しましたように檜原は米沢街道に沿った宿場でありますが、五十四、五戸の聚落《しゅうらく》で、昔は檜木谷地《ひのきやち》と称ばれていたくらいで、附近一帯には檜《ひのき》が多く、檜の林に覆い包まれた山間の聚落と謂《い》ってもよく、極《ご》く大雑把《おおざっぱ》にその位置を説明しますと、磐梯の蔭、吾妻《あづま》山の西、高曾根《たかそね》山の山腰にある僻村《へきそん》とでも言うことになりましょう。四方に大きな山を持っていますので、平坦《へいたん》な土地が少なく、耕地に恵まれず、文字通り瘠《せき》薄《はく》不毛の地であって、部落民は専《もっぱ》ら木地をひいたり、望陀《もうだ》の皮を剝《む》いたり、駄馬を追ったりして生計を営んでおります。

旅宿は三軒ありました。私たちが歩んで来た喜多方からの道を真直《まっす》ぐに東北に行きますと、郡境の嶺《みね》を越えて三里にして羽前の綱木に到《いた》り、綱木より更に三里にして米沢に達します。従って山間の小聚落ではありましたが、現在よりずっと文明開化の時代の新しい空気の通路になっていて、相撲の大達《おおだて》の一行も四、五年前、米沢、山形方面に行く途中この地を通ったらしく、私たちが戸長役場《こちょう》の人たちに案内されて草鞋の紐《ひも》を解いた旅宿の表口の土間には、大達関一行御宿と書かれた、その時使われたと思われる大きな看板が掲げられてありました。

私たちは、しかし、明日からこの檜原に於て米沢街道と別れ、街道を直角に南に折れて、磐梯の北麓一帯を埋めている密林地帯の中へ長瀬川に沿ってはいって行こうとしていました。檜原村に属する七戸の細野部落が檜原から一里半程の地点に置かれてあり、更にそこから一里にして二十戸の大沢部落があります。大沢まではいるともう磐梯の直下と言ってよく、大沢から磐梯山の中腹にある中ノ湯、上ノ湯の湯治場までは、山腹への上りをも含めて僅《わず》か一里程の距離であります。この大沢から磐梯の裾を廻るようにして東北方一里の地点に十二戸の秋元部落があります。

以上の細野、大沢、秋元の三部落の地押調査がこんどの私たちの仕事で、戸長役場のある檜原の調査は場所柄いつでもできるといった気持で後廻しにして、取り敢《あ》えず雨期が明け暑熱のやって来ない短い時期を、密林地帯の奥深く匿《かく》された三つの小部落の調査に当てようというわけでありました。

私たちはその夜、旅宿で戸長役場の連中と打合せをして、春太郎、粂《くめ》、信州という三人の役場の用係の応援を得ることになりました。信州というのは変な名前ですが、みなが信州、信州と呼んでいましたので、私たちもそれに倣《なら》うことにしました。春太郎、条の二人はいずれも六十過ぎた老人で、春太郎の方は人柄のおっとりした大家《たいけ》の隠居と言っても通りそうな耳の大きい福相をした人物で、条の方はその反対に一歩曲ったらうるさそうな、眼が引っ込み頰骨《ほおぼね》の出たいっこく者の顔をしていました。信州は見るからに口八丁手八丁の、役場の雑務を一人で切り廻している小才の利《き》いた小柄な男で、年齢は四十と言っても三十と言っても通りそうな、若いとも年寄とも判《わか》らぬ風貌《ふうぼう》を持っていました。

この三人の村民が地押調査督促として、地押の現場へ私たちと一緒に行ってくれることになったわけであります。明治の新しい時代になってからまだ二十年しか経《た》っていず、税金というと理由もなく騙《だま》し奪《と》られるもののように思う考え方が一般に行なわれ、僅か四十戸程の耕地面積の調査にもこれだけの陣容がその頃は必要だったのであります。

翌七月十四日の早朝、一行六人は檜原部落を後にしました。村から加わった春太郎、条、信州の三人も、喜多方から来た留吉、金次と同じように着物を尻端折りにして、頰かぶり、脚絆、草鞋のいでたちであります。宿の玄関口の土間に降り立った時、私たちはこの日最初の地震に見舞われました。最近頻々《ひんぴん》とある地震の中では一番大きいもので、私たちも宿の女たちの何人かも往来へ飛び出しました。

宿を出て部落を外れようというところに橋があって、そこで私たちは長瀬川の左岸に出ます。この辺から道は南方にゆるやかに曲り、通称岩石川原と称ばれている小石のごろごろしている地帯へはいりますが、そこへ差しかかった時、もう一度地震に見舞われました。こんどのは先程の地震の余震と思われる程度のもので、誰も地震のことは口に出しませんでしたが、一同はその瞬間だけ足を停めました。小さい磧石《かわらいし》がそこら一面を埋めていて、それらの石の上にも、また石と石との間に生えている雑草の上にも朝の陽《ひ》が当っていて、日中の暑さを思わせるように早くも陽炎《かげろう》が立ち上っていましたが、陽炎のゆらめきを見詰めながら大地の揺れるのを感じているのは、妙に大地というものを信用できぬ不安な思いに駆られるものであります。鳥影でも横切るようにほんの一瞬のことでしたが、私の脳裡《のうり》を厭《いや》だなという思いが横切りました。しかし、直ぐそれを私は忘れました。

この磧を越える辺りから磐梯は、頂上に持っている大磐梯、小磐梯、赤埴《あかはに》の三つの峰を行手正面に形よく配して来ます。見るからに男性的な凛々《りり》しい山で、裏磐梯から見る山容の美しさについては何回も人から聞いておりましたが、なるほど聞きしに勝る立派な山だなと思いました。山麓から岩石川原の手前辺りまで、檜《ひのき》、樫《かし》、欅《けやき》、樅《もみ》、楓《かえで》等の大木が雑木に混じって鬱蒼《うっそう》たる原始林を形造っています。磐梯直下の地帯から樹種は多少整理されて、赤松、ハヌキ、ドロガキ、白樺《しらかば》等が磐梯の山肌《やまはだ》を覆うことになりますが、いずれにしても岩石川原附近からの眺《なが》めは樹海を一望のもとに収めた壮観なものであります。そしてそうした樹海の中に、これから自分たちの訪ねて行く三つの小さい部落があることを思うと、それが信じられぬような気持で、こうした中にも人間の生計が行なわれているということを思うと、何となくそら恐しい思いさえいたしました。

道は細野の手前で二つに岐《わか》れます。一つは中吾妻山麓の方へ通ずる道で、一つは言うまでもなく私たちの目指す磐梯山麓へと通じています。その分岐点で道を右に取りますと、こんどは長い丸木橋で長瀬川を右岸へ渡ることになります。

この丸木橋を渡る時、役場の用係の信州が磧の水際《みずぎわ》を夥《おびただ》しいひき蛙《がえる》の群れが移動しているのを発見しました。

「あのずない石とちんちぇ石の間をぞろぞろ動いてるんはひきと違うのが」

信州の言葉で一同はその方を見ました。そしてそれが無数と言っていいくらい夥しい数のひき蛙の集団の移動であることを私たちは知りました。彼等はそのどの一匹に眼を当てても、一つの跳躍を終えると直ぐ次の跳躍に移り、片時も静止していることはありません。背後から同族がぎっしり詰って押し寄せて来るので先へ進む以外仕方のないようなものではありますが、その生きものの集団の動きには妙にひたむきな、傍目《わきめ》も振らずそのことに専心しているといったような真剣なものが感じられました。たまげだとか、ぶったまげだとか、そんな言葉を口々に出しながら、留吉も、金次も、春太郎も、粂も、信州も、長いことその珍しい見ものに気を奪われておりました。そして信州が、ひき蛙が雪解頃群れをなして交尾をしているのは見たことはあるが、こんな沢山のひき蛙の引越しというのは初めてだと言えば、粂が自分は十年程前にやはりこの辺でひき蛙の合戦を見たことがある。これらのひきは川上の他のひきとの間に悶着《もんちゃく》を起して、それを力ずくで解決しようとして戦争をおっ始めようとしているのだ。それに違いねえと言いました。

「さ、行くべ、こうしていでも地押は進まぬぞ」

留吉は言いました。その言葉で一同はわれに返りそこを離れました。

細野部落へはいった時は十時を廻っていました。部落と言っても民家は七戸しかなく、それらが、八森山と剣ヶ峯に東西から挟まれた狭い地域にひっそりと体を寄せ合ったような恰好で固まって建っています。磐梯の北麓では、この細野部落附近が一番東西からの丘陵が出張っている狭い箇処で、まさしく山峡の村といった感じを抱かされます。部落の男たちは木地ひきを本業としていて、どこの家でも鶏小屋《とりごや》とさして変りないような小さな木地小屋を母屋《おもや》の横手に持っていて、その中に手引轆轤《ろくろ》を一台か二台備えつけています。農耕の仕事の方は女たちの受持で、私たちが部落を訪ねた時も、畑仕事にすっかり出払っていて女たちの姿はどこの家でも見掛けることはできませんでした。

部落民の一人の案内で留吉が耕地の大体を頭に収めるために裏山へ出掛けて行っている間、私たちは木地屋の老人と無駄話をして時間を過しました。この間にも一回小さい地震がありました。

留吉が帰って来るのを待って、部落の男たちにもはいって貰って、みんなで数日後に行なう地押調査の段取りの打合せをし、それを済ませると、私たちは細野部落を後にしました。細野部落を出ると豁然《かつぜん》と地形は開け、低い丘陵の波を打たせて、大原野は磐梯をその中に包み込むようにして見晴るかす程広く東西に拡《ひろ》がっています。

私たちは部落を過ぎたところで長く付き合って来た長瀬川の川筋と離れました。細野から大沢までの一里の間は全く原始林の中を這《は》うようにして続いている道とは言えないような細い道が一本走り、黄蓬原《きよもぎはら》とか大淵《おおぶち》とか、民家は一軒もなくただ地名だけが付けられている地点を過ぎます。黄蓬原で、私たちは磐梯山の湯治場から降りて来た女性を混じえた数人の一団と出会いました。五十年配の夫婦者と、末子だという十五、六の少年と、内儀《かみ》さんの妹だという三十ぐらいの女と、それから道案内として付き随《したが》っている檜原の隣村である塩原部落の若い者二人と、そうした人たちから成る一団でした。

この人たちは中ノ湯に一カ月程の長期の湯治をするために新潟方面からやって来た商家の一家だということでしたが、何かしら山がいつもと違うように思われ、急に不安になって湯治を一週間程で打ち切って早々にして下山して来たということでした。いかにも病身らしく血色の悪い主人は不機嫌《ふきげん》にむっつりと押し黙っていましたが、内儀さんの方は多少ヒステリック気味に見える神経質な顔を緊張させて、これだけはどうしても話さずにはいられぬといった風にまくし立てました。それに依《よ》ると、四、五日前から上ノ湯の湯の量はすっかり減り、減ったことも不思議だし、それに岩の間から噴出している白い水蒸気の勢いの烈《はげ》しくなっているのも不思議である。それから中ノ湯の方は減水こそしないが、二、三日前から入浴できない程熱くなっており、山鳴りもこの四、五日毎日のように起り、それは日々烈しくなっている。今朝などはいまにも山が破裂するのではないかと思われる程烈しい山鳴りがあって、その前にも後にも地震があった。自分たちは毎年今頃湯治に来ているが、こんなことは初めてのことで、到底ただ事とは思われない。そんなことを語ってから、

「わしらと一緒に怖がって山を下った人も何人かありましたが、また世の中は広いもので、わしらとは反対に山に上って行った人も何人かありました」

そんなことを内儀さんは言いました。現在まだ上ノ湯には三十人、中ノ湯には二十人、下ノ湯にも同じく二十人程の湯治客が居るということでありました。

道案内の塩原村の若者の一人は、ここ十年程磐梯は抜ける抜けると言われて来て、ちっとも抜けないが、この分だと今年あたりは抜けるかも知れない。昨夜山には少し降雨があったが、今日通ってみると沼ノ平の池は全部それを吸い込んでからからになっていた。こうした現象は恐しいと言えば恐しく、何でもないと言えば何でもないことだが、磐梯としてもこうなったら何かやらかさないことには恰好がつかないだろう。と、そんなことを土地の言葉で、ひどくたどたどしく話しました。聞いていると心配しているようでもあり、少しも心配していないようでもありましたが、しかし、妙にまとまりのないそんな話し方の中に、当人の恐怖は案外強く現わされていたのかも知れません。そうした話を彼は、

「くわばら、くわばら」

というような言葉で結び、そして連れの出発を促すと、自分が先に立ってさっさと歩き出して行きました。この若者は抜けるという言葉を使いましたが、山が抜けるということは山が噴火し、山巓《さんてん》が吹っ飛んでしまうというような意味で、この地方の人たちはみなこの言葉を使っておりました。

こうした新潟の商家の一家に遇《あ》っていろいろな話を聞きますと、不気味な気はしましたが、しかし、自分たちがこれから彼等とは反対に彼等が逃げ出して来た磐梯に近付いて行くというそのことにはさして不安は感じませんでした。しかし、彼等と別れて何町か行くうちに、おっとりした隠居の春太郎が、

「わしは随分長く生きて来たが、今日程たんと蛇《へび》を見たごどはねえ。ただごとじゃねえぞ」

と、ふいにそんなことを口に出しました。実は私もそのことに気付いていたのですが、何分この地方へ足を踏み込むのは初めてのことではあり、特別蛇の多い地方かも知れないと、そんなことを思っていたのであります。細野を過ぎた辺りから鎌首《かまくび》をもたげて道を横切る蛇だけでも何匹か見ていますし、休憩を取ろうとして腰を下ろすところを探すと、その度と言っていいくらいそこらの藪《やぶ》の中を音も立てずに滑って行く長いものの姿を眼にしておりました。この土地の人間ではあり、めったなことでは自

分の意見というものを口から出しそうもない春太郎がそんなことを口にすると、何となくそのことが重大な意味でも持っているかのように感じられて来ました。すると、そうした春太郎に呼応するかのように、こんどは粂が、

「わしは蛇のことは気にしていねえだが、山鳩《やまばと》と雉《きじ》がなんでこうあっちこっちで、がさがさすんのがな。わしは猟の経験もあるが、鳥ちゅうもんは、めったにこんなにそこらでがさがさするもんではねえ」

と、首をかしげるようにして言いました。この時殆《ほとん》ど今日一日中口をきいていなかった金次が、はっきりと怯《おび》えの色を顔に現わして、重い口をもぐもぐさせながら、

「わしらきのう峠の下で女六部に会った。そしたらその六部が――」

と、粂の方へ喋《しゃべ》り掛けました。すると横合から、

「金！」

と留吉は、珍しく烈しい声で金次の言葉を制し、くだらぬことを言うもんでねえとたしなめました。温和な留吉にしては珍しいことでした。信州一人だけがこうした一座の空気とは無関係で、何事も全く意に介していないもののようでした。

「山だってたまには鳴るし、蛇や鳩だって、たまには宿替えすることだってあるべえ。そういちいち気遣うから、春さは中風が出、粂さは頭が禿《は》げるんじゃ」

と、そんな冗談を言いました。春太郎の何となく物に動じないようなおっとりした態度は、中風のための挙措動作の緩慢さから来るものであることを、私はこの時知りました。粂は頭髪を坊主《ぼうず》刈《がり》にしていましたが、信州に言われて注意して見ると、そのでこぼこした頭部のあちこちには、なるほど毛髪の生えていない小さい光沢のあるまるい部分が散らばっておりました。

私たちは午後一時に大沢部落にはいりました。大沢はその頃、押沢とか雄子沢とか雄于沢とか、いろいろに綴《つづ》られ、どれが正しい部落の名か判りませんでしたが、これは役場の台帳にいろいろな人が、その時々で勝手な書き方をしたからで、たとえどれが本当の名であると判ったとしても、もともとたいしたことであろう筈《はず》はありません。戸数にして二十戸、二百人ばかりの人間が、朝夕磐梯山《ばんだいさん》をまなかいに仰ぐ場所に生活の根を張り、そこの密林内の一区域を、部落の人も部落外の人も、オオサワという名で呼んでいるだけのことでありました。

私たちは部落の人に一行の今夜の泊りのことを依頼し、まだ陽が高いので、東北一里の秋元部落へ出掛けることにしました。秋元部落の地押調査はできたらなるべく明日から始めたいと思っていましたので、今日中に現場を見ておきたかったし、部落の人とも談合しておきたかったのであります。長瀬川は大沢部落附近から殆ど直角に東へ進路を取り、磐梯山麓を大きく迂回《うかい》し始めます。言うまでもなくこの川は表磐梯の猪苗代湖《いなわしろこ》へ注ぐ川で、この辺りから両岸に美しい磧《かわら》を持ち始めます。私たちは大沢を出ると、長瀬川に沿った道を進みました。大沢から半里程の地点に小野川が流れ込む合流点があり、川は漸く広い川幅を持って、大河の相貌《そうぼう》を帯びて参ります。更に半里程にして、小倉川の流れ込むもう一つの合流点があります。秋元部落はこの二つ目の合流点から二、三町のところにある小倉川に沿った十二戸の聚落でありました。

大沢から秋元へかけて、この附近一帯は磐梯山麓の密林が分厚い絨毯《じゅうたん》のように深々と拡がっていますが、しかし、土地は平坦ではなく、高原地帯特有の小丘陵が波打っていて、白樺の群落が一つの丘陵を占領していたり、所々を縞模様《しまもよう》のようにこの地方だけに見る人の背丈よりも高い芒《すすき》や茅《かや》の原が拡がっていたりします。

私たちは細野から大沢まで、小磐梯を中央にし、右に赤埴《あかはに》、左に大磐梯の三峰が仲よく山頂を寄せ合った磐梯山を長く見て来ましたが、秋元部落まで来ると、磐梯の山容は全く変ったものになります。それまで左手に一つ離れていた櫛《くし》ヶ峰《みね》がぐっと三峰に身を寄せて来て、磐梯は四つの峰がそれぞれの分を守って、適当な間隔を置いて重なり合っている全く別の山のように見えます。こうした秋元からの磐梯の眺めもまた美しいものでありました。

私たちは秋元の農家の一軒でお茶を御馳走《ごちそう》になり、今までとは全く異なった磐梯の山容を眺めながら、明日からの地押調査の打合せをしました。私たちが長い縁に一列に腰を下ろして話し合っている時、この日何度目かの地震がありました。農家の主人はこう地震が頻繁《ひんぱん》では大沢の人たちが生きた気持のしていないことは無理からぬことだ。あんたたちも早く大沢を引き揚げてこの部落へ来る方が安全だというようなことを言いました。

私たちはこの農家の主人から初めて大沢部落の井戸水が最近涸《か》れたことや、大沢だけが特に地震の震動も大きく、山鳴りもまた異様に聞えることなどを聞かされ、そんなことから大沢部落の人たちが戦々兢々《せんせんきようきよう》として、この十日程仕事も手に付かず、どこの家でも引き揚げるとか引き揚げないとかでもめているということを知りました。

秋元も大沢と同じように磐梯直下の聚落《しゆうらく》でしたが、湯尻沢、小深沢、大深沢といったような磐梯の山襞《やまひだ》が北方に流れて、大沢部落一つを包むような形を造っていましたので、磐梯に変事があった場合、大沢だけがその厄《やく》を一手に引き受けるように思われて、秋元部落の人々には多少対岸の火事を見るような気持のゆとりのあることは否《いな》めないようでありました。

私たちもそうした話を聞くと大沢部落に泊ることは決して気持のいいことでもなく、またそのように動揺している部落の人たちの世話になることもどうかという気持がしました。しかし、今日のことは既に宿泊の依頼もしてあることですし、明日からは明日からのこととして、私たちは再び大沢へ引き返すことにしました。

そして長瀬川と小野川の合流点まで来た時、私たちは行手に見慣れない服装の一組の若い男女の姿を発見しました。遠くから見ていても、この地方の者とは思われないところがありましたが、私たちの足の方が早く、二人に追い付いてみますと、果して都会の空気を身に着けた若い男女で、二人共二十一、二歳ぐらいでありましたろうか。男は一見書生風で、和服の着流しに洋傘《ようがさ》を持っており、女の方は色白豊頬《ほうきょう》の娘々した顔をショウルに埋め、髪形も細かい縞の着物も東京あたりでしか見掛けないものでありました。

私が二人にどこへ行くのかと訊《き》きますと、男は上ノ湯に行くのだと答えましたが、持物と言えば女が風呂敷包《ふろしきづつみ》を一個持っているだけで、旅行者としては勿論《もちろん》、湯治場行きの者としても何か腑《ふ》に落ちない身拵《みごしら》えでありました。信州が今からそんな恰好《かっこう》で上ノ湯へ向って、一体何時頃着くつもりだと訊くと、男も女もそれには答えられませんでした。上ノ湯の在り場所も、そこへ行く道も、またそこまでの里程も、そうしたことには何の知識も持ち合せていないで、二人は磐梯山麓の原野をふらふら歩いているといった恰好でありました。

私は二人に自分たちと一緒に今夜は大沢に泊るようにと半ば強制的に勧めました。そうすることが、この場合のこの何ものかに憑《つ》かれている若い男女には一番いいことだと信じたからであります。女の方は躊躇《ちゆうちよ》して、連れの男に断わって貰《もら》いたい面持《おももち》でしたが、男は気の弱いところがあって、結局私に押し切られてしまった恰好で、私の勧めに応じることになりました。

若い男女はともすれば私たちから遅れ勝ちでしたので、私は時折足を停《と》めては二人の追い付くのを待ちました。そうしている時、見るともなく娘に眼《め》を当てましたが、私には本当にその娘が綺麗《きれい》に見えました。美人とか美貌《びぼう》だとか、そういうのではなく、罪汚《つみけが》れのない清純さが、その顔にも、その歩き方にも、ちょっとした小さい仕種《しぐさ》の中にも現われていて、世の中にはこんな綺麗な娘も居るものかといった思いを深くいたしました。

大沢部落へ私たちは新しい二人の客を連れて帰って行ったわけですが、信州が口をきいてくれて、宿泊の割当は簡単に決りました。私と若い男女が一軒に宿泊し、残りの五人がその隣家である他の一軒に泊ることになりました。井戸が涸れているくらいですから風呂はありませんでしたが、私たちはそれぞれの農家で意想外に歓《よろこ》び迎えられました。

秋元部落で聞いたように、部落の家はどこも磐梯の山鳴りと地震に怯《おび》え切っており、すっかり浮き足立っていましたが、こうした場合一人でも多くの者が同じ屋根の下に眠るということが堪《たま》らなく家人たちには心強いようでありました。

私が厄介になった家も、留吉たち五人が厄介になった家も大変な大家族で、二軒とも大勢の子供と老人を抱えておりました。大沢に限らず細野でも秋元でも子沢山の家が多く、八人九人の子供を持っているのは普通のようでありました。

家の造りはどこも同じようなもので、入口の土間に面した囲炉裏《いろり》のある板敷の部屋は二十畳とか三十畳とかの大きいもので、その奥に八畳ぐらいの大きさの座敷と納戸《なんど》が板戸一枚で隣合っております。座敷の方は前庭に、納戸の方は背戸に面してそれぞれ小さい縁側を持っています。

私は座敷に、若い男女は納戸に、大勢の家人は広い板敷の部屋に眠ることになりました。

部屋を一応決めておいてから、私も若い男女も囲炉裏を囲んで家人たちと一緒に夕食の馳走に与《あずか》りました。今年の雪は例年より深かったが、融《と》けるのは早かったとか、今月の初めに土田村の者が黒沢尻にくるみの木を伐《き》りに行った時、地中から大木の折れるような音が頻《しき》りに聞えて怖くなって逃げ返って来たとか、あるいはまた四月十五日の夜九時頃磐梯山頂から青い火炎が天空に迸《ほとばし》り、一、二分して大筒のような音が轟《とどろ》きわたったとか、そうした話をこの家の主人と内儀《かみ》さんはそれぞれ浮かない顔で私たちに話して聞かせてくれました。大勢の子供たちは、両親が話すといっせいに両親の顔を見上げ、私が何か言うと、またいっせいに私の顔を仰ぎます。若い男女は殆《ほとん》ど何も喋《しゃべ》らず、それぞれ何か物思いにふけっている風で、そんなところが私にはやはり気になっていました。私や家人たちが話しかけると口数少なく答えますが、自分たちからは決して話しかけて来ることはありませんでした。

私たちが夕食を食べている時、新しいもう一人の客がはいって来ました。今日午刻《ひる》頃檜原《ひばら》を発《た》って来たという男でした。一度檜原からはいってみようと思っていたが、こんど初めてそれを試みてみて、道は悪いし、遠いし、いや、大変な目に遇《あ》ったというようなことを、上《あが》り框《がまち》で草鞋《わらじ》を解きながら、賑《にぎや》かに喋っていました。ひどく遠慮のないがさつな感じでしたが、囲炉裏のところへ上って来た顔をランプの光で見ると、案外人のよさそうな四十年配のがっちりした体の商人風の男でした。

この人物のことは、こちらから訊かなくても自分から喋るので、何もかもすぐ判ってしまいました。表磐梯の何とかいう村の出身の人物で、若い時大阪へ出て蒲鉾屋《かまぼこや》をやって成功し、小金も溜《たま》ったので、今度初めて郷里へ帰り、亡《な》き両親の法事を盛大に営み、部落の人たちにあっと一泡《ひとあわ》吹かせようというのが、この人物の帰郷の目的でもあり、魂胆でもあるようでした。

表磐梯の部落なら、なるほどそこへ行くのには猪苗代の方からはいるのが道順で、その方がずっと近くもあり楽でもあるわけであります。しかし、そうしないで、たとえ以前に一度檜原からはいってみようと思っていたにせよ、それを久し振りの晴れの帰郷の時に試みたところに、この小成功者の人柄《ひとがら》がよく現われているように思いました。お調子もののところはありますが、それはそれで憎めず、すぐ自慢したり威張ったりしますが、その反面、ひどく人のいいところもあり、実際に小金を溜めるだけの勤勉さも実直さも併《あわ》せ持っているように見受けられました。

この人物が現われるまでは、磐梯に関係した不気味な暗い話ばかりが家人たちの口から出ていましたが、この賑かな人物の出現で、話題はすっかり一変してしまいました。笑い声が囲炉裏の周囲から何回も起りました。

しかし、こうしている時も、微震が一回と山鳴りが二回ありました。地震は極《ご》く軽いものでしたが、余程それに対する恐怖心に取り憑かれているものらしく、小さい子供たちはいきなり大人たちに縋《すが》りついたり、怯えた表情をして泣き出したりしました。山鳴りは私には風の音としか聞えず、なるほどこれが山鳴りならば、今日昼間のうちに何回もこれと同じ音を耳にしていたと思いました。地震の場合と違って、山鳴りのする時は、子供たちは大人たちに縋りつきも、泣き叫びもせず、子供ながらその稚《おさな》い顔を思案深げに緊張させ、じっとその音の行方を追っているように耳を澄ませています。そうした幼い者たちの陰気で真剣な表情を見ていると、何とも言えず遣《や》り切れない辛《つら》い気持に襲われるものであります。

その夜、夕食を終えると、私たちも家人も早く寝に就きました。大阪の蒲鉾商人は座敷に私と一緒に寝ることになり、二つの床を並べて敷きましたが、彼は枕《まくら》に頭をつけるや否《いな》やすぐ高い鼾《いびき》を掻《か》いて深い眠りに落ちてしまいました。

私もまた間もなく眠りましたが、眠りは浅く、すぐ眼を覚ましました。眼を覚ますと同時に、私は納戸の方で雨戸をそっと繰り開けているような低い音を耳にしました。その音は極く僅《わず》かの時間続き、すぐまた止《や》みますが、暫《しばら》くすると、また繰り返され、その小さい作業は執拗《しつよう》に続けられている感じでした。私は納戸の方の気配に聞耳を立てていましたが、やがて畳を踏む音と衣擦《きぬず》れの音が聞え、若い男女が縁側から戸外へ立ち出《い》でたのを知りました。私は床に就いた時から何となくこのようなことがあるのではないかという気がしており、そんなわけで眠りも浅かったのではないかと思うのですが、ともかく、そうしたことを知ってしまった以上棄《す》て置けない気持でした。

私は躊躇《ちゆうちよ》しないで座敷の雨戸を開け跣《はだし》で庭に降りました。戸外は真昼のように明るい月夜で、庭先の南天の木の葉の裏表まで一枚一枚はっきり見える程でした。私は家の横手から背戸へと廻りました。そして井戸の横手から、そこへついている小道を伝って、この家の庭より一段高くなっている原野の一角へ出ました。雑草の葉と芒《すすき》の穂が月光のもとに白く輝いて見え、それがどこまでも続いて、そしてその野面《のづら》の向うに若い男女の歩いて行く背後《うしろ》姿が見えていました。

駈《か》け出さねばならぬ程のものは感じませんでしたので、私は大股《おおまた》に近付いて行き、半町ほど行ったところで、こちらを振り向いた男女に、

「一体どこへ行こうとしているんだ、ばか!」

と、思いきって大きな烈《はげ》しい怒声を浴びせかけました。女は瞬間駈け出そうとしましたが、すぐ諦《あきら》めた風で、足を停めると同時に袂《たもと》を顔に当てて声を出して泣き出しました。男の方はこうした場合全く無能な感じで、私が声を掛けた時からそこに茫然《ぼうぜん》と立ち尽していました。

女は昼間とは違った着物を着ていました。濃い紫色の着物で、それが月光の中の女

の顔を一層白く浮き立たせていました。死んで行く時の晴着のつもりで、女はそれを纏《まと》っていたのでしょうか。

「わたしたちはどうしても生きてはいられないんです」

女は涙に濡《ぬ》れた顔を上げて、そんなことを訴えましたが、私はそれを受け付けないで、ただ、帰んなさいとだけ言って、自分から先に立って家の方へ歩き出しました。背戸の井戸のところまで来ると、そこで私は足を洗いました。二人とも私に倣《なら》って足を洗っていました。私は履くものがありませんでしたので、二人の寝室である納戸からはいって、座敷の自分の寝床へ戻《もど》りました。納戸の方からは暫く女の忍び泣く声が聞えていましたが、私はそれに構わずやがて眠りに落ちてしまいました。

翌日、詰まり七月十五日のことですが、私は烈しい地鳴りの音で眼を覚ましました。六時少し前のことでした。と言いますのは、蒲鉾商人も床から起き出して、どこに持っていたのか大型の金側時計を雨戸の隙間《すきま》から洩《も》れる白い光に当て、その時刻を口にしたからであります。

私も蒲鉾商人ももう眠れませんでしたので、雨戸を繰った縁側に坐《すわ》り、早朝の冷たい空気を肌《はだ》に冷たく感じながら莨《たばこ》を喫《の》みました。そうしているうちに納戸の方でも雨戸が開けられ、家人の寝ている板敷の間の方でも雨戸が繰られ始めました。みんな山鳴りのお蔭《かげ》で起き出してしまったわけでありました。しかし、農家としましては決して早い時刻ではありませんでした。坂道一つ隔てた隣家ではとうに起きていたものと見え、そこの前庭で留吉と春太郎が何か話しながら草鞋を履いている姿が見えておりました。そのうちに粂《くめ》の姿も、金次、信州の姿も見えました。みんな仕事に出掛ける支度をしております。私はこれから朝食も摂《と》らねばなりませんので、彼等より一足遅く出掛けることにしました。

私は見るともなしにそうした仲間の姿に眼を当てていたのですが、そのうちにこちらを振り向いた留吉が私の姿を眼に入れたらしく、右手を軽く上げて、先に出掛けるという合図をして寄越しました。粂、春太郎、留吉、信州、金次の順で、彼等は隣家の前庭から姿を消して行きました。

隣家に泊った連中が出掛けてから三十分程して、私と蒲鉾商人と心中志願の若い男女は揃《そろ》って農家を立ちました。女はゆうべ着ていた紫色の着物を今日も着ており、私にはそのことで二人がまだ死ぬ気持をなくしていないように思われ、多少腹立たしい気持にもなっておりました。

「私はこれから秋元へ行くが、あんた方も一緒について来るがいい。そこから人をつけて、猪苗代へ送って上げる」

私は二人にそんな一方的な言い方をしました。男は軽く頷《うなず》き、女は俯《うつむ》いたまま黙っていました。その時私は二人の表情から男は既に死ぬ気をなくしており、女だけが執拗に死に取り憑《つ》かれているのだという気がしました。あるいは男の方は初めから積極的に死ぬ気は持っていず、女に引っ張られて厭々《いやいや》ながらこの高原にまで連れ出されて来ていたのかも知れません。そういう見方をすると、私には却《かえ》って女の一途《いちず》さが妙に哀れなものに見えて参りました。

私たちは、私が昨日秋元へ行く時取った同じ道を、長瀬川に沿って歩いて行きました。昨日に劣らず空は気持よく晴れていました。雲一つなく淡い藍色《あいいろ》に澄み渡っています。大沢部落を出て二町程の地点で、道は小深沢から流れている小渓流にぶつかりますが、丁度その川を渡ったところで、道は秋元の方へ行く道と、川上、長坂の方へ通ずる道と二つに岐《わか》れます。

蒲鉾商人はそこで私たちと別れ、少し上りになっている熊笹《くまざさ》の中の道を、その中に半分体を埋めながら歩いて行きました。彼は白シャツ一枚になって、着物を入れた風呂敷包と小さい手提鞄《てさげかばん》とを振分けにして肩に担《かつ》いでおり、ひどく道を急いでいる恰好でいやにせかせかした足取りで歩いていました。やがて白いシャツは全く熊笹の中に消えました。

私は押し黙った都会の男女を供にして、小野川との合流点へと向いました。蒲鉾商人と別れてから何程も行かないうちに、私たちは道路に沿った小高い丘に十人程の部落の子供たちが立っているのを見ました。小さいのが五、六歳、大きいのが十歳ぐらいで、みんな連れ立って遊び場所を探しにやって来たといった感じでした。学校というものがこの辺にあろう筈はありませんので、もう少し大きかったら家の手伝いをさせられるのですが、まだそれにはいかにしても年齢が足りなく、養蚕の忙しい時期のことでもあり朝から家を追い出され、このところ毎日のように勝手気儘《きまま》に野放しにされているのでありましょう。

子供たちの一団は道より一段高い処《ところ》に陣取って、そこから私たちの通って行くのをじろじろと見降ろしておりました。私も子供たちの方へ視線を投げましたが、私はその時その中にゆうべ私たちが泊った農家の子供たちも居るのではないかという気がしました。大体農家の子供というのはみな同じような顔をしているもので、そこには囲炉裏端で地震に怯《おび》えた子供の顔もあれば、黙って山鳴りの音の行方に耳を澄ましていた子供の顔もありました。どれがどの家の子か区別は付きませんでしたが、私はゆうべ厄介《やっかい》になった家の子供がそこに居るかどうかを確かめ、居たらその方に声の一つも掛けてやろうという気でいました。

丁度その時でした。正確に言うと七時四十分頃になっていたと思うのですが、私は大地が大きく揺れ動くのを感じました。今までの地震とは全く異なった烈しい揺れ方で、私はいきなり地面に屈《かが》み込みました。山鳴りか地鳴りか判《わか》りませんが、何とも言えぬ不気味な地殻《ちかく》の底から突き上げて来るような音が聞えています。若い女が体の重心を失って、蹣跚《よろ》めいて膝《ひざ》を地面につくのが、私の眼に映りました。やがて私は立ち上りましたが、二度目の震動で再び屈み込みました。こんどは右手を地面につけ体を支えました。子供たちも地面に坐り込んでしまったのか、台地を見上げても、その姿は見えず、台地からは砂塵《さじん》のようなものが舞い上っていました。

二度目の地震が鎮《しず》まった時、私は前に懲《こ》りて、こんどは用心して体を起しました。私の横では若い男が女に手を藉《か》して女の体を起していました。

私はその時台地の上に坊主頭《ぼうずあたま》が一つ二つ立ち上って来るのを見ました。そして全部の頭が私の眼にはいって来た時、私は一人の子供が大きな声で唱《うた》うように叫ぶのを耳にしました。

——ブン抜ゲンダラ、ブン抜ゲロ

すると何人かの子供がまるで体から振りしぼられるような声でそれに和しました。

――ブン抜ゲンダラ、ブン抜ゲロ

私ははっきりと何人かの子供たちが磐梯山に向い立っているのを見ました。そして私の耳は彼等がありったけの声を張り上げて叫ぶのを聞きました。

――ブン抜ゲンダラ、ブン抜ゲロ

そうです。その歌とも叫びとも判らぬ絶叫の合唱が終るか終らぬに、轟然《ごうぜん》たる大音響が大地をつんざきました。私は自分の体が一間程右手へ吹き飛ばされ大地へ叩《たた》きつけられるのを感じました。大音響は次々に起り、大地は揺れに揺れています。いつ私の眼が磐梯山を捉《とら》えたのか、そのことはあとで考えても判りませんが、とにかくその時、磐梯の山頂からは火と煙が真直《まつす》ぐに天に向って噴き上り、その地獄の柱は一瞬にして磐梯自身の高さの二倍に達していたのであります。磐梯はまさしくぶん抜け、この時小磐梯は永遠にその姿を消してしまったのでした。勿論《もちろん》こうしたことは私があとで知ったことであります。

それからどうして私が助かるに到《いた》ったか、私はそれを正確に語ることはできません。磐梯山の北斜面を岩石と砂の大きな流れがいっきに駈け降り、それが山麓一帯の密林地帯を次々に呑《の》み込んで行くこの世のものとは思われぬ怖《おそ》ろしい情景をまるで夢のように覚えています。そしてその恐ろしく速い激流の裾《すそ》にすくわれるようにして、紫色の着衣が、小さな一枚の紫色の紙きれのように空間に舞い上り、それが一瞬にして泥土の流れの中に落ちて消えたのは、いつどの辺の場所だったでしょうか。すべては小石と灰が絶間なく落ちている昼とも夜ともつかぬ薄明の中に行なわれたのであります。私は無我夢中で小野川の川っぷちを走って秋元部落北側の高地へ逃れましたが、ただそれだけのことで、私は九死に一生を助かったのでありました。若《も》し私の逃げる方向が少しでも違っていたら、私は簡単に泥土の流れに捉《とら》えられ、影も形もなくなっていたことでありましょう。

磐梯が抜けてから僅か一時間程で、細野も大沢も秋元も岩と泥土の流れに呑み込まれ、何丈かの岩石の堆積《たいせき》の下になってしまいました。これら北麓の部落ばかりでなく東麓の諸部落の中の幾つかも同じような非運に見舞われたことは御承知の通りであります。

磐梯噴火について正確な調査報告も数多く発表され、今更私如《ご》きが附け加える何ものもありませんが、私は地質学者のいかなる報告とも違った噴火についての私の見聞を何となくお話してみたかったのであります。私には、

――ブン抜ゲンダラ、ブン抜ゲロ

という子供たちのどうにもできなかった気持からの山への挑戦《ちようせん》を、その叫び声を、

今でも耳から消すことはできないのであります。

それからもう一つ、四百七十七人の犠牲者ということになっていますが、正確に言うと、その数字に少なくとももう三つの数を付け加えねばならぬと思います。氏名不詳の若い男女と、同じく氏名不詳の蒲鉾《かまぼこ》商人の霊を、合同慰霊祭でも行なわれるような場合には是非一緒に祀《まつ》ってやりたいものであります。現在は細野も大沢も檜原も長瀬川の中流が岩石と泥土に埋ったためにできた大きな湖の底に沈んでおり、秋元も同様に他の湖の底に沈んでおります。こう申しましても、まだ私はそこを訪ねておりません。恐らく将来もそこを訪ねて行くことはないと思います。美しい湖ができていればできていたで、それを眼にした時の自分の心はどんなに恐ろしいことでありましょう。恐らく一生、私は裏磐梯一帯の地へは足を踏み入れる気にはなれないだろうと思います。

北の駅路

私は一カ月程前全くの未知の人から『日本国東山道陸奥州駅路図』という長ったらしい題名の和綴《わと》じの書物四冊を送られた。各冊大型和紙を二つ折りにしたものを四十枚程集めたもので、四冊重ねてもたいした分量にはならない小冊子程度のものである。題名の示しているが如《ごと》く、白河の関を起点として、現在の福島、宮城、岩手、青森の四県を縦断して北上し、下北半島の突端の大畑《おおはた》に至るまでの道程を鳥瞰《ちょうかん》的に駅々の風物を中心にして淡彩で描いたもので、まさに『東山道陸奥州駅路図』と言うにふさわしい。

差出人は鍛冶山《かじやま》兵太という人物で、住所は三重県木本町《きのもとまち》馬止とあって、消印の文字は不分明で読み取ることが出来ない。鍛冶山兵太なる名前の人物は全く私の記憶の中には存在していず、その小包が届いてから暫《しばら》くの間、私は毎日のように、その未知の人物からの音信を心待ちにしていたのであるが、何の音沙汰《おとさた》もなかった。

最初私はそれを受け取った時、極《ご》く大雑把《おおざっぱ》に各頁《ページ》をめくってその内容を珍しいものだとは思ったが、いかなる理由でこれが私のところへ送られて来たか全然思い当たるところがないので、幾らかの不審さも手伝って、書棚《しょだな》の上に包装紙に包んだままにしておいたのであるが、一週間程経《た》った頃《ころ》、それを縁側に持ち出して、初冬の午前の陽《ひ》の光の中で開いてみた。今度は多少の好奇心も手伝ってその内容に仔細《しさい》に眼《め》を通してみた。

第一冊は「従白河郡至伊達郡」とあり、第二冊は「従刈田《かった》郡至下胆沢《しもいさわ》郡」、第三冊は「従和賀郡至北郡」、第四冊は「従北郡佐《さ》井湊《いみなと》至田名部《たなぶ》海浜」と、それぞれ表紙の横に、収められてある区域が表示されてある。

各冊とも全頁が駅路の情景を写実的に写したもので、この地点は洪水《こうずい》の時は渡れなくなるとか、この駅の土産物は何だとか、『東鑑《あずまかがみ》』に斯《こ》うした記載があるとか、そういった種類の極く短い註が付せられてあるほか、文章というものは全くない。第一巻第一頁には序言が付せられてあったと思うが「露州居士識」という文字の書き付けられてある一部だけを残して、惜しくも千切り取られてあり、第二頁も、図の筆者および校合者《きょうごうしゃ》の名前でも掲げられてあったのか、校合という文字と、勢州神都、奥州須賀川駅、奥州一戸《いちのへ》駅などの文字のある一部を残して、これもまた、雨漏りらしい茶色の汚染《しみ》の形を辿《たど》って破り取られている。

従ってこれが描かれた年代も不明であるし、他に原本があって、これがそれを書き写したものであるか否《いな》かも、この方面に何の知識も持ち合わせていない私には判《わか》らない。

勿論《もちろん》、この書の目的は東山道の奥羽《おうう》に入ってからの全行程の実景をあるがままに知らしむるにあって、描く者の心も、単に風景を写すのと、そこに大きい隔たりはあるが、しかし、なかなかこの種のものにしては珍しく画品のあるもので、東北の蕭条《しょうじょう》たる秋の自然を雅趣に富んだ筆で描き出してある。校合という文字が見えるくらいだから、土地土地の何人かの人の知識がこの駅路図の完成に加えられてあるとは思われるが、それにしても一人の作者の実地踏査の記録がこの企ての根幹をなしていると見て間違いないかと思う。

第一巻第一枚目の、白河城市から小丘陵の間を縫って清水坂を越えて根田駅に至る一里の間が初秋の感じであるのに、第四巻最後の頁の下北半島の北岸大畑附近の、急深の海にのめり込みそうに迫っている断崖《だんがい》の肌《はだ》の色が明らかに初冬のきびしさを現わしているのも、作者が季節的な考慮を、この長い駅路の風物の描写に払っていることが窺《うかが》われる。

時代は先述したように門外漢の私の貧しい知識では見当付かないが、仙台城市を戸《こ》千七百十三、盛岡城市を戸千八百余戸と註してあるところから判断すると、この書物の作者は江戸中期頃の人ではないかと推測できそうである。

この書の詳しい紹介はこの小文の目的でないのでしないことにするが、私は全くの未知の人から送り付けられて来たこの四冊の薄い東北の駅路図で、その日一日を完全に潰《つぶ》して仕舞った。頁をめくって行って楽しかった。

初秋の白河を立って清水坂を越え、二本松、福島、白石、仙台、一ノ関、盛岡、金田一、三戸《さんのへ》と蜿々《えんえん》と北行し、五戸駅を過ぎて、八甲田岳を遠望する辺りからは蕭条落《らく》莫《ばく》たる晩秋の原野ばかりである。そして既に初冬の暗い海面を見せている陸奥《むつ》湾に出て、野辺地《のへじ》の港に入り、更に北上して田名部に至る。ここからは海路をとったか、陸路をとったか不明であるが、一時足跡が途切れて、下北半島の、今日の地図では判断できぬ津軽海峡に面した部落と思われるところを経て、大畑でこの長途の旅は終止符を打たれている。

私はその翌日この筆者不明の四冊の駅路図を携えて、地誌をやっている友人を訪ねて、「陸奥出羽国郡行程全図」という江戸末期の木版の地図を借りて、それと照合してみたり、江戸の遊歴文人菅江真澄《すがえますみ》の東北の紀行文の中に南部地方も含まれていたことを思い出して、その書物を図書館に探しに行ったりした。

友達の古地図と照合してみると、そこへ出て来る戸二、三十の小さい部落の名前は殆《ほと》ど違っていた。真澄の紀行文で、私の索《さが》した範囲では、下北半島で田名部、大畑、易国《いこく》、大間《おおま》、奥戸《おこっぺ》などに関するものがあり、時代的には差違はあるが、両者を合わせ見ると、真澄の記述と駅路図の風物の心とはふしぎにぴったりしていて、二、三百年前の北海僻陬《へきすう》の地をあれこれ想像してみることは私にはひどく楽しい仕事だった。

勿論、こんなことをしたからと言って、私はこの古い駅路図の筆者やその年代に就いて、何らかの知識を得ようというのではない。そんな了見はさらさら抱いていない。謂《い》ってみれば、これは私の愚にもつかない遊びである。学生時代から私は斯うした何の役にも立たない詮索《せんさく》欲とも好奇心ともつかぬものを持っていた。そしてそうしたことが何年にも絶えていたが、思いがけず、何人とも判らぬ人に依《よ》って投げ込まれた四冊の古い駅路図によって、長く忘れていた心に火を点《つ》けられた恰好《かっこう》だった。

私は仕事の忙しい最中を二、三日無駄《むだ》にして、大学へ行ったり図書館へ行ったり古本屋へ行ったりして、私は私なりに結構楽しく遊んだ。そして一応、その駅路図を材料にして遊び尽して仕舞うと、急に憑《つ》きものが落ちたように、自分の仕事の中に帰って行った。

私が、『日本国東山道陸奥州駅路図』の発送人である鍛冶山兵太から手紙を貰《もら》ったのは、そうした私の線香花火のような短い遊びが燃え尽して仕舞って、その駅路図のえの字も思い出さなくなった頃、正確に言えば、駅路図が私の手許《てもと》へ舞い込んでから三十五日程経過してからのある日であった。

その鍛冶山兵太の手紙は、所々述べんとすることが重複した個処《かしょ》もあり、彼自身の手紙の中に若き日一度作家を志願したと言っているが、到底そうした文才のあろうとは思われぬたどたどしい古臭い文体であって、それを幾らかでも読み易《やす》いように整理して私の筆を加えて次に発表してみることにする。

文章はいま言ったように義理にも名文とは言えないが、筆蹟《ひっせき》の方は枯れてなかなか堂々としたものだった。


『日本国東山道陸奥州駅路図』御受け取り下さったことと思います。あれをお送りして直《す》ぐお手紙を差し上げるつもりのところ、少々一身上のごたごたがありまして、お手紙の筆を執る心の余裕のないままに、つい今日まで失礼して仕舞いました。

実は、『陸奥州駅路図』四巻お送りしましたのは、お買い戴《いただ》きたいと思いまして、恐らく貴方様《あなたさま》なら買って戴けるのでないかと存じまして、ぶしつけとは思いましたが、お手許までお届けいたしました次第でございます。

貴方様ならと、よく存じ上げているような口のきき方をいたしましたが、実は私と同郷の静岡県の御出生であるということのほか、私は貴方様について別段何も存じ上げてはいないのでございます。時折発表なさるお作も、どれ一つまだ拝見いたしたことはなく、こんな言い方はさぞ御不快とは存じますが、失礼の段は幾重にもお詫《わ》び申し上げておきます。

同郷の先輩にも多少知人があり、それらの人や県出身の斯《こ》うした書物を買って下さりそうな実業家の名も、この書物を手離すについて何人か思い浮かべましたが、やはりものをお書き下さる方が、一番よく斯うした書物の価値が判って戴けると思いまして、たまたま貴方様が静岡県の御出身であるということを、何かの雑誌で承知いたしましたので、それだけの御縁故を頼りに、失礼なお願いを申し出る気持になったのでございます。

斯う申すとお笑いになるかも知れませんが、私も若い頃小説家になろうとしたこともございまして、何となく、お会いしなくても気心が判っているような気がいたしまして、急場を助けて戴く気持になったのでございます。

しかし、ただいまは少し私の気持は変わって来て居りまして、それにこのことは後で申し述べますが、私自身の身辺にも変化がありまして、あの書物をお買い戴く気持は、私からは失《な》くなって居ります。そのままお納め戴いて結構でございます。お納め戴くに当たって『陸奥州駅路図』に就いて、と申しましても私は何もこの書に就いての特別な知識の持合せはありませんが、これと私とのこれまでの関係を、一応お話しておこうかと思います。あるいは見当違いの私の臆測《おくそく》かも知れませんが、多少なりとも、ものをお書きになる貴方様の御参考になることがあるかも知れないと思います。

私が初めてこの書物を京都の北野の古本屋の店先で発見いたしましたのは、もう彼《かれ》是《これ》二十年も昔のことでございます。私が二十六、七の時のことで、某私立大学の専科を途中で止《や》めて、毎日何もしないで愚図愚図いたして居りました当時のことでございました。

私は沼津在の貧乏な雑貨屋の次男坊に生まれまして、もともと学費は親戚《しんせき》の家から出て居りましたが、その家が左前になって学費の出所が失くなり、それに加えて、私自身学業というものに嫌気《いやけ》がさしていました所なので、学校の方はあっさりと退校し、いよいよ困れば自由労働者にでもなんでもなればいいようなつもりで、友達という友達から金を借りたり、所持品を売ったりして、毎日安アパートの二階でのらくらと怠惰な日を送っていた当時のことでございます。

私は後日その当時のことを振り返ります度に余り愉快にはなれぬのですが、若さに汚れているとでもいうか、そんな嫌な一時期でした。妙に何事につけても懐疑的、否定的で、前途というものに希望を持たず、自分から人生を踏み外して、暗い運命にの

め り込んで行くことに妙な快感を感じているような、そんなじめじめした時代でした。

そんな私の生活態度を心配してくれたある先輩の世話で、関西では割合に名の知れたある出版社に一度は就職する話も決まったのですが、そこも自分の愚かさからむざむざとしくじって仕舞いました。向うの会社の幹部という人たちが高台寺の料亭《りょうてい》で会食しており、そこへ出向いて型ばかりの挨拶《あいさつ》をすれば、それで採用は本極《ほんぎま》りになるところまで、先輩の口ききで、話は漕《こ》ぎつけていたのですが、そこへ先輩に連れられて出掛けて行って、私はとんでもない放言をして、先方の感情をすっかり壊して仕舞ったのです。

自分は、仕事は勝手にさせてくれぬと困るとか、朝の出勤は遅いが、それは承知かとか、私はその席上で、まるで先方とこちらの立場が逆になっているような、変梃《へんてこ》な世迷言《よまいごと》を熱にでも浮かされているように口走って、すっかり先輩のお膳立《ぜんだ》てをぶち壊して仕舞ったのでございます。何も初めからそんなつもりで出掛けたのではないのですが、何となくそんな自分でも制御できぬ方向に気持が狂って行って仕舞ったのでございます。

その料亭を出て、祇園《ぎおん》の八坂神社の石段のところまで行って、私はその先輩に二つ三つ烈《はげ》しく頰《ほお》を殴られました。

そして到頭この先輩にも見離されたという気持で、四条大宮の方へふらふらと歩き、途中から電車に乗って北野の終点まで行き、その停留所の傍の小さい古本屋へ入って行きました。その時顔見知りのそこの主人から見せて貰ったのが『日本国東山道陸奥州駅路図』四巻なのでございます。

そこの主人が、それを何処《どこ》から手に入れたか知りませんが、ともかくそれを私に見せたという事は、私に一応鑑定して貰いたい気持があったかと思います。が、私には勿論、それがいかなるものか見当さえ付きませんでした。

しかし、その時、その頁をめくっていて、私が何となくそれに惹《ひ》き付けられたことは事実です。その晩の、就職も駄目になり、最後の先輩にもいよいよ見離されて仕舞ったという自業自得《じごうじとく》とは言《い》い条《じょう》やはり暗然たらざるを得ない気持が、これを描いた放浪旅絵師（と、その時も、それから後も、私はそう思って居ります）の、北海の端まで旅して行くその心とどこか相通ずるものがあったのかも知れません。

私はその晩、知っている大学の若い教師にそれを売り付けてやるということで、この店からその四冊の書物を借りてアパートに帰りました。その時は本当にそんなつもりで、うまく行けば売上げ金の一部でもかすめ取ろうかといったブローカー的な考えだったのですが、いざとなると、私は外出するのが億劫《おっくう》でもあり、妙にそんな書物を持ち廻るのも大儀になって、一カ月程それを手許に置いたまま過したものでございます。

そして仕事のないままに朝から晩まで敷き放しの寝床の中に（当時は便所へ立つのも嫌で、溲瓶《しびん》まで部屋に置いてあり、そんなことで他のアパートの住人たちから嫌《きら》われていたようです。）もぐり込んでいて、時々退屈しのぎにその書物のあちこちを展《ひろ》げて眺《なが》めたりして居りました。

そんなことをしているうちに、私はいつか自分でも気付かないうちに、東北の駅路を遍歴している旅絵師の気持というものにあれこれ想像を廻《めぐ》らしていたのでございます。北上川の川上である磐手《いわて》、二戸両郡の郡界付近の丘陵地帯を彼が歩いていた時はどんな気持だったろうとか、七戸駅を過ぎて、人煙稀《まれ》な草原に足を踏み入れ、そして又その草原から抜け出し、初めて野辺地の海を見た時はどんな感慨を持ったろうとか、そうした旅絵師の心の中にいつか立ち入っているのでございました。

私自身がどこでもいいからなるべく遠い所をうろつき廻りたいような気持に追い詰められている時でしたので、取り分けこの『東山道陸奥州駅路図』の作者の所行《しょぎょう》や心情が身に滲《し》みて感じられたのかも知れません。

私は、それからその旅絵師の遍歴の心境を日記体に書いてみたら一篇の小説になるのではないかと思い付き、柄《がら》にもなくそれから何日か、机の前に原稿用紙と駅路図を拡《ひろ》げて、寝床から首だけ出して、鉛筆を動かしたものでございます。しかしこれは結局二、三十枚の原稿用紙をまるめただけの話で、一枚の文章にもなりませんでした。徒《いたず》らに疲れ果てただけで、小説を書くことを諦《あきら》めると、私は初めの予定通り、この駅路図を誰かに売り付けて、買手と古本屋の間に立って口銭《こうせん》を稼《かせ》ぐために、久し振りで自分の寝床を這《は》い出しました。

何人かに当たりましたが結局これを買ったのは、本田という学校の友達で、私は売上げ金の何分の一かを古本屋の親父《おやじ》に渡し、後は着服して私の二カ月の食費をそこから出しました。本田というのは、神戸の金持の息子で、一頁も開かないくせに、本ならやたらに買い込んでいる学生でした。

私はこの書物のお蔭《かげ》で、二カ月の食費を稼ぎ出すことが出来たわけですが、後になって考えてみると、私は結局一枚も書き上げませんでしたが、ともかく一人の旅絵師の放浪記を書こうとした事に依って、それこそ心に何の拠《よ》り所のない放浪の生活へとずるずると滑り込んで行きかけていたあの頃の自分を、危いところで持ちこたえることが出来たのではなかったかと思います。

あの頃の私は、転落一歩手前の頗《すこぶ》る危っかしい所に立っていたように思います。何か自分を棄《す》ててみたいような気持に絶えず襲われていました。自分も自分の一生もどうせたいしたものではないといった自分をあっさり何処へでも投げ棄てて仕舞いそうな、そんな危険なものを、私は持っていたようでございます。

しかしそうした気持が、百年前か或《ある》いは二百年、三百年前か知りませんが、ともかく昔の一人の奥羽の旅行者の姿を心に思い描くことに依って、自然に吸収されて行ったのではないかと思うのです。丁度あの頃巡って来ていた危機の頂点のようなものが、その駅路図のお蔭でふいに肩透かしを喰《く》ったように私から外されたのではないかと、こう思うのでございます。

十和田湖の水源地帯の荒涼とした山野を歩いているのは、駅路図の作者というより、むしろ自分自身であったような気がいたすのでございます。

次に私がこの『陸奥州駅路図』を二度目に手にしたのは、それから十数年経った終戦直後のことでございます。この頃もひどく私は困って居りました。戦争の末期の会社統制の波を喰って、勤め先の会社が廃せられ、私は否応《いやおう》なしに徴用工にされて、尼《あま》崎《が》の軍需工場で何カ月か働き、体を害《そこ》ねたまま終戦を迎えたのでございます。

私は大勢の扶養家族を抱えて経済的にひどい苦境に立っていました。戦争中は家内と子供たちは私の郷里の家の方へ疎開させ、私一人が尼崎の工場の寮にいたのですが、終戦といっしょにその寮は閉鎖され、一時は職も宿もない惨《みじ》めさでした。

体は壊しているし、定収入は持っていないし、養わなければならぬ家族は多いし、そこへ持って来て、兄夫婦と家内とが折合が悪く、郷里の家からの立退《たちの》きを強要されているようなこともあって、文字通り私は窮地に追い込まれて居りました。

ブローカーの、そのまた走り使いのようなことをして、僅《わず》かな金を手に入れると、そのまま郵便局へ走って妻子へ送金するような状態で、心身共にひどく疲れ切って居りました。私は工場の寮を追われてから、知人の家の物置のようなところを借りて、そこの土間に莚《むしろ》を敷いて寝起きしていました。ある晩、土間に敷いた寝床の上でふと苦し紛れに思い出したのが、『陸奥州駅路図』のことでございます。

現在それは手離さない限り本田という友達の手にある筈《はず》で、それを買い戻して他処《よそ》に高く売れないものだろうかという考えが、どうしたものか、その時少し発熱して上ずっている私の頭の中へ、ひょこりと神の啓示のように思い出されて来たのでございます。

私はその書物を購入しそうな顔を二、三眼に浮かべ、その中で仕事で二、三回会ったことのある三流会社の社長ではあるがひどく金廻りのいい安永という男を、『陸奥州駅路図』の新しい購入者として頭の中で勝手に選びました。つまらない美術品を高い金をかけて集めているこの男なら二つ返事でこの書物を高く買ってくれるだろうと思ったからです。

　私は現在はある保険会社の何とか課長に収まっている大学時代の友達の本田を芦屋《あしや》の私宅に訪ね、駅路図の買い戻し方を交渉しましたが、彼はたいした未練もなくそれを承諾してくれました。『陸奥州駅路図』に彼は何の執着も持っていず、大体学生時代に彼が手に入れたこの何の役にも立たない四冊の書物のことを、彼は半ば忘れてさえいる様子でした。私はそれを二千円程の金と交換することにして、その金は後払いとして、現物だけを彼のところから持ち出して参りました。そして、一方安永の方には、それを二万円程で売却する話を纏《まと》めることに成功したのでございます。

　私は十何年か振りで、青年時代に小さいアパートの万年床の中で繙《ひもと》いた書物を、今度は寒気が四方から立ち上って来る物置小屋の土間に敷かれた寝床の中で開いてみました。

　その晩私は眠れませんでした。曾《かつ》て自分がいろいろと頭に描いた放浪旅絵師のうそ寒い姿が、歳月の隔たりを消してそのまま眼前に浮かんで参りました。しかし今度の場合私を眠らせなかったものは、この旅絵師が下北半島の大畑に行ってこの旅日記の最後の頁を描き終わり、さてそれから彼はどうしたろうかという疑問でありました。

この時、三つ子の魂百までとはよく言ったもので、私は堪《たま》らなく小説というものを書いてみたくなりました。平素生活に追いまくられて居て、ついぞ小説というようなものを読んだこともなく、その書き方も解らないのですが、若い時とは全く違った観点からこの『陸奥州駅路図』の筆者の、これを描き終えてから後を、書いてみたくなったのでございます。

この駅路図の筆者は、大畑からどこへも行かなかったのではないかと私は思いました。今まで長い道程をここまではるばるとやって来て、彼が又同じ道を引き返して行ったとは、どうしても私には考えられないのでございました。

道ここに尽く。入水《じゆすい》。

私は私の小説の一番最後に書き記すべき一行を頭に真っ先に思い浮かべました。これは言うまでもなく、彼が私の小説の中で書き記さなければならぬ遺書の最後の一行です。最後の一行ではなく、これが彼の遺書の全部であってもいいかも知れません。

『陸奥州駅路図』の筆者は、大畑まで辿《たど》り着いて、この駅路図に描かれてあるようにここで道が尽きた時、とても今まで歩いて来た長い道をもう一度引き返す気持にはならなかったのではないでしょうか。そのまま往還を離れて、初冬の荒磯《ありそ》に立ち、それから北海特有の黝《くろ》ずみ泡立《あわだ》ち渡っている潮の中へ一歩一歩足を踏み入れて行ったのではないでしょうか。入水。まことにそうした感じの、海への身の投入の仕方だったと思うのです。風呂《ふろ》へでも浸《つ》かるように、彼は潮の中へ入り、あるいは両手で顔の一つぐらいは洗って、それから急深の海底の地盤の傾斜を一気に踏み外し、そのまま潮の中に沈んで行って仕舞ったと思うのですが、この私の想像はいかがなものでございましょう。

初秋から初冬へかけて陸奥州の駅路をその風物を写しながら経巡《へめぐ》った一人の旅絵師の、大畑から以後の消息は、私にはどうしてもこれ以外には考えられないのでございました。

この駅路図の各頁から読む者の心を打って来るものは、そしてまたそれが一つ一つ積もり重なって四冊の分量から滲《にじ》み出して来るものは、到底、これ以外のものとは思われなかったのでございます。

それから半月程、喉《のど》から手が出る程金は欲しかったのですが、私はそれを新しい購入者の許《もと》へ持って行って金に換えることを、一日延ばしに延ばしていました。金が失《な》くなって困っている家人の心が切実に自分の苦しみとして感じられるのですが、それに私はじっと堪えていました。そして、あまり腹がへらないように昼もなるべく床の中にもぐり込んでいることにして、『陸奥州駅路図』のあちこちをめくりながら、一篇の小説を纏《まと》めることに苦心しました。

しかし、結局、曾《かつ》ての場合と同様に一枚の書出しも出来ませんでした。頭の中には、はっきりと、一人の旅絵師の心もその姿も浮かんで居り、その眼付きや歩き方の癖までも判《わか》っているのですが、それをどのように書き現わしていいか判らないのでございます。

そして半月程家に閉じ籠《こも》って、私がやったことと言っては、薄いノートの端に「道ここに尽く。入水」という真っ先に私の頭に浮かんだ短い言葉を書き記したに過ぎませんでした。

しかし、今になって考えてみると、もしかしたら、無為にその半月を過したことに依って、私は今日まで生き永らえて来ることが出来たのではないかと思うのです。自殺したのは一人の旅絵師ではなくて、私だったかも知れないからです。何故《なぜ》なら、当時、私はひどく疲れて居りました。働くことにも、金を送ることにも、家人の事を思うことにも、呼吸することにも、そして生きているということにさえも、私はひどく疲れていたと思うのでございます。

『陸奥州駅路図』の筆者より寧《むし》ろ私の方が、自分の前の道は尽きて失くなって居り、為《な》すべきことは入水の一事以外なかったと思うのです。しかしこの書物を繙《ひもと》いたことに依って、私は自分の死の運命を一人の旅絵師のそれに転換し、自分は自分の疲れた心身をもう一度鞭《むち》打《う》って生きてみようかという気持になったのではないかと思います。

私は発熱して、心も体も汗ばんでいる中で、ふと駅路図を転売することに思い付いたことを、後日その時のことを思い出す度に、いつも興味深く思います。金に詰まった窮余の一策と言うより、生きることに疲れ切って仕舞った人生の敗残者の心が、そこに憩うために、ふと手を伸ばさずには居られなかったものを四冊の駅路図は持っていたのではないでしょうか。

それはともかくとしまして、小説の方は諦《あきら》めると、私は結局それを安永のところへ持って行って、本田から買った十倍の値段で売り付け、一家の者が二カ月を過すことのできる生活費を浮かせました。

安永の手に渡った四冊の『陸奥州駅路図』が、再び彼の手から私の手許に戻って来たのは、それから六年目、つまり今より一カ月半程前のことでございます。

今度の場合も、幸いというと語弊がありますが、幸い事業に失敗した安永からそれを二束三文で買い戻し、誰か適当な値段で買って貰《もら》って、或る程度の中間の利益を自分の懐中に収めようと思ったのであります。

ただ、今度の場合は、転売に依《よ》る中間の手数料を狙《ねら》ってのことには違いありませんが、必ずしもそれだけが目的の総《すべ》てではなく、久し振りで駅路図を繙き、今は既に何十枚かの絵として、一木一草まで私の記憶の中にかなり正確に仕舞われてある東北の古い時代の風景に、久し振りで接してみたい気持も確かに私の中には動いていたようでございます。お金も欲しかったし、駅路図もついでに展《ひろ》げてみたかったと言うのが、仔細《しさい》に自分の心を索《さぐ》ってみると、その時の私の心の実際の有体《ありてい》ではなかったかと思うのです。

現在私は相変らずからっとしない下級公吏の貧しい境遇にありますが、子供たちもそれぞれ丈夫に成長し、家庭的にも、生活的にも、そう一時の私ほど不幸ではないようでございます。

しかし、既にこれまでの私の行為からお気付きかとは思いますが、昔から私が性向の一面として持っているものが禍《わざわ》いして、公金を多少正しくない方法で費《つか》い込んで、そのために私は、現在自分自身にいつ破局が来ても致し方のないような立場に立って居ります。

斯《こ》うした事から来る精神的な不安感は堪《たま》らなく嫌《いや》なものでございます。社会的に葬《ほうむ》り去られても、たいして惜しい程の人生ではありませんが、そうした破局を待っている気持というものは、全く遣《や》り切れないものでございます。現在、私の身に起ころうとしている斯うした愚かな事件の全貌《ぜんぼう》を詳しく申し上げても、御清境を汚《けが》すばかりで何の益もないことと思いますので、それには触れないことに致します。

私はこの事件で身近に多少の危惧《きぐ》と動揺を感じるようになりましてから、妻の実家である紀州の木本町に一時ほとぼりを冷ますつもりで出掛けましたが、その折、安永から買い戻した例の『日本国東山道陸奥州駅路図』四巻を持参して参りました。しかし今度はそれを展げても、不思議なことに全く自分とは何の関係もない無縁なものにしか感じられませんでした。人生的痛苦とは異なる現在の私が持っているような頗《すこぶ》る猥雑《わいざつ》な不安とか恐怖とかいったものは、駅路図の持っている曾ての私の心を惹《ひ》き入れてくれたあのようなものからさえも、見離されているのかも知れません。駅路図の一枚一枚をめくっても、取りつくしまのない埃《ほこり》っぽい気持でございます。もう斯うなっては、憩うことの出来る場所というものは、この世の何処《どこ》にもないようでございます。

強《し》いて駅路図に対する現在の自分の気持を詮索《せんさく》してみますと、この東北の駅路の何処でもいいから自分自身そこに立たせてみたいと感じるぐらいの事でありましょうか。もし現在でも斯ういう山や丘や人家や原や道路や川や橋や木々の茂りがあるのならば、そのような虔《つつま》しい謙譲な風景の中に身を置いてみたいと思います。旅絵師の姿など微《み》塵《じん》も浮かんで参りません。各頁を開けて行って、そこにふと立つ者の姿があるとすると、それはまあ自分自身の何処へも行き場の失くなっているうらぶれた落ち着かない姿でございます。

木本で貴方様に買って戴くことを思い付き駅路図四巻をお送りしたというわけでございます。お送りしておいて、後から金額をお報《しら》せして、それでよかったら引き取って戴こうと思ったのですが、小包をお送りした直後、自分の居場所を急に変えなければならぬような事態になり、書物だけお送りして、後のお手紙を認《したた》める心の余裕もなければ、実際に各地を転々として、それを認めるだけの時間の余裕もないままに、今日に至った次第でございます。

今となりましては些少《さしょう》のお金を貴方様から戴いても、それがどうなるというものでもありません。それゆえ買って戴こうと思ってお送りしたものではありますが、改めて『駅路図』四冊は、貴方様に呈上致すことにしたいと思って居ります。同郷人の誼《よし》みとして御受納戴ければ大変仕合せでございます。

私がくどくどとこれまで述べて参りました事が、多少でもお仕事の参考になれば望外の悦《よろこ》びでもあり、あるいはまた貴方様が駅路図の作者のことでも、何らかの形で小説にお書き下さるとすれば、いつかそれを拝読する日を想像してひどく楽しい気持が致します。

曾て駅路図の作者を入水させようと考えたあの頃《ころ》の私とは違って、現在の私は決してそうした女々《めめ》しい事と自分とを結び付けて考える気持にはなって居りません。こうした事については、いささかも御懸念には及びません。

こんなに疲れていて、死をさえ考えないとは、何と嫌な疲れ方でございましょう。そうです、死にたくはありませんが、ぐっすりと眠りたいとは思います。もう随分不眠に苦しんでいる日々が続いて居ります。

曾て駅路図の作者の姿を思い描いてすうっと眠りに入れた当時の、あの頃の自分の不幸さが懐《なつか》しく思われます。現在の私は床の中で眼を瞑《つむ》り、眠ろう眠ろうと思いながら、悪疲れしている頭の中で女の肉体のことを考えます。特定の一個の女体ではありません。ひどく観念的なものでございます。白いぶよぶよした弾力と匂《におい》を持った肉の固塊《かたまり》を思い浮かべます。曾て道の尽きた下北半島の海の潮の泡立ちを思い浮かべたように、一心にそれを思い浮かべます。両の乳や胸や股《もも》や、——それらの白い丘陵や斜面や谷や、いや、それはひどくぼんやりしたもので、一面の白い肉の拡がりのようなものと言った方がいいかも知れません。それが霧でもかかるような感じで顔へかぶさって参ります。窒息するようなかぶさり方で、かぶさって来ます。白い霧の中で息が出来なくなります。そして、ああ息が詰まると思いながら、さして苦痛は感ぜず、自分からその白い霧のような肉の固塊の中へ顔を埋めて行きます。

もし眠りに入るとすれば、それはひどく索莫《さくばく》たる休息の、こうした瞬間のことでございましょうか。つまらぬことを長々と認《したた》めて参りました。御清境を濁したことを深くお詫《わ》びして筆をおきます。

注解

楼蘭

ページ

八　＊漢の武帝（前156—前87）中国前漢の第七代皇帝。前二代の国力充実のあとを受けて、内治外征に意を注ぎ、治世五十四年間にわたって漢朝の最盛期を築いたが、晩年には財政が窮乏し、また内外の騒乱を生じた。

八　＊胡族　古代中国人が用いた塞外《さいがい》の地に住む民族の汎称《はんしょう》。『漢書』などでは専ら匈奴《きょうど》を意味し、チベット族の羌《きょう》と区別して用いているが、魏晋《ぎしん》以降はしだいに西域諸国をも示すようになり、隋唐になると突厥《とっけつ》、回鶻《ウイグル》、ソグド人なども胡と呼ばれた。

九　＊大月氏　前三世紀ごろから前一世紀ごろまで、中央アジアに拠《よ》った遊牧民族で、トルコ系またはイラン系といわれる。はじめ外蒙《がいもう》・新疆《しんきょう》方面にいたが、興隆した一時期には中国の甘粛《かんしゅく》省、青海省地方まで版図に収めて一大国となった。

九　＊匈奴　前四世紀末より五世紀間にわたってモンゴル高原に強盛を誇った遊牧騎馬民族で、秦《しん》が滅びる混乱期に出た冒頓単于《ぼくとつぜんう》は全モンゴルを統一し、遊牧大帝国を建て漢帝国と対立した。四世紀にヨーロッパを侵略したフンの原族ともいわれる。

九　＊高祖　名は劉邦《りゅうほう》。（在位前206―前195）秦に代って漢帝国を創立したが、匈奴親征に失敗し、冒頓単于のために大同の東の平城に七日間包囲せられ、ようやく脱出して以来、消極政策に終始した。

一〇　＊且末……疏勒　いずれも西域の沙漠地帯にあった国々だが、たとえば「于闐《うてん》」はタリム盆地南辺のホータン、「莎車」は南西隅のヤルカンド、「焉耆」はカラシャール、「亀茲」はクチャ、「疏勒」はカシュガルにあたる。

一一　＊大宛　中央アジアのフェルガーナ地方（現在、ロシア領トルキスタンのウズベク共和国のフェルガーナ州とタジク共和国のレニナバード州にあたる）に対する漢人の呼称。大宛の名を初めて中国に伝えたのは張騫で、武帝（八）はその地の特産である汗血馬と呼ばれる良馬を手に入れるためにはるばる大宛征伐を行った。

一一　＊鄯善　タリム盆地の南東辺、チャルフリクのオアシスとミーラーンの遺跡とを含めた地域。

一三　＊康居　西トルキスタンのシル河下流域のトルコ系遊牧民の国。

一七　＊扜弥　西域南道のホータンの東北隣に位置するダンダン・ウイリクにあたる。

二一　＊李広利　（?―前89）中国前漢の武将。妹の李夫人が武帝の寵《ちょう》を受けたので、用いられて栄進し、西域に外征の将として功罪こもごもであったが、前九〇年匈奴に敗れて降《くだ》り、のちに殺された。

三〇　＊玉　于闐の玉《ぎょく》は軟玉と呼ばれるもので、翡翠《ひすい》のような硬玉とは別物。于闐国の南崑崙《こんろん》山脈から河水で押し流されてきたものを減水期に河床から採取していた。古代の中国人は殊《こと》のほかこの于闐の玉を愛好し、種々の玉器が残されている。

三六　＊王莽　（前45—後23）中国前漢末の簒奪者《さんだつしゃ》。平帝の時、実権を握って娘を皇后とし、人心の収攬《しゅうらん》に努め、やがて平帝を弑《しい》して幼い嬰《えい》を立てたが、ついで自ら皇帝となり国号を新と称した。しかし、古代の制を理想とする改革を急ぎすぎて失政を招き、諸豪族の蜂《ほう》起《き》を許して、ついに劉秀（後漢の光武帝）に討たれ、新は十五年で滅んだ。

三六　＊西域都護　漢代に西域を統治するために設置された機関。前六〇年、匈奴の日逐王が内紛のため漢に投降し、そのために車師（トゥルファン）以西の北道の匈奴勢力が減退したので鄭吉《ていきつ》を都護に任命して西域諸国を抑えさせ、これが漢末まで及んだ。しかし、王《おう》莽《もう》（前注参照）の時に対外政策の失敗から再び匈奴の勢力が西域に及び、都護が殺されるに至って中絶した。後漢に入ると、竇固《とうこ》、班超《はんちょう》らが積極的な西域経営を行い匈奴勢力を退け、七四年、西域都護を復活したが、間もなく焉耆・亀茲（ともに前出）が叛《そむ》き壊滅した。九一年になると三たび復活し、班超が都護に任命され、亀茲に駐留し、西域諸国を服属させた。しかし、その後、後漢の勢力が減退し、一〇七年に廃止された。その後、後漢では西域都護を置かず、一二三年以降、西域経営を行う場合には、西域長史が置かれた。

三六　＊車師　「車師前国」と「車師後国」とがあり、前者はトゥルファン盆地を支配し交河城（ヤール・ホトの廃趾）を都とし、後者は天山の北側にあって現在のジサム付近に都があった。車師の地は匈奴が西域に南下する門戸にあたっている。

四四　＊北匈奴　後漢の光武帝の中国統一直後（48）、匈奴に内紛が起り南北に分裂した。北匈奴は後漢の攻撃を受け、九一年オルホン川西の根拠地をすててイリ地方に移住した。その後北匈奴は半世紀にわたって後漢とタリム盆地諸国の支配権を争った。

四四　＊河西　甘粛省の黄河以西のいわゆる甘粛回廊地帯で、シルク・ロードの東端をなす。

四四　＊伊吾盧　中国新疆《しんきょう》ウイグル自治区ハミ地方のオアシスの古称で、伊吾ともいう。中国、北狄《ほくてき》、西域を結ぶ接点であり、また中国からは西域の咽喉《いんこう》にあたり、匈奴との争奪の場となった。

四四　＊班超　（32—102）後漢の人。『漢書』の著者班固の弟。北匈奴を討って功を立てて認められて以来、度々西域への使者として派遣され、多くの功績を上げた。三十余年にわたる西域経営の間に、西域都護（三六）に任ぜられてパミールの東西の五十余国を服属させた。「異域の人」に詳しい。

四八　＊班勇　（生没年不詳）班超の子。父の後を継いで西域経営に力を尽くし、河西（四四）に侵入した北匈奴を討つなどの功があった。

四九　＊精絶　ニヤ。現在の新疆ウイグル自治区民豊県の北方約一五〇キロにあった。一九〇一年にM・A・スタインによって発見された。

五〇　＊鮮卑　古代から北方アジアに拠った蒙古系の遊牧民族で、長く匈奴に隷属《れいぞく》したが、二世紀ごろ匈奴の分裂に乗じて勢威を張り内外蒙古を含む大国となった。分離統合を繰返したが、四世紀になって、この一支族である拓跋《たくばつ》氏の珪《けい》（道武帝）が帝位について国号を魏《ぎ》（北魏、すなわち北朝の祖）と称し、南朝と対立した。

五七　＊柔然　四世紀から六世紀にかけて、蒙古地方を跳梁《ちょうりょう》した遊牧民族で、はじめ鮮卑に隷属したが、自立して魏と抗争するに至った。

五八　＊法顕（生没年不詳）中国東晋《とうしん》の僧。六十余歳の老年に至って志を立て、同志の僧たちと謀《はか》り、長安を発して六年の苦難を経てインドに達し、仏跡をめぐり、経典を書写し、セイロン・東南アジアを旅して、四一三年海路広州に帰り着いたが、同行者はすべて死んでいた。十五年間、三十数カ国にわたるこのときの旅行記が、すなわち引用されている『仏国記』である。

五八　＊太宗（598—649）中国唐の第二代皇帝。父帝高祖を補佐して唐朝の基を開き、六二六年に即位するや、内政の実をあげると共に版図を西域・南海にまで拡《ひろ》げ、後世「貞観《じょうがん》の治」と称される空前の盛時をもたらした。

五八　＊玄奘三蔵（602—664）唐代の僧。十三歳で出家したが、仏教を修めるにつれ、その哲学の最高峰である『十七地論』を手に入れて自己の懐疑を解決しようと、インドへ出かけることを決心した。当時国外旅行は国法で禁ぜられていたため二十八歳のとき単独で長安を出発、三年を費してインドにたどり着き、以後学をきわめ、多数の経典を得て、帰国した。時に四十四歳であった。長安の郊外に玉華宮を賜わって歿《ぼっ》するまでの二十年間、訳経に励み、その数は七千部、一千三百三十八巻に達した。

五九 ＊『大唐西域記』 玄奘三蔵が貞観三年（629）八月にインドへ渡るため長安を出発してから十九年（645）正月に長安に帰るまで、西域およびインドの気候・風俗・物産・伝説など、みずから体験し、見聞した事柄《ことがら》を記した彼の記録を、帰国後、編集したものである。

僧伽羅国は「周囲七千余里ある。……土地は肥沃《ひよく》で気候は暑熱である。農業は適時に行ない、花果は品種多い。人口は稠密《ちゅうみつ》で、資産は富裕である。人の体貌《たいぼう》は黒く小さく、その性格は烈《はげ》しい。学芸を好み徳を尊び、善行を崇《あが》め福業を奨励する」国だった（水谷真成訳）と玄奘三蔵は記している。

洪　水

七〇 ＊献帝（180—234） 後漢最後の王（在位189—220）。名は劉協《りゅうきょう》。父の霊帝の没後、皇子少帝が後を継いだが、軍閥の首領董卓《とうたく》は少帝を廃して、当時陳留王であった献帝を位につけ、一九〇年洛陽《らくよう》から長安に遷都した。やがて董卓が殺されると再び洛陽に帰ったが、曹操《そうそう》に迎えられて、許（河南省許昌県南西）にとどまった。曹操は最後まで献帝の臣として仕えたが、魏《ぎ》王の地位にあって実際上の支配権を握っていた。曹操が死ぬと、その子の曹丕《そうひ》は献帝を廃して帝位につき、後漢は滅びた。

七〇 ＊武帝（八）参照。

七〇　＊匈奴　（九）参照。
七〇　＊河西　（四四）参照。
七〇　＊胡族　（八）参照。
七一　＊古書　北魏の酈道元《れきどうげん》が著わした『水経注』と呼ばれる地理書。
七一　＊張騫　「楼蘭」に詳しい。
七一　＊大宛　（一一）参照。
七一　＊弐師将軍　漢の武帝より、李広利に賜わった称号。弐師とは大宛のニサ地方のことで現在のマルギラン。
七二　＊李広利　（一一）参照。
七二　＊班超　（四四）参照。
七二　＊班勇　（四八）参照。
七三　＊アシャ族　北カフカズにいたイラン系の遊牧騎馬民族で、古くはカスピ海東岸からドン河方面まで広がっていた。
七六　＊鄯善　タリム盆地の南東辺、チャルフリクのオアシスとミーラーンの遺跡とを含めた地域にあった国。『漢書』西域伝によると、楼蘭の王子で質子として漢にいた尉屠耆《いとき》が擁立されて扞泥城（ミーラーン）に拠り、新たに国を鄯善と号したとある。この間の事情は「楼蘭」に詳しい。
七六　＊亀茲　（一〇）参照。

七七　＊王尊　前漢の人。黄河が金堤で決潰《けっかい》した時、彼は白馬を河に投じて水神を祀《まつ》り、官吏の印綬《いんじゅ》を帯びて、その身体《からだ》で堤防の崩れるのを防ごうとした。それを見た吏民数千人が争って叩頭《こうとう》して思い止まらせたが、その至誠によってか水が引いたという。

七七　＊王覇　後漢の人。後漢の光武帝が王郎に追われて呼沱河（次項参照）を渡ろうとした時、王覇が河を偵察してみると、流れが急でしかも舟がなく渡れそうもなかったが、衆人の士気を沮喪《そそう》させないようにと、河は凍って容易に渡ることが出来るといつわり、河に至ったところ、偶然河水は凍っていて無事に渡河出来たが、渡河するや否や氷は解けてしまったという。

七七　＊呼沱河　山西省繁峙県の東の大戯山に源を発し、沽河に注ぐ。地勢が傾斜し流れが極めて早い。

八〇　＊焉耆　（一〇）参照。

八三　＊西域都護　（三六）参照。

八四　＊ソグド語　古代から十一、二世紀にかけて、現在の中央アジアのアム河とシル河にはさまれた、いわゆるソグディアナ地方のイラン系の住民が使用した言語。六世紀から九世紀にかけてはソグド商人の世界的進出によって広く中央アジアの国際語として用いられたが、十三世紀初頭のチンギスハンの侵入によって急激に衰えた。

八四　＊于闐語　サカ語、あるいはホータン・サカ語とも。十九世紀から二十世紀にかけて東トルキスタンから出土した資料によって再発見された言語。中世イラン語の一種で、多くのサンスクリット、およびプラクリットの借用語を含む。

八四 ＊匈奴語 匈奴の言語は、かつてはアルタイ語系中の蒙古語とトゥングース語の混合したものとされていたが、近来はむしろ古代トルコ語と解する説が有力である。しかし匈奴語に関しては、漢文による記載に散見する微細な資料しかなく、匈奴語自体の文献がないので不明である。

八五 ＊西域長史 （三二八）参照。

異域の人

一〇〇 ＊班彪（3—54）後漢の人。光武帝に重用されて司《し》馬《ば》遷《せん》の『史記』の武帝の初め以後の欠落部分の正史数十編を作る。これが『史記後伝』である。その長子固は父のあとをうけて『漢書』を著わし、次子超（本編の主人公）は西域五十余国を統一する活躍をした。

一〇〇 ＊漢書 前漢の正史。百巻、班固の業半ばに卒した後を妹昭が引き継ぎ、ついで馬続がこれを完成した。本書ははじめ『史記』『史記後伝』の補作にすぎないとされたが、後人の考証補註によって『史記』につぐ歴史書としての評価が高い。

一〇〇 ＊校書郎 宮中の図書を校勘する官吏。

一〇〇 ＊後漢書 百二十巻。南北朝の宋《そう》の范《はん》曄《よう》撰《せん》。漢書が前漢の正史であるのに対し、本書は後漢二十帝の紀伝体正史である。

一〇一　＊北匈奴　（四四）参照。

一〇一　＊河西　（四四）参照。

一〇二　＊伊吾廬　（四四）参照。

一〇二　＊仮司馬　司馬は軍隊の長官。仮司馬は長官心得というほどの役職。

一〇二　＊西域地方には……三十幾つかの小国　本書他の作品の素材ともなっている西域地方とは、現在の史家は東西トルキスタン地方を指すのが通例であるが、本書の作品群においての西域は古来からいわれるタリム盆地そのものと解していい。北は天山山脈、南は崑崙《こんろん》山脈、西はパミール高原にとり囲まれた砂漠盆地で、山麓《さんろく》線に散在していた小は数千、大は数万戸の城廓を中心とした集落国家は、すべてオアシスを中心として成立していた。民族、言語、宗教も国家別に異なっており、生活は于闐《うてん》、亀茲《きゅうじ》などのように玉《ぎょく》その他の鉱物資源に頼った国もあるが、他の多くの国々は乏しい水と貧弱な灌漑《かんがい》によって得た麻・絹・綿・米などの農産物によって支えられていた。オアシスを中心とするがゆえの群小国家形体としての必然性もさりながら、この地域が西欧との交通交易の宿場であったため、常に周辺の大国に支配されつづけた。「楼蘭」に詳しい。

一〇二　＊車師前国……疏勒　（一〇）（三六）参照。

一〇二　＊于闐、莎車　（一〇）参照。

一〇三　＊鄯善　（一一）（七六）参照。

一〇六　＊金蒲城　天山北麓の車師後国王の居城で金満城とも記録にある。今のジサムにあたる。

一〇六　＊柳中城　天山南麓のトゥルファン盆地に位置し、漢代には西域長史がいた。
一〇八　＊交河城　トゥルファン盆地の現在のヤール・ホト遺跡。
一一〇　＊康居（一三）参照。
一一〇　＊扜弥（一七）参照。
一一八　＊符抜　獣の名。桃抜ともいう。鹿《しか》に似て尾が長い。一角獣を天鹿、両角のものを辟邪《へきじゃ》というと『漢書』にある。
一一九　＊西羌　羌族は青海を中心に中国西北辺一帯に住んだチベット系遊牧民。
一二三　＊玉（三〇）参照。
一二四　＊胸脅の疾　脅は胸の両側。胸の病、肺病であろう。

狼災記

一二八　＊オルドス地方　内蒙古の黄河の彎曲部《わんきょくぶ》に囲まれた地域で、河套《かとう》とも呼ばれる。北は陰山、西は賀蘭山脈、南東は万里の長城に囲まれ、草原、砂丘、塩湖におおわれている。遊牧の適地が多く、古くから遊牧民の抗争の地であった。
一二八　＊長城　秦《しん》の始皇帝は天下を統一すると、戦国の諸国であった燕《えん》、趙《ちょう》、魏《ぎ》などが北辺に築いていた長城を継ぎ合わせていわゆる万里の長城を築いたが、これは低い土塁であって、現在見られる煉瓦《れんが》造りの壮大なものは明代の築造にかかる。

一二八　＊監軍　軍隊の目付役。

一二八　＊丞相　皇帝を補佐して一切の政務を処理する官。宰相に当る。

一二八　＊宦者　後宮に仕える去勢された男子。もと西アジアにおこり東西に伝わったと言われる。

一二九　＊戎狄　漢民族は西方の異民族を戎、北方の異民族を狄と呼んだ。

一三〇　＊陰山　中国と内蒙古との境界をなす山脈。蒙古高原の南辺を形成し、古来、北方遊牧民族と南方農耕民族との抗争の場となった。万里の長城はこの山脈にそって築かれた。

一三一　＊竹片　古代中国では、書写の材料として竹と木とを使用した。竹片で作ったのが簡で、長さは一定ではないが、経書などは多く二尺四寸くらいから八寸くらいまでのものを使用した。これに普通、一行に八字から三十字くらいの文字を書いた。長文になると、簡を幾個となく韋《なめしがわ》で編み連ねた。これを策といい、冊と同字である。

一三一　＊斉　周代の諸侯国の一で、太公望呂尚《たいこうぼうりよしょう》が祖といわれる。前七世紀に桓公《かんこう》が出て春秋時代最初の覇者となり、山東の大部分を領有した。後、前三七八年重臣の田氏に国を奪われ、以後それまでの斉と区別して田斉と呼ぶ。戦国時代を通じて秦に対する東方の大国として重きをなしたが、前二二一年に秦に滅ぼされた。

羅刹女国

一六〇　＊宝州　インドの宝渚《ほうしょ》とよばれた国で、多分に伝説的なところがあって、現在のセイロン島であるという確証はないともいわれている。閻浮提洲《えんぶだい》から海を越えて、この島に胡《ご》麻《ま》・米・豆・胡椒《こしょう》などの宝を、人々がもとめてきたのに因《ちな》んだという。アラビア人はこの島を「宝の島」と言っていたという。

一六〇　＊この説話　「羅刹女国」は僧伽羅国の建国説話のうちの「仏典にいうところの建国説話」であって、玄奘三蔵はこの末尾に僧伽羅が釈迦如来《しゃかにょらい》の前身であるという本生譚《ほんしょうたん》を付している。これに対して「僧伽羅国縁起」のほうは「世俗の建国説話」といえるであろう。いずれにしても玄奘三蔵はこの国には足を運ばず、「印度の国にあらざるも路次につき付」けたしたと伝聞の由《よし》をみずから記している。

一六〇　＊高幢　幢は「はた」「はたぼこ」。高いはたのこと。

僧伽羅国縁起

一九〇　＊玄奘三蔵　（五八）参照。

一九〇　＊『大唐西域記』（五九）参照。

一九〇　＊方頤、大顙、情性は獷烈　顎《あご》が角ばっていて、額は大きく、性格がはげしい。

一九〇　＊鴆毒　鴆は毒鳥で、この鳥の羽をひたした酒は、よく人を殺す力を持っているという。その酒を平然と飲む、というので伝聞した玄奘三蔵も驚いたのであろう。だから「猛獣の種の遺伝である」と結句に記しているわけである。

宦者中行説

一九四　＊高祖　（前247―前195　在位前206―前195）出身は中流の農家で、項羽との激しい抗争ののちに帝位につき、国号を漢と称し、都を長安に定めた。秦《しん》の官僚制をそのまま受けついだこと、租税の軽減による民心の収拾、郡県制の併用などによって統治した。（九）参照。

一九五　＊恵帝　（前210―前188　在位前195―前188）漢の第二代目の皇帝。性は暗愚で母親の呂《りょ》太后《たいごう》の権力が強く、子がなかったため、のちに後継者をめぐって、いわゆる呂氏の乱をひき起した。

一九五　＊呂太后　高祖の皇后で恵帝の母。前一八八年恵帝の歿後、幼少の皇帝を立てみずから政治を執った。帝室の安泰を期するため異姓の諸侯を除いたりした。前一八〇年に歿した。

一九五　＊文帝　（前202―前157　在位前180―前157）漢の第五代目の皇帝。明君とうたわれ、恭倹で仁愛深く、民力の休息と充実を図り、従来の対外政策である遠征を避けたので、三十年にわたる平和な時代を出現しえた。

二〇七　＊楼煩　雁門《がんもん》郡付近に住んでいた異民族といわれている。

二一三　＊呉、楚七国の乱　帝権を維持するために、一族を諸国に封じたところ、諸王の領土のほうが広大となり、勢力が増大した。そのため漢の六代目の景帝は、諸王の領土削減を図ったが、呉にその策が及んだとき呉王は楚・趙など六王とともに反乱を起した。三カ月ののちには鎮圧されて、諸王の勢力は衰えた。

褒姒の笑い

蘭

二一六　＊宣王（？—前782　在位前827—前782）厲王《れいおう》（二一六）の子で周を中興した第十一代の王。よき側近に恵まれ、政《まつりごと》をおさめ国力を充実させたので、天下は周に帰したが、後年は他国に干渉したり、徴兵を強化して外征をこととしたなどの失政があって、周室の衰亡を招いた。

二一六　＊幽王（？—前771　在位前782—前771）宣王の子で第十二代の王。父宣王の失政をそのまま受け継ぐこととなり、部下の諸侯はしだいに離反し、政治は腐敗し、凶作には相次いでたたられて、周の国力はとみに衰えた。

楼

二一六　＊鎬京　周の初代の王である武王が初めて、ここに都を営んだ。陝西《せんせい》省長安の西南といわれる。

二一六　＊涇水、渭水、洛水　涇水の北の源は甘粛省固原県の南の牛営、南の源は化平県の大関山から発して、途中で合流し渭水へ注いでいる。涇水は濁り、渭水は澄むといわれている。渭水は甘粛省蘭州府渭源県の西の鳥鼠山に源をもち、東に向って流れ、いくつかの川と合流し、潼関で黄河にはいる。洛水は陝西省定辺県の東南の白於山に源があり、涇水とほぼ平行して東南に流れ、渭水に合流して黄河に注ぐ。

二一六　＊太史　六典（国をおさめる六つの法）を定め、暦を作って諸国に配り、歴史をつかさどる記録官。

二一六　＊……人これを乱すなり　直接に王を指すのをはばかって「人」といったものである。

二一六　＊……十年を過ぎざるべし　一からはじまる数は十で終るものであるから、天が見放した以上は十年もたたないうちに亡《ほろ》びてしまうであろう。

二一九　＊中后　伯夷《はくい》の子孫である。

二二五　＊『詩経』　古くは殷代《いんだい》から下っては春秋時代にいたるまでの詩三百十一篇を収めている。周代に宮廷に係をもうけて各国の歌謡を採集して政治の得失、風俗の良否を察し、士君子の交際上にも応用したともいう。その数が三千あまりあったのを孔子《こうし》が削ったものという。

二二五　＊『周語』　周の左丘明が著わしたといわれる『国語』全二十一巻のうちの三巻。『国語』は春秋時代列国の事跡を国別に記した書で、ほかに魯《ろ》、斉《せい》、晋《しん》、鄭《てい》、楚《そ》、呉《ご》、越《えつ》の七国がある。左丘明には魯国のことのみを主にした『春秋左氏伝』の著が別にあり、それに対して『国語』は『春秋外伝』の別称をもっている。

二二五　＊『史記』　黄帝から前漢の武帝までの事を記した紀伝体の史書。計百三十巻。司馬遷著。

二二六　＊厲王　周は第七代の王以後、不安と動揺がうちつづき、第十代目の厲王（在位年代は未詳）に至って内政上の混乱と外敵の侵入を招き、国人にそむかれた厲王は他国に逃亡したまま、十四年後に逃亡先で歿した。

幽　鬼

二三〇　＊光秀　（1528―1582）通称十兵衛《じゅうべえ》。美濃《みの》の土岐氏の一族で、同国可児《かに》郡の明知《あけち》、岐阜県恵那《えな》郡明智町のうちから起った。はじめ越前の朝倉義景《あさくらよしかげ》、ついで織田信長《おだのぶなが》に仕えて重んじられた。

蘭　二三〇　＊亀山城　天正七年（1579）光秀が信長から丹波を与えられた時に、丹波桑田郡の亀山、現在の京都府亀岡市のうちに築いた平城。三層の天守閣を持ち、近郊十カ村を城下に連ね、諸方から工・商が集まっていた。同十年光秀が敗れた後、守兵は防ぎきれずに落城した。

楼　二三一　＊安土の……十七日であった　信長は天正五年（1577）八月までにほぼ畿内《きない》を平定した上、北は越前に柴田勝家らを遣わして謙信の西上に備え、東は家康《いえやす》と結んで武田勝頼《たけだかつより》を封じ、西は播磨《はりま》を制しようとしていたので、領内に足利義昭《あしかがよしあき》を保護し石山本願寺の顕如光佐《けんにょこうさ》を援《たす》けている毛利輝元の討伐にかかり、十月羽柴秀吉をさし向けた。しかし、同七年の初めには攻めも滞り、光秀の丹波・丹後平定と備後《びんご》の宇喜多直家の内応などはあっても、同九年には秀吉は和戦両様の策をとらざるを得なくなった。翌年五月に信長が光秀を遣わしたのは、こういう局面を打開するためであった。

二三一　*坂本　近江《おうみ》滋賀郡の坂本、現在の滋賀県大津市のうち。比叡山《ひえいざん》の東麓《とうろく》にあり、延暦寺へ登る東坂の地。下坂本の地に築かれた坂本城は光秀がはじめて持った城で、本能寺の変の時、妻子はこの城にいて家老の明智秀満と共に自害し、城も焼け落ちた。

二三一　*愛宕山　山城葛野《かどの》郡の西境、丹波との国境にあたり、現在の京都市のうち。山上の愛宕神社は、伊弉冉尊《いざなみのみこと》など五柱の神を祭り、火伏《ひぶせ》の神としての崇敬があつく、修験道《しゅげんどう》の七高山の一として有名。

二三一　*里村紹巴　（1525—1602）室町末期の連歌師。天文（1532—1555）末年ころから連歌界に名を挙げ、永禄《えいろく》・元亀《げんき》年間（1558—1573）以後は第一人者としての名声を獲得、法《ほっ》橋《きょう》に叙せられた。著書に『連歌至宝抄』がある。

二三一　*百韻　連歌の法式の一で、最初の句（発句）から最後の句（挙句）まで、五・七・五の長句と、七・七の短句を交互に連ねて百句に至る形式のもの。

二三二　*本能寺　京都市中京区にある、日蓮宗《にちれんしゅう》本門法華《ほっけ》宗派の大本山。以前から武将などが上洛《じょうらく》した時には日蓮宗の寺院に宿泊することが多く、信長もそうした慣例によって本能寺を選んだものと思われる。

二三四　*筒井順慶　（1549—1584）大和《やまと》生駒《いこま》郡筒井城主。天正五年（1577）松永久秀が織田信長に叛《はん》した時、先陣を命じられてこれを滅ぼし、郡山《こおりやま》城に拠《よ》って大和全国を管した。天正十年（1582）の山崎の合戦に際しては、軍を洞ケ峠《ほらがとうげ》にとめて形勢を観望し、結局は秀吉に通じた。

補陀落渡海記

二五〇　＊補陀落寺　和歌山県東牟婁《ひがしむろ》郡那智《なち》勝浦町浜ノ宮にある天台宗の寺院。天福元年（1233）下河辺《しもこうべ》行秀《ゆきひで》が開基した。行秀は源頼朝《みなもとのよりとも》の家臣であったが、頼朝に従って那須野に狩をし獲物を射ちそこねたため面目を失い、出家をとげて南海のこの地にたどり着いた、と『吾妻鏡《あづまかがみ》』には記されている。智定房上人と呼ばれた。この寺の本尊は無双の霊仏とされている千手観音で「日本第一普陀落山《ふだらくせん》寺」と題されている。

二五一　＊補陀落信仰　観世音菩薩《ぼさつ》が住むところでインドの南海岸にあると伝えられていたのが補陀落山である。この補陀落山を求めて彼岸の観音のみ許《もと》へ達しようという切願があったが、あまりにも遠くて生きては到底たどり着けないという自覚はみなが持っていた。そのため日本では和歌山県の那智山をもって補陀落山の東門に擬し、山麓の浜ノ宮の寺院をもって補陀落寺となした。

二五六　＊古い記録『熊野年代記』（著者、成立年代ともに未詳）によったもの。祐真上人《ゆうしんしょうにん》の項には「奥州《おうしゅう》の人十三人と道行渡海す。これ道行渡海の始めなり」と付け加えられている。また渡海とは別であるが、三所権現《ごんげん》を巡礼したのち、元暦《げんりゃく》元年（1184）三月に浜ノ宮から舟を出して入水《じゆすい》した人に平維盛《たいらのこれもり》がある。

郡司勝義

解説

山本健吉

一

この作品集には、主として井上氏の短編の歴史小説が収められている。それもおおかたは、中国、西域《せいいき》、印度などを舞台にしている。

西域物を主とする氏の大陸物には、氏が若いころから胸の中につちかった夢が託されている。氏は高等学校の学生時代から西域関係の旅行記を読み出し、それは今まで続いているという。青年期に氏が志望を転々と変えて、三十になってようやく京大美学科を卒《お》えたというのも、氏のどうにもならない夢の強大さが、目標を明確につかむことを妨げたのだとも見えるのである。氏の長い学生時代は、それだけ己れの夢に遊ぶ時を恵まれたという点で、この上なく豊かだったと思える。それは二、三十代に早熟のみのりをもたらすことはなかったが、悠々《ゆうゆう》と四十代に達して、爆発的に小説の多産な時代を迎えるための、規模の大きい基礎を作り上げることはできたのだ。

氏の歴史小説は、ある意味では、氏の夢の現実化であったろう。『風林火山』や『戦国無頼』のような、主として日本の戦国時代を題材とした時代小説に対して、『天平《てんぴょう》の甍《いらか》』『敦煌《とんこう》』『蒼《あお》き狼《おおかみ》』『風濤《ふうとう》』のような小説を、氏は歴史小説と呼び、ある場合には史実小説とも呼んでいる。もちろんそこに想像力の駆使が見られるのは当然だが、それとともに、史実の中に存在する「自然」を尊重する気分が、一方では非常に強いのである。それは、かならずしもフィクションを第一義的に重んじない東洋の文学の伝統に、鷗外《おうがい》や露伴《ろはん》とともに、氏もまた立っていることを物語るものだ。古人との対話を楽しむ史家の魂を、氏もまた持っているのである。

二

『楼蘭《ろうらん》』は、昭和三十三年七月に発表されたが、井上氏はこの作品で、始めて西域に寄せる夢の中核の部分にはいりこんだのである。

これはスウェン・ヘディンの『彷徨《さまよ》へる湖』から材を獲《え》ている。ヘディンがロブ湖畔に掘り出した若い女のミイラから、氏はかつてのオアシス国家楼蘭で、自殺した美しい王妃を仮構した。この美しい貴女のイメージは、氏の現代小説、時代小説を通じて繰返し現われ、後に『敦煌』において、もっと具象化されて、城壁から身を躍らせて死ぬ回鶻《ウイグル》の王族の女となる。

人口一万四、五千のロブ湖畔の弱小国家楼蘭は、大国の漢と匈奴《きょうど》とのあいだに挟《はさ》まれて、小国の悩みと苦しみとを嘗《な》めつくす。漢の為政者は、楼蘭を匈奴の劫略《ごうりゃく》から守るためと称して、彼等に美しい湖畔の町を棄《す》てさせ、二五〇マイル離れた新しい土地鄯善《ぜんぜん》への移住を命令する。それから数百年、鄯善人にとって楼蘭とは、何時《いつ》かは帰るべき都という意味を持つに至る。だが、匈奴に占領された楼蘭を、奪回しようと計った鄯善の若い武将は、不思議なことにもはやロブ湖の影もなく、楼蘭の町はまったく沙漠《さばく》の中に埋まってしまっているのを発見する。

その謎《なぞ》は、一九〇〇年に、スウェーデンの探検家、ヘディンの手で解かれるのである。楼蘭の遺趾《いし》を発見した彼は、また一五〇〇年の周期を経て、楼蘭の故地へ帰りつつある彷徨える湖ロブ湖《ノール》を発見する。そして、二千年近い長い眠りを眠っていた若い美女の柩《ひつぎ》も、同時に発見する。

これが小説なのか。作者は楼蘭という国と、楼蘭人の神である河竜の棲《す》むロブ湖の滅亡と再現とを描いた。その点では、それは歴史である。だが、そこに託された作者の夢の強烈さが、これが小説、というより一編の詩であることを納得させるのである。

三

『洪水《こうずい》』は、昭和三十四年作。『水経注』という、中国最古の地理書に拠《よ》っている。だがそこにはほんの二、三行、索勱《さくばい》という後漢時代の隊長が、沙漠の中で洪水と戦って勝利を収めたことが出ているに過ぎないという。

それはこの小説の前半を占めていて、もっとも生き生きした部分である。その部分だけが史料により、あとはこの主人公の運命にかかわるアシャ族の女も、結末の洪水に呑《の》まれるところも、作者の空想である。そのような空想をほしいままにした部分にも、一種ブッキッシュな匂《にお》いのする史家の文体を、氏は創《つく》り出している。氏の文体の秘密をうかがわせるような作品である。

『異域の人』はずっと早く、昭和二十八年作。『漆胡樽《しつこそん》』『玉碗記《ぎょくわんき》』につづいて、早期の西域物である。

これは後漢の人、班超《はんちょう》の伝記である。半生を西域で送った班超に、氏は深い親愛感を掻《か》き立てられた。そこに見る西域への無垢《むく》の情熱、それを貫いた強い意志に打たれ、氏は班超の西域での三十年間の行動をたどる。彼が四十二歳で始めて西域に赴いたことも、井上氏は人ごととは思えなかったろう。氏は略筆で、簡潔にたどっているが、西域での班超の行動には、感動的な場面が少なくない。たとえば、鄯善に滞在中、急に待遇が疎略になったので、匈奴の部隊が近づいたことを察知し、烈風の中をその宿舎に夜討をかけて退却せしめた果断さ、その他等々。その簡潔な叙述には、根底に氏の文体への渇望《かつぼう》が存在する。

圧巻は結末である。七十一歳となり、衰老任に堪えなくなった彼は、三十年ぶりで洛陽《らくよう》に帰り、そこで自分の長年の労苦が、不思議な形で街にあふれているのを見る。街には胡国《ここく》の産物がひさがれ、胡風と胡俗とが目立ち、行人の服装は目ざむるばかり華美である。そして、漠地《ばくち》の黄塵《こうじん》に皮膚と眼の色の変った彼は、幼童から「胡人！」と指さされるに至る。

彼は半生を捧《ささ》げた自分の仕事のはかない結果を、死の二十数日前に知るという無惨な目にあうのである。彼が死んだ五年後に、漢は西域を放棄し、玉門関はふたたび固く閉された。この最後の一節は、これまでの班超の労苦を一挙に無意味と化してしまうような、無慈悲などんでんがえしである。だがおそらく、井上氏は班超の行為がまったく無意味だったのかと問うてみて、否《いな》と言っているのだ。人間の行為の意義、無意義を分つものは、人間の意志を超えている。人間の歴史は、結局人間行為の無数の捨石の上に築かれているのだから――。

四

『狼災記《ろうさいき》』『羅刹女国《らせつにょこく》』『僧伽羅国縁起《そうからこくえんぎ》』などは、それぞれ荒唐無稽《こうとうむけい》の古い説話を種にして、寓意的な表現をめざしている。『狼災記』は中島敦《あつし》の『山月記』に似ているが、相違は、これは狼に化した陸沈康が、昔の親友張安良に会って親しく言葉を交わしながら、狼のさだめと掟《おきて》に従って張を嚙《か》み殺してしまわなければならなかったことだ。そこには、どうにもならない人間の本性のかなしさが強調されているようである。『宦者中行説《かんじゃちゅうこうえつ》』も、深い怨念《おんねん》一つによって辺土に生きつづけた宦官が、老いて耄碌《もうろく》してもなおその思いを手離さない執念を描き、別の意味で膚寒《はださむ》さを覚えしめるのである。あるいはまた、噴火によって一瞬にして小磐梯《こばんだい》が消滅した明治二十一年の回想『小磐梯』——。磐梯山に向って、「ブン抜ゲンダラ、ブン抜ゲロ」と大きな声で唱《うた》っている子供たちの挑戦《ちょうせん》の声と、心中しようとやって来た若い男女がたちまち泥土の流れの中に没してしまった最期《さいご》とが、あざやかな印象を残す。

最後に『補陀落《ふだらく》渡海記』について一言しよう。熊野《くまの》の浜は遠く海坂《うなさか》を超えて、妣《はは》の国へ通ずるという信仰があり、その伝承を基にして、補陀落信仰が生じたらしい。補陀落とは梵語《ぼんご》Potalaka「光明山」と訳する。印度の南海岸にあり、そこに八角の山があって、観音菩薩《ぼさつ》が住むといわれる。言わば観音の浄土であって、洋々たる海上を渡ってそこに到《いた》り着き、往生することができると信ぜられた。平家の一族に別れて、熊野に身を潜めた平維盛《たいらのこれもり》も、最期はこの補陀落渡海の道であった。浜の宮海岸の補陀落寺が、この信仰の根本道場である。もっとも土佐室戸《むろと》にも、九州西岸にも、同種の信仰はあったらしく、摂津《せっつ》の四天王寺の東門（石の鳥居）が極楽の西門に通ずるとして、住吉《すみよし》の海で入水《じゅすい》して日想観《じっそうがん》往生を遂げる習わしがあったのも、同じ信仰である。

作者はこの補陀落寺の住職金光坊が、周囲から補陀落渡海する者と何時の間にか決められて、その心構えの出来ていないままに渡海を宣告し、決行するに至る心理的苦闘を描き出している。『楢山節考《ならやまぶしこう》』に描かれたのと同じような残酷な掟の中に生きねばならなかったわけで、金光坊が過去に送り出した何人かの渡海上人《しょうにん》の態度や表情と対比しながら、彼の心裡《しんり》が鮮やかに摑《つか》み出される。彼が始めのうちは、回想のうちに浮び上がってくる上人たちの表情の、誰一人とも似たくはないと願いながら、渡海の日が迫ってくるに従って、彼はそのどの一つの顔でもいいから、なれるものならなりたいと願うようになる。容易になれると思ったのは甘い考えであり、そのどの一つの顔にも容易になれるものではないことを、嫌《いや》というほど思い知らされる。さらにまた、渡海の当日の気持の動きも的確にたどられている。

ひとところのはやりの言葉でいえば、限界状況における人間を描いたということになる。その特殊きわまる状況において、赤裸々に人間普遍の本然の真実が鮮やかに露呈するのである。

（昭和四十三年一月、評論家）

「楼蘭」「幽鬼」は講談社刊『楼蘭』（昭和三十四年五月）に、「洪水」は講談社刊『創作代表選集（25）』（昭和三十五年四月）に、「異域の人」は講談社刊『異域の人』（昭和二十九年三月）に、「狼災記」「補陀落渡海記」「小磐梯」は新潮社刊『洪水』（昭和三十七年四月）に、「羅刹女国」「僧伽羅国縁起」「宦者中行説」「褒姒の笑い」は文藝春秋社刊『羅刹女国』（昭和四十一年一月）に、「北の駅路」は文藝春秋社刊『仔犬と香水瓶』（昭和二十七年十月）に、それぞれ収録された。

井上靖著

猟銃・闘牛

芥川賞受賞

ひとりの男の十三年間にわたる不倫の恋を、妻・愛人・愛人の娘の三通の手紙によって浮彫りにした「猟銃」、芥川賞の「闘牛」等、3編。

井上靖著

敦煌（とんこう）

毎日芸術賞受賞

無数の宝典をその砂中に秘した辺境の要衝の町敦煌――西域に惹かれた一人の若者のあとを追いながら、中国の秘史を綴る歴史大作。

井上靖著

あすなろ物語

あすは檜になろうと念願しながら、永遠に檜にはなれない〝あすなろ〟の木に託して、幼年期から壮年までの感受性の劇を謳った長編。

井上靖著

風林火山

知略縦横の軍師として信玄に仕える山本勘助が、秘かに慕う信玄の側室由布姫。風林火山の旗のもと、川中島の合戦は目前に迫る……。

井上靖著

氷壁

前穂高に挑んだ小坂乙彦は、切れるはずのないザイルが切れて墜死した――恋愛と男同士の友情がドラマチックにくり広げられる長編。

井上靖著

天平の甍

芸術選奨受賞

天平の昔、荒れ狂う大海を越えて唐に留学した五人の若い僧――鑒真来朝を中心に歴史の大きなうねりに巻きこまれる人間を描く名作。

井上靖著

しろばんば

野草の匂いと陽光のみなぎる、伊豆湯ヶ島の自然のなかで幼い魂はいかに成長していったか。著者自身の少年時代を描いた自伝小説。

井上靖著

蒼き狼

全蒙古を統一し、ヨーロッパへの大遠征をも企てたアジアの英雄チンギスカン。闘争に明け暮れた彼のあくなき征服欲の秘密を探る。

井上靖著

風濤（ふうとう）

読売文学賞受賞

朝鮮半島を蹂躙してはるかに日本をうかがう強大国元の帝フビライ。その強力な膝下に隠忍する高麗の苦難の歴史を重厚な筆に描く。

井上靖著

額《ぬか》田《たの》女《おお》王《きみ》

天智、天武両帝の愛をうけ、〝紫草《むらさき》のにほへる妹〟とうたわれた万葉随一の才媛、額田女王の劇的な生涯を綴り、古代人の心を探る。

井上靖著

後白河院

武門・公卿の覇権争いが激化した平安末期に、権謀術数を駆使し政治を巧みに操り続けた後白河院。側近が語るその謎多き肖像とは。

井上靖著

幼き日のこと・青春放浪

血のつながらない祖母と過した幼年時代——なつかしい昔を愛惜の念をこめて描く「幼き日のこと」他、「青春放浪」「私の自己形成史」。

井上靖著

夏《なつ》草《ぐさ》冬《ふゆ》濤《なみ》（上・下）

両親と離れて暮す洪作が友達や上級生との友情の中で明るく成長する青春の姿を体験をもとに描く、『しろばんば』につづく自伝的長編。

井上靖著

孔子

野間文芸賞受賞

戦乱の春秋末期に生きた孔子の人間像を描く。現代にも通ずる「乱世を生きる知恵」を提示した著者最後の歴史長編。野間文芸賞受賞作。

井上靖著

北の海（上・下）

高校受験に失敗しながら勉強もせず、柔道の稽古に明け暮れた青春の日々――若き日の自由奔放な生活を鎮魂の思いをこめて描く長編。

井伏鱒二著

山《さん》椒《しょう》魚《うお》

大きくなりすぎて岩屋の棲家から永久に外へ出られなくなった山椒魚の狼狽をユーモア漂う筆で描く処女作「山椒魚」など初期作品12編。

井伏鱒二著

駅前旅館

昭和30年代初頭。東京は上野駅前の旅館を舞台に、番頭たちの奇妙な生態や団体客が巻き起こす珍騒動を描いた傑作ユーモア小説。

井伏鱒二著

黒い雨

野間文芸賞受賞

一瞬の閃光に街は焼けくずれ、放射能の雨の中を人々はさまよい歩く……罪なき広島市民が負った原爆の悲劇の実相を精緻に描く名作。

大岡昇平著
俘虜記
横光利一賞受賞

著者の太平洋戦争従軍体験に基づく連作小説。孤独に陥った人間のエゴイズムを凝視して、いわゆる戦争小説とは根本的に異なる作品。

大岡昇平著
武蔵野夫人

貞淑で古風な人妻道子と復員してきた従弟勉との間に芽生えた愛の悲劇――武蔵野を舞台にフランス心理小説の手法を試みた初期作品。

大岡昇平著
野火
読売文学賞受賞

野火の燃えひろがるフィリピンの原野をさまよう田村一等兵。極度の飢えと病魔と闘いながら生きのびた男の、異常な戦争体験を描く。

遠藤周作著
海と毒薬
毎日出版文化賞・新潮社文学賞受賞

何が彼らをこのような残虐行為に駆りたてたのか？ 終戦時の大学病院の生体解剖事件を小説化し、日本人の罪悪感を追求した問題作。

遠藤周作著
沈黙
谷崎潤一郎賞受賞

殉教を遂げるキリシタン信徒と棄教を迫られるポルトガル司祭。神の存在、背教の心理、東洋と西洋の思想的断絶等を追求した問題作。

遠藤周作著
イエスの生涯
国際ダグ・ハマーショルド賞受賞

青年大工イエスはなぜ十字架上で殺されなければならなかったのか――。あらゆる「イエス伝」をふまえて、その〈生〉の真実を刻む。

新潮文庫最新刊

中山祐次郎著

救いたくない命
—俺たちは神じゃない2—

殺人犯、恩師。剣崎と松島は様々な患者を手術する。そんなある日、剣崎自身が病に倒れ——。凄腕外科医コンビの活躍を描く短編集。

山本文緒著

無人島のふたり
—120日以上生きなくちゃ日記—

膵臓がんで余命宣告を受けた私は、残された日々を書き残すことに決めた。58歳で逝去した著者が最期まで綴り続けたメッセージ。

貫井徳郎著

邯鄲の島遥かなり（上）

神生島にイチマツが帰ってきた。その美貌に魅せられた女たちは次々にイチマツと契り、子を生《な》す。島に生きた一族を描く大河小説。

サリンジャー
金原瑞人訳

このサンドイッチ、マヨネーズ忘れてる
ハプワース16、1924年

鬼才サリンジャーが長い沈黙に入る前に発表し、単行本に収録しなかった最後の作品を含む、もうひとつの「ナイン・ストーリーズ」。

仁志耕一郎著

花と茨
—七代目市川團十郎—

破天荒にしか生きられなかった役者の粋、歌舞伎の心。天才肌の七代目は大名跡の重責を担って生きた。初めて描く感動の時代小説。

企画・デザイン
大貫卓也

マイブック
—2025年の記録—

これは日付と曜日が入っているだけの真っ白い本。著者は「あなた」。2025年の出来事を綴り、オリジナルの一冊を作りませんか？

楼《ろう》　蘭《らん》

新潮文庫　　い - 7 - 14

昭和四十三年一月二十五日　発行
平成二十二年四月十日　六十一刷改版
令和六年十月十五日　六十七刷

著者　井《いの》上《うえ》靖《やすし》

発行者　佐藤隆信

発行所　株式会社　新潮社

郵便番号　一六二―八七一一
東京都新宿区矢来町七一
電話　編集部(〇三)三二六六―五四四〇
読者係(〇三)三二六六―五一一一
https://www.shinchosha.co.jp

価格はカバーに表示してあります。

乱丁・落丁本は、ご面倒ですが小社読者係宛ご送付ください。送料小社負担にてお取替えいたします。

印刷・錦明印刷株式会社　製本・錦明印刷株式会社

ISBN978-4-10-106314-0 C0193